Interaction

Révision

de Grammaire

Française

Susan S. St. Onge
Christopher Newport College

David W. King
Christopher Newport College

Ronald R. St. Onge
College of William and Mary

Heinle & Heinle Publishers, Inc.
Boston, Massachusetts 02210

To Norma and Adee

Credits

Cover photos Frank Siteman, The Picture Cube *(left)* ; British
European Centre *(upper right)*; Martine Franck, Magnum
(lower right); Owen Franken, Stock Boston: 1, 127, 207; S.
Weiss, Rapho: 3; Doisneau, Rapho: 13; Walter Storck, Foods
& Wines From France: 20; Richard Kalvar, Magnum: 31; The
Picture Cube: 35; Frank Siteman, The Picture Cube: 43;
Niépce, Rapho: 48; Paula Grass, The Picture Cube: 55;
Helena Kolda, Rapho: 63, 85, 137, 225, 228, 255; French
Embassy Press & Information Division: 70, 87, 218; Mark
Antman, Stock Boston: 107, 117, 160, 169; Kay Lawson,
Rapho: 186; Canadian Government Office of Tourism: 179,
190; Clement-Petrocik, French West Indies Tourist Board: 197;
E. Boubat, Rapho: 200; Dorka Raynor: 204; French National
Railroads: 210, 215; Cary Wolinsky, Stock Boston: 231, 248;
Ciccione, Rapho: 236.

The excerpt on p. 272 from *Le Diable au corps*, Raymond
Radiguet, 1962, is reprinted with the permission of Editions
Bernard Grasset.

*C*ontents

Chapitre 8

La Francophonie, c'est un accent français dans le monde 180

Chapitre 9

Un Long Voyage et de courts trajets 208

Chapitre 10

Le Rêve et la réalité des grandes vacances 232

Appendix A

Appendix B

Preface

INTERACTION: RÉVISION DE GRAMMAIRE FRANÇAISE is a systematic and unified presentation of intermediate-level grammar. For the instructor, its approach is intended to permit the use of a variety of teaching techniques. For the student, it has the capacity of answering needs brought about by a wide range of abilities and backgrounds.

Because teaching-learning situations vary widely across the nation, college-level intermediate French classes have traditionally included students with disparate backgrounds and preparations. These courses have been oriented customarily toward both review and development of the four language skills. *INTERACTION*'s straightforward explanations of grammar enable students to recall the essentials of the language while achieving the main goal of the textbook—to move progressively from the comprehension and use of structure to varied levels of communication in French.

INTERACTION contains ten chapters and has an accompanying tape program, workbook, reader, and Instructor's Manual. Its length makes it suitable for use in a one-semester course or in a full-year course when supplemented by reading and other activities. It can be used with its companion reader, *INTERCULTURE: LECTURES ET ACTIVITÉS.*

The order in which *INTERACTION* presents grammar allows students to move in progressive steps: the elements most necessary for basic communication precede those used in more complex expression. The first three chapters establish the linguistic foundation necessary for useful exchanges. Chapters 4 and 5 deal with one of the most difficult concepts of French grammar for an English speaker: the past tense. *INTERACTION* seeks to avoid oversimplification or misleading categorization. Rather than relying on English equivalents, students develop a feel for what they are actually communicating through their choice of a given past tense. Chapters 4 and 5 also provide the students with an abundance of exercises for reinforcing the principles involved. In Chapter 6, interrogative adverbs, pronouns, and the adjective *quel* are treated. Chapter 7 reviews the formation and use of the present and past subjunctive, a mood that is introduced at this point in the book in order to provide more time for the students to become comfortable with its use. Chapter 8 deals with verbs followed by prepositions. Students also review present participles and relative pronouns. Chapter nine reviews object pronouns, possessive pronouns, and demonstrative pronouns. Chapter 10 treats the future, future perfect, conditional, and past conditional tenses. *Si* clauses are reviewed at this time. Chapter 10 also reviews numbers, dates, and time expressions. In all chapters, exercises lead the student from practicing the grammar concepts to creatively communicating using the concepts.

Chapter format

Each chapter of INTERACTION builds progressively using the following pattern:

Lecture

The *Lecture,* which opens each chapter, has several purposes: it illustrates the grammar principles of the chapter, it establishes the vocabulary center on which most of the chapter's exercises will be based, it teaches culture, and it allows for practice of the reading skill. The reading selections are based on cultural material chosen for its practical nature, such as family, friends, TV.

There is a set of exercises following each reading selection that familiarize the students with the essential vocabulary and cultural content of the chapter. Before they have encountered any formal presentation of grammar principles, students should already feel at ease with the cultural and lexical context that is expanded upon in the subsequent portions of each chapter.

Vocabulaire

Specialized vocabulary items pertinent to the chapter's cultural theme are marked with a degree sign in the *Lecture* and appear in the French-English vocabulary list immediately following the reading. These words are also included in the end glossary of the text. Once a vocabulary item has been introduced, it is not listed again unless it has been used with a different meaning. Other expressions in the readings should be readily recognizable to the students, either as exact cognates or vocabulary familiar to most second-year students.

Structures

INTERACTION is designed to encourage the use of spoken French in the classroom. However, we believe that, for maximum student use of the target language during class time at the intermediate level, it is most efficient to provide explanations of structure in English. Classroom activities are more fruitfully conducted in French once students have already assimilated principles of structure through direct contact with them in their own language. In opting for terminology readily accessible to students, we have attempted to simplify the acquisition of structure. Each chapter of INTERACTION groups interrelated principles of grammar and contrasts French and English usage in order to facilitate the students' grasp of the French concept.

Especially difficult points of French usage are highlighted for the students by the culturally significant *Rappel* symbol ⚠ . When the French wish to call a driver's attention to street repairs or construction work, they place a *Rappel* sign near the potentially hazardous site as a reminder that particular caution should be exercised when passing nearby. *INTERACTION* likewise urges students to remember the basic rules of the road and to apply them with prudence while operating in troublesome areas. The basic premise of *INTERACTION* is that students, like their counterparts on the French roads, have already demonstrated a knowledge of fundamental principles but must now be guided through hazardous zones, which, experience has shown, require special reminders and warnings.

Exercises

Exercices d'application
Once introduced, each grammar topic is immediately reinforced by a set of short *Exercices d'application*, designed to drill each point separately. Instructors may use these exercises for in-class verification. By duplicating and distributing to the students the answers contained in the *Instructor's Manual*, they may also opt to assign the exercises as independent work.

Exercices d'ensemble
These exercises occur after a group of related grammar points in a chapter and drill all concepts presents up to that point in the chapter.

Activités d'Expansion
These activities, which occur at the end of the chapter, provide further drill, offer additional opportunity for guided personal expression, and incorporate material from earlier lessons. They are arranged in order of difficulty.

Situations orales/écrites
Each chapter culminates in a number of oral and written activities of a situational nature that allow students to demonstrate their mastery of the lesson's structure and vocabulary.

Back matter

Appendices

Appendix A offers explanations of the passive voice, indirect discourse, and literary tenses. Since the units of Appendix A contain exercises, instructors may use them as supplementary chapters or introduce this material at any appropriate time during the course, according to student needs.

Appendix B provides charts of the principal regular, irregular, and stem-changing verbs.

French-English Vocabulary

The French-English end glossary contains all expressions used in the text that are neither cognates nor easily recognizable by students entering the intermediate level. The gender of all nouns as well as the feminine forms of adjectives are indicated. Slang or popular expressions are labeled as such. The translations given are those that correspond to the use of the term within the text.

Companion texts

Interaction: Cahier de laboratoire et de travaux pratiques

The workbook/laboratory program that accompanies *INTERACTION* contains both taped material and additional written exercises that further reinforce the skills of writing, listening, and speaking. It thus provides a practical, added dimension to classroom activities. In each chapter, the recorded portions of the *CAHIER* first present phonetic drills emphasizing isolated sounds and patterns of intonation. A set of controlled exercises then prompts students to use structures presented in the chapter in ways that simulate exchanges in actual conversation. The remaining segments of the taped material build on this foundation: *Situations*, or guided dialogues, check mastery of structure in a conversational context; and comprehension exercises include a listening passage and a *dictée*. A complete tapescript of the recorded materials is reproduced in the INSTRUCTOR'S MANUAL.

The written exercises of the *CAHIER* supplement the exercise material in the textbook itself. A wide variety of controlled and open-ended work challenges the student to go beyond the simple manipulation of structure. The emphasis throughout is on affective expression in practical situational contexts.

Interculture: Lectures et activités

INTERACTION is published with a companion, intermediate-level cross-cultural reader, *INTERCULTURE: LECTURES ET ACTIVITÉS*. *INTERCULTURE* can be used with *INTERACTION* or it can be used independently. *INTERCULTURE* immerses students in situations taken from everyday French life and provides a broad view of cross-cultural phenomena.

The first part of *INTERCULTURE* contrasts some of the most fundamental differences between French and American cultures using popular stereotypes, prejudices, and misconceptions as a point of comparison. The next three parts are centered around practical cultural situations likely to be encountered by Americans who study, live and work, or travel in France. They present both the concrete manifestations of culture and cross-cultural theory.

Individual chapters offer a broad range of means for introducing specific cultural material, including dialogues, transcriptions of actual interviews, excerpts from current French newspapers and magazines, photographs, and realia. These presentations are followed by brief prose explanations in French of cultural attitudes and of the practical social "do's and don'ts."

Chapters are highlighted by abundant exercises and activities designed to strengthen students' grasp of cultural principles, to get students to react to what they have learned, to stimulate cross-cultural comparisons, and to promote interaction in class among the individual, the material, and classmates. These activities and exercises include role-playing, true-false exercises, cultural tests, interviews, guided dialogues, statements to identify or react to, polls on current topics, and suggested issues for discussion or composition. *INTERCULTURE* offers a new approach to the study of French culture that is suitable to a wide variety of intermediate-level courses and reflects the students' interest in cross-cultural understanding.

Instructor's Manual

The INSTRUCTOR'S MANUAL is designed to convey insights gained by the authors through classroom use of the texts. For *INTERACTION*, it points out areas of special concern, makes suggestions regarding possible alternatives for the presentation of information, and provides supplementary materials not appearing in the student's edition, including answers to the *Exercices d'application*, a tapescript of the lab program, and sample tests. The sample tests suggest a wide variety of testing possibilities that adapt to a wide range of instructional approaches. The IN-

STRUCTOR'S MANUAL also suggests methods for the simultaneous use of the different components of this program: *INTERACTION*, the workbook, tapes, and *INTERCULTURE*. It outlines the format and scope of *INTERCULTURE* in order to facilitate its integration with *INTERACTION* into a complete intermediate program.

Acknowledgments

We would like to thank those dedicated colleagues who read our manuscript and offered valuable comments. We thank in particular W. Victor Wortley, University of Washington; Barbara Freed, University of Pennsylvania; and James Flagg, Boston College. We also express special appreciation to the editorial staff at Heinle and Heinle Publishers: Charles H. Heinle, Stan Galek, Carlyle Carter, Erek Smith, Annlouise Cirelli, and Jane Wall-Meinike for their aid and encouragement. Our thanks go also to Claire Didier for her generous assistance. We wish to acknowledge the helpful suggestions of our students: Anne Roberts, Isabella Timmermans, Cindy Woodward, Carrie Eilenfield, Richard Eilenfield, Jack Moore, and Frances Waters. Our special gratitude goes to Iris Price for her patience and secretarial skills. We are indebted to Virginia Grossman for her helpful suggestions and careful reading of the manuscript and to Velma S. Stauffer for her meticulous work in helping to establish the Vocabulary.

S. S. St. O.
D. W. K.
R. R. St. O.

Chapitre 1

Un marchand de légumes et de fruits salue les clients.

Lecture:

Les Petits Commerçants ou le supermarché?

Vous désirez acheter des provisions?° Si vous êtes en Amérique, ce n'est pas difficile. Vous allez au supermarché.° En France les supermarchés existent, mais les Français ont aussi des manières plus traditionnelles de faire les provisions.°

Chez les petits commerçants

Nous sommes dans la rue Victor-Hugo. Voilà un magasin° où vous allez sûrement faire une grande partie de vos achats,° surtout des produits alimentaires.° C'est l'épicerie.° Vous entrez et vous demandez d'abord un objet très nécessaire que vous achetez tout de suite—c'est le filet° qu'on utilise souvent pour les courses.° L'épicier° salue° les clients et, s'ils cherchent quelque chose, il les aide.° Vous consultez votre petite liste: une boîte° de thon,° un kilo° de pommes de terre,° du café° instantané° (une petite quantité), de la farine,° des petits pois° en boîte, une bouteille° de vin,° des spaghetti. Vous apportez° à la caisse° vos achats qui entrent avec difficulté dans le filet. Heureusement, l'épicier vous propose un sac° en plastique que vous acceptez volontiers.° Vous payez vos achats, l'épicier vous donne la monnaie° et vous continuez ensuite vers un autre magasin.

L'odeur du pain° frais annonce que c'est une boulangerie°-pâtisserie.° Vous avez besoin d'°une baguette.° Mais vous n'oubliez° pas, non plus, que vous avez envie de° croissants au petit déjeuner. Puis, vous regardez les pâtisseries, vous résistez avec difficulté à la tentation et vous donnez des sous° au boulanger.°

Ensuite, vous entrez à la boucherie.° La viande° est si belle, si rouge. Vous n'avez pas besoin de beaucoup de viande aujourd'hui? Très bien, demandez seulement deux cent cinquante grammes de bœuf haché.° Donnez de l'argent au boucher° et traversez° encore la rue.

Voilà la crémerie° où vous allez acheter un litre de lait,° du beurre,° des yaourts° parfumés° et nature.° Vous êtes surpris par la grande variété de fromages,° mais vous allez limiter votre choix° à deux petits morceaux° de bleu° et de gruyère.°

Vous arrivez, enfin, devant la charcuterie.° Vous regardez les belles

Voilà le rayon de la crémerie où vous allez acheter du beurre, un litre de lait et des yaourts parfumés et nature.

salades, le beau jambon° rose, le poulet° rôti, et vous avez l'intention de revenir un jour—bientôt.

Et maintenant vous rentrez à l'appartement—le filet plein de provisions!

La Place du marché

La Place du marché. C'est un endroit° traditionnel et souvent historique dans les villes et villages français. Une ou deux fois par semaine, le mardi et le samedi, par exemple, les marchands° apportent leurs produits ici. Les gens passent devant les fruits, les légumes° et beaucoup d'autres choses, et ils regardent de près. Vous préparez le dîner ce soir? Cherchez de la salade, un poivron,° des oignons.° Ensuite, vous allez avoir besoin d'un kilo de pommes de terre. Naturellement, on ne trouve ni fraises° ni haricots° en hiver. Mais au printemps et en été, vous aimez acheter des petits pois au kilo. Et comment résister aux belles cerises,° aux pêches,° aux abricots° et aux poires° superbes?

Au Supermarché

Beaucoup de Français adoptent aujourd'hui le système américain. Ils achètent leurs provisions une fois par semaine dans un supermarché où on trouve des aliments et des produits pour la maison. La voiture est indispensable, car souvent on traverse la ville avant d'arriver dans le grand parking° du supermarché. Vous entrez, vous cherchez un chariot° et vous circulez à travers les allées° du magasin. Il y a le rayon° de la crémerie, le rayon des fruits, le rayon de la boucherie-charcuterie, etc. Mais on trouve aussi des aliments congelés,° que les Français n'achètent pas en grande quantité. Si vous avez envie de manger des fraises en janvier, la possibilité existe maintenant—mais elles ne sont pas fraîches. Dans un supermarché français, vous n'allez pas trouver de grands sacs en papier pour emporter vos achats. Si vous n'avez pas de filet, la caissière° vous donne autant de petits sacs en plastique que vous désirez, et vous portez vos achats à la voiture.

Vocabulaire

NOMS

abricot *m* apricot
achat *m* purchase
aliment *m* food
allée *f* aisle
baguette *f* long, thin loaf of bread
beurre *m* butter
bleu *m* blue cheese
bœuf *m* beef
boîte *f* can
boucher *m* butcher
boucherie *f* butcher shop
boulanger *m* baker
boulangerie *f* bakery
bouteille *f* bottle
café *m* coffee
caisse *f* cash register
caissière *f* cashier
cerise *f* cherry
charcuterie *f* delicatessen

chariot *m* shopping cart
choix *m* choice
commerçant *m* shopkeeper
course *f* errand
crémerie *f* dairy
endroit *m* place
épicerie *f* grocery store
épicier *m* grocer
farine *f* flour
filet *m* mesh grocery bag
fraise *f* strawberry
fromage *m* cheese
gruyère *m* swiss cheese
haricot *m* bean
jambon *m* ham
kilo *m* 2.2 pounds
lait *m* milk
légume *m* vegetable
magasin *m* store
marchand *m* shopkeeper
marché *m* market

monnaie *f* change
morceau *m* piece
oignon *m* onion
pain *m* bread
parking *m* parking lot
pâtisserie *f* pastry, pastry shop
pêche *f* peach
petit pois *m* pea
poire *f* pear
poivron *m* green pepper
pomme de terre *f* potato
poulet *m* chicken
provisions *f pl* groceries
rayon *m* department
sac *m* sack
sous *m pl* money
supermarché *m* supermarket
thon *m* tuna
viande *f* meat

vin *m* wine
yaourt *m* yogurt

VERBES
aider to help
apporter to bring
avoir besoin de to need
avoir envie de to want
faire les provisions to
   shop

oublier to forget
porter to carry
saluer to greet
traverser to cross

ADJECTIFS
congelé frozen
haché ground
instantané instant

nature unflavored
parfumé flavored

ADVERBES
volontiers willingly

EXPRESSIONS DIVERSES
produits alimentaires *m*
   groceries

**Exercices
de vocabulaire**

A. Classez les mots suivants selon leur rapport avec (a) le pain, (b) la viande, (c) les légumes, (d) les fruits ou (e) le lait.

1. la baguette
2. le beurre
3. la boulangerie
4. la pâtisserie
5. la charcuterie
6. les petits pois
7. la pomme de terre
8. le bleu

9. la boucherie
10. le poivron
11. le poulet
12. le croissant
13. le gruyère
14. les cerises
15. la pêche
16. le bœuf

17. la farine
18. le jambon
19. le thon
20. les fraises
21. le fromage
22. le yaourt
23. les haricots
24. la poire

B. Complétez chaque phrase par un terme de la liste suivante.

aliments congelés
allées
boîte
caisse
baguette
chariot

choix
filet
monnaie
morceau
provisions
rayon

1. Si vous allez au marché en France, il faut apporter un
   _____ .
2. Au supermarché il y a un grand _____ de produits.
3. S'il n'y a pas de haricots frais, vous achetez une _____ de haricots.
4. Avant de quitter un magasin, il faut payer les achats à la
   _____ .
5. Au supermarché on achète du lait au _____ de la crémerie.
6. Pour préparer une fondue, on a besoin d'un _____ de fromage.
7. Pour trouver les produits que vous cherchez il faut circuler dans les _____ du magasin.
8. Si vous donnez 100 francs à la caissière, n'oubliez pas votre
   _____ .

9. Quand vous avez besoin de quelque chose à manger, il faut faire les _____ .
10. En hiver quand il n'y a pas beaucoup de produits frais, vous achetez des _____ .

C. Indiquez si chaque phrase est vraie ou fausse. Si la phrase est fausse, corrigez-la.

1. En France on apporte les achats à la maison dans des sacs en papier.
2. Si on désire du bœuf haché, on en cherche dans une charcuterie.
3. Un supermarché français a souvent un grand parking.
4. On trouve des légumes frais seulement au marché.
5. Si on désire un beau jambon, on va dans une charcuterie.
6. Pour acheter une baguette on est obligé d'aller à la pâtisserie.
7. Le supermarché est une grande tradition en France.
8. Pour faire les provisions en France on est obligé d'aller en voiture.
9. On trouve dans une épicerie tous les produits qu'on trouve dans un supermarché.
10. Il y a des Français qui adoptent le système américain de faire les provisions une fois par semaine dans un supermarché.

D. *Interview.* Posez les questions suivantes à vos camarades de classe qui vont utiliser ce schéma pour formuler leurs réponses.

Je (J')	demande achète cherche désire apporte entre dans	un(e)... du... de la... de l'... des...
J'	ai besoin	de...
Je (J')	aime préfère	le... la... l'... les...
Je	vais	à la... au... à l'...

1. Si tu as besoin de pain, que fais-tu? Et de lait? Et de poulet? Et de légumes? Et de farine? Et d'aliments congelés?
2. Que préfères-tu comme viande?
3. Pour porter tes achats, qu'achètes-tu?

4. Qu'apportes-tu à la maison si tu vas à la boucherie? A la charcuterie? A la crémerie? A l'épicerie? Au supermarché?
5. Pour préparer une salade, qu'achètes-tu? Et pour une salade de fruits? Et pour une fondue? Et pour un gâteau? Et pour un steak et des frites? Un sandwich au jambon?

𝒮tructures

1. The Present Tense of Regular -er Verbs

To form the present tense of regular **-er** verbs, drop the **-er** ending of the infinitive and add the appropriate endings to the remaining stem: **-e, -es, -e, -ons, -ez, -ent.**

Infinitive: **chercher** to look for Stem: **cherch-**	
je cherch**e**	I look for
tu cherch**es**	you look for
il / elle / on cherch**e**	he / she / one looks for
nous cherch**ons**	we look for
vous cherch**ez**	you look for
ils / elles cherch**ent**	they look for

The present-tense forms have several English equivalents; for example, **je cherche** can mean *I look for, I am looking for, I do look for.*

To make a present-tense form negative, place **ne** before the verb and **pas** after it.

je ne cherche pas

The pronoun **on** is very useful in French. It is the equivalent of the English indefinite subject *one,* and in informal conversation it can be the equivalent of *we, they, you, people,* etc. **On** always takes a third-person singular verb form.

A Paris **on** fait souvent le marché.	In Paris one goes (people go) shopping often.
On va au cinéma ce soir?	Shall we go to the movies tonight?
On est prêt?	Are you ready?

Remember that **tu** and **vous** both mean *you*. The **tu** form is considered to be familiar and is used to address one person—a family member, close friend, small child—or an animal. The **vous** form is formal and is used to address strangers, colleagues, acquaintances, or other adults that one doesn't know well. **Vous** can be used to address one or more than one person.

The **vous** / **tu** distinction is often puzzling to the English speaker. It may help to keep in mind that the rules governing the use of **vous** and **tu** are really unwritten social codes. They are even more complicated than outlined here and are undergoing radical changes in modern French society. For example, French students almost universally use **tu** with each other, and they might be permitted to **tutoyer** a young professor, but they would certainly say **vous** to an older instructor. Colleagues in an office often democratically use **tu** with each other, but will **vouvoyer** the boss and the cleaning lady.

The safest policy when visiting France is to use **vous** with all adults until they suggest: **On se tutoie?**

Exercices d'application

A. Mettez le sujet et le verbe des phrases suivantes au pluriel.

1. J'aime regarder la télé.
2. Il apporte du vin rouge.
3. Tu chantes bien.
4. Je cherche le rayon de la crémerie.
5. Elle traverse la rue Victor-Hugo.

B. Mettez le sujet et le verbe des phrases suivantes au singulier.

1. Vous dansez bien.
2. Elles étudient l'espagnol.
3. Nous écoutons très souvent la radio.
4. Vous travaillez beaucoup, n'est-ce pas?
5. Ils saluent les clients.

2. Stem-Changing -*er* Verbs

Some **-er** verbs require spelling changes in the stem of certain persons for pronunciation purposes. The principal types of stem-changing **-er** verbs are summarized on the following page.*

*See Appendix B, p. 306, for further details on stem-changing verbs.

- é → è

préférer to prefer

je préf**è**re
tu préf**è**res
il / elle / on préf**è**re
nous préférons
vous préférez
ils / elles préf**è**rent

espérer to hope

j'esp**è**re
tu esp**è**res
il / elle / on esp**è**re
nous espérons
vous espérez
ils / elles esp**è**rent

- e → è

acheter to buy

j'ach**è**te
tu ach**è**tes
il / elle / on ach**è**te
nous achetons
vous achetez
ils / elles ach**è**tent

- l → ll

appeler to call

j'appe**ll**e
tu appe**ll**es
il / elle / on appe**ll**e
nous appelons
vous appelez
ils / elles appe**ll**ent

- t → tt

jeter to throw

je je**tt**e
tu je**tt**es
il / elle / on je**tt**e
nous jetons
vous jetez
ils / elles je**tt**ent

- y → i

payer to pay

je paie
tu paies
il / elle / on paie
nous payons
vous payez
ils / elles paient

envoyer to send

j'envoie
tu envoies
il / elle / on envoie
nous envoyons
vous envoyez
ils / elles envoient

essuyer to wipe

j'essuie
tu essuies
il / elle / on essuie
nous essuyons
vous essuyez
ils / elles essuient

- c → ç

commencer to start

je commence
tu commences
il / elle / on commence
nous commen**ç**ons
vous commencez
ils / elles commencent

- g → ge

manger to eat

je mange
tu manges
il / elle / on mange
nous mang**e**ons
vous mangez
ils / elles mangent

A. Mettez le sujet et le verbe des phrases suivantes au singulier.

1. Vous préférez aller au concert?
2. Nous payons à la caisse.
3. Nous espérons arriver vers une heure.
4. Elles essuient la table.
5. Vous envoyez un télégramme?

B. Mettez le sujet et le verbe des phrases suivantes au pluriel.

1. Tu appelles la mère?
2. Il paie les provisions.
3. Tu achètes du vin?
4. Je commence à regarder plus souvent la télé.
5. Je mange des fraises.

3. The Imperative

The imperative forms of a verb are used to give commands. There are three imperative forms in French: the familiar (**tu** form), the formal or plural (**vous** form), and a collective imperative (**nous** form).

To form the imperative of regular -**er** verbs, simply remove the subject pronoun. The remaining verb form is the imperative.

parlez	speak *(formal or plural)*
parle	speak *(familiar)*
parlons	let's speak *(collective)*

Note that the **s** of the second-person singular ending is dropped.*
To make a command form negative, place **ne** before the command and **pas** after it.

ne parlez pas
ne parle pas
ne parlons pas

Mettez le verbe entre parenthèses à la forme convenable de l'impératif.

1. Maman, *(donner)* des sous à Roger.
2. *(Chercher)* un chariot, mes enfants.
3. Allons à la caisse et *(payer)* les achats.
4. *(Essayer)* les cerises, Madame.
5. *(Etudier)* l'espagnol l'année prochaine, vous et moi.

*The **s** is retained when the command is followed by **y** or **en** for ease of pronunciation: **achètes-en; entres-y.**

6. Roger et Hervé, *(visiter)* le Louvre demain avec nos amis.
7. *(Acheter)* un filet pour vos achats.
8. Marc, *(passer)* des pâtisseries à ton frère aussi.

4. The Irregular Verbs *Etre, Avoir, Faire, Aller*

Review the present-tense conjugations and the imperative forms of the following commonly used irregular verbs.

être to be	**avoir** to have
je **suis**	j'**ai**
tu **es**	tu **as**
il / elle / on **est**	il / elle / on **a**
nous **sommes**	nous **avons**
vous **êtes**	vous **avez**
ils / elles **sont**	ils / elles **ont**
Imperative: **soyez, sois, soyons**	Imperative: **ayez, aie, ayons**

faire to do, to make	**aller** to go
je **fais**	je **vais**
tu **fais**	tu **vas**
il / elle / on **fait**	il / elle / on **va**
nous **faisons**	nous **allons**
vous **faites**	vous **allez**
ils / elles **font**	ils / elles **vont**
Imperative: **faites, fais, faisons**	Imperative: **allez, va,* allons**

Exercice d'application

Complétez chaque phrase par la forme convenable du présent ou de l'impératif du verbe entre parenthèses.

1. Jean et Marie, *(aller)* à la boulangerie cet après-midi.
2. Monsieur, *(avoir)* de la patience, s'il vous plaît.
3. On *(faire)* les provisions le samedi.
4. Pierre, *(être)* calme, mon enfant.
5. Elle *(avoir)* envie de croissants.
6. Nous *(faire)* des achats pour le pique-nique.
7. Nous *(être)* fatigués.
8. On *(aller)* à l'épicerie demain.
9. J' *(avoir)* besoin d'un chariot.
10. Tu *(aller)* à la charcuterie ce matin?

*The imperative form **va** takes an **s** when followed by **y**: **Vas-y.**

A. Formez des phrases complètes en faisant tous les changements nécessaires.

1. Nous / manger / souvent des petits pois
2. Je / espérer / aller au supermarché demain
3. On / faire / les provisions cet après-midi
4. Ils / aller / à la boulangerie demain
5. Les enfants / avoir / envie d'aller à la pâtisserie
6. On / acheter / du pain tous les jours
7. Vous / payer / à la caisse
8. Nous / être / très contents de nos achats
9. Je / aller / faire les provisions aujourd'hui
10. Marc / regarder / beaucoup la télé
11. Les pommes de terre / ne pas coûter / très cher
12. Je / oublier / toujours ma liste

B. *Interview.* Vous êtes reporter pour «Radio-Inter.» Vous faites un sondage *(poll)* sur les activités et les préférences des étudiants américains. Posez les questions suivantes à un(e) camarade de classe et faites un reportage sur ses activités aux autres membres de la classe.

1. Est-ce que vous aimez les études que vous faites?
2. Est-ce que vous étudiez souvent à la bibliothèque?
3. Est-ce que vous dînez souvent au restaurant? Qu'est-ce que vous aimez manger?
4. Est-ce que vous allez souvent au cinéma?
5. D'habitude, qu'est-ce que vous faites le samedi soir?
6. Est-ce que vous regardez beaucoup la télé?
7. Est-ce que vous écoutez souvent la radio?

5. Nouns and Articles

A. **Singular and Plural Nouns** All French nouns are either masculine or feminine, and there is no fixed rule for determining the gender. You should develop the habit of consulting a dictionary when you are not sure of the gender of a noun.

The plural of most nouns is formed by adding **s** to the singular.

le marché	les marché**s**
la pêche	les pêche**s**
l'arbre	les arbre**s**

Vous avez besoin d'une baguette? Eh bien, voilà votre baguette. Et avec cela, Madame?

Nouns ending in **s, x,** or **z** in the singular do not change in the plural.

le bras	les bras
le prix	les prix
le nez	les nez

Some nouns have irregular plural forms. Common irregular plurals are listed below. Note that most of these nouns are masculine.*

Singular Ending	Plural Ending	Examples	
-eau	**-eaux**	le cout**eau**	les cout**eaux**
-eu	**-eux**	le f**eu**	les f**eux**
-al	**-aux**	l'anim**al** (*m*)	les anim**aux**
-ou	**-oux**	le bij**ou**	les bij**oux**

*One common exception is **l'eau** (*water*), which is feminine.

A few nouns have very different forms in the plural.

l'oeil	les **yeux**
monsieur	**messieurs**
madame	**mesdames**
mademoiselle	**mesdemoiselles**

The plural of compound nouns is generally formed by adding the appropriate plural ending **s** or **x** to each word. There are exceptions, such as **les gratte-ciel.** When in doubt, consult a dictionary.

le sourd-muet	les **sourds-muets**
le beau-frère	les **beaux-frères**
le grand-père	les **grands-pères**

The plural of a family name is indicated in French by the use of the plural definite article, but no **s** is added to the proper name itself.

les Dupont
les Martin

Exercices d'application

A. Changez les mots en italique au pluriel.

1. Apportez *l'achat* à la voiture.
2. De tous les vin, elle adore *le provençal.*
3. Le marchand salue toujours *le client.*
4. Achetons *le morceau* de fromage.
5. J'aime *le magasin* du coin.
6. Ils regardent *le prix.*

B. Complétez chaque phrase par le pluriel d'un mot de la liste suivante. Pour certaines phrases, il y a plusieurs choix possibles.

animal	légume
caissière	oignon
cerise	pâtisserie
chariot	petit enfant
choix	produit
course	provision
filet	rayon
fois	sac
fromage français	sou
fruit	vin rouge

1. J'adore les _____ .
2. Pour faire une soupe on a besoin de _____ et d'_____ .
3. Les _____ sont bons (bonnes) en été.
4. Je préfère les _____ .

5. N'oubliez pas les _____ .
6. Il fait les provisions deux _____ par semaine.
7. Les _____ sont nécessaires pour faire le marché en France.
8. Je déteste les _____ .
9. Les _____ sont nécessaires dans un supermarché.
10. Je n'aime pas faire les _____ .

B. Articles

1. **The Indefinite Article** The indefinite articles **un, une, des** refer to nouns in a nonspecific sense and correspond to the English *a, an, some.*

	Singular	Plural
Masculine	**un** rayon	**des** rayons
Feminine	**une** salade	**des** salades

After most negative constructions the indefinite articles **un, une, des** become **de.** The article does not change after the verb **être** used negatively.

Je ne désire pas **de** viande.	I don't want any meat.
Elle n'a pas **de** salade.	She doesn't have any salad.
Ils n'achètent pas **de** fromages.	They aren't buying any cheeses.
but:	
Ce n'est pas **un** chariot.	This isn't a shopping cart.
Ce n'est pas **une** épicerie.	That isn't a grocery store.
Ce ne sont pas **des** pâtisseries.	Those aren't pastry shops.

Exercice d'application

Complétez chaque phrase par la forme convenable de l'article indéfini **(un, une, des, de).**

1. Désirez-vous _____ salade?
2. Avez-vous _____ kilo de pommes de terre?
3. Je cherche _____ baguette.
4. Elle n'apporte pas _____ filet.
5. Nous achetons _____ cerises.
6. Ce n'est pas _____ chariot.
7. Il y a _____ parking ici.
8. Ils font _____ courses aujourd'hui.
9. C'est _____ choix difficile.
10. Je n'ai pas _____ sacs en plastique.

2. The Definite Article The forms of the definite article, **le, la, l', les,** correspond to the English *the.*

	Singular	Plural
Masculine	**le** marché	**les** marchés
Feminine	**la** pâtisserie	**les** pâtisseries
Masculine or Feminine	**l'**hélicoptère	**les** hélicoptères
	l'épicerie	**les** épiceries

The **l'** form is used before both masculine and feminine nouns that begin with a vowel or a mute **h.***

When the definite articles **le** or **les** are preceded by **à** or **de,** the following contractions are made.

à + le → au	Je vais aller **au** marché.
à + les → aux	Il donne l'argent **aux** marchands.
de + le → du	Je parle **du** marché.
de + les → des	Elles sont contentes **des** fruits du marché.

There is no contraction with **la** or **l'.**

Elle va **à l'**épicerie.   Elle parle **de la** caissière.

The definite article is normally used to refer to specific persons or things.

Il apporte **le** filet de Pierre.	He's bringing Pierre's bag.
Elles vont à **la** charcuterie de la rue Victor-Hugo.	They're going to the delicatessen on Victor Hugo Street.
N'oubliez pas **les** croissants pour le petit déjeuner.	Don't forget the croissants for breakfast.

The definite article in French has some particular uses that do not parallel English usage.

• *General or Abstract Nouns*

The definite article is used when speaking of a thing or things in general or in an abstract sense, since you are referring to the concept as a whole.

La liberté est importante.	Liberty is important.
La viande coûte cher.	Meat costs a lot.
Je cherche **le bonheur.**	I'm looking for happiness.
Les mathématiques sont difficiles.	Math is difficult.

---

*In a few words in French, the *h* is aspirate, and these use the definite article *le* or *la*: **le héros, le haricot, le hors-d'œuvre, le homard, la honte.**

It is because you are referring to the noun as a whole that you always use the definite article after the following verbs, even when they are used negatively.

aimer (mieux)	Ils n'**aiment** pas **le** vin.
adorer	J'**adore la** viande.
préférer	Nous ne **préférons** pas **les** supermarchés.
détester	Vous **détestez les** épinards.
apprécier	Il **apprécie les** marchés français.

- *Titles*

The definite article is used before titles when referring indirectly to people. The article is not used when addressing a person directly.

La Reine Elisabeth habite à Londres.	Queen Elizabeth lives in London.
Je suis dans le cours **du professeur Dupont.**	I'm in professor Dupont's class.

- *Languages*

The definite article is used before the names of languages, except after the verb **parler** (unmodified) and after the prepositions **en** and **de.**

Nous étudions **le français.**	We're studying French.
Il désire enseigner **le russe.**	He wants to teach Russian.

but:

Vous parlez **français.** (Vous parlez bien **le français.**)	You speak French. (You speak French well.)
Le livre est **en italien.**	The book is in Italian.
C'est un professeur **d'allemand.**	He's a German teacher.

- *Parts of the Body and Clothing*

The definite article is used with parts of the body and clothing to indicate possession. If the noun is modified, the possessive adjective is used as in English.

Elle ferme **les yeux.**	She shuts her eyes.
Il a **les mains** dans **les poches.**	He has his hands in his pockets.

but:

Elle ferme **ses yeux bleus.**	She shuts her blue eyes.
Il a **ses deux mains** dans **ses poches vides.**	He has both his hands in his empty pockets.

A. Complétez chaque phrase par la forme convenable de l'article défini (**le, la, l', les**) si nécessaire.

1. J'étudie _____ français.
2. _____ provisions coûtent cher aujourd'hui.
3. Il n'aime pas _____ vins de Californie.
4. Où est _____ rayon de _____ crémerie?
5. _____ Américains préfèrent _____ supermarchés.
6. Nous aimons _____ cuisine française.
7. _____ épicerie du coin est très bonne.
8. Vous parlez _____ espagnol, n'est-ce pas?

B. Complétez chaque phrase par **à** ou **de** et l'article défini convenable en faisant les contractions nécessaires.

1. (à) Donnez l'argent _____ boucher.
2. (de) C'est la petite fille _____ épicier.
3. (à) Ils vont _____ magasins.
4. (de) Je fais les provisions _____ semaine.
5. (à) Elle pense _____ argent nécessaire.
6. (de) Parlez-vous _____ marchés?
7. (de) C'est le parking _____ supermarché.
8. (à) Portez les achats _____ chariot.

3. **The Partitive** The partitive is formed with **de** + the definite article. It corresponds to the English *some* or *any*.

Masculine Noun	J'achète **du** lait.
Feminine Noun	Il commande **de la** viande.
Vowel Sound or Mute *h*	Jetez **de l'**eau sur le feu.
Plural Noun	Nous apportons **des** fruits.

This construction is called the partitive because it refers to *part* of a whole. In English, we often omit the words *some* or *any*, even when that meaning is implied. In French, you must use the partitive whenever the sense of the sentence limits the quantity referred to. Ask yourself: Do I mean all of the concept referred to or only part of it?

J'achète **du** lait.	I'm buying (some) milk. (*Not all the milk in the store.*)
Il commande **de la** viande.	He orders (some) meat. (*Some of the meat, not all of it.*)
Jetez **de l'**eau sur le feu.	Throw (some) water on the fire. (*Only part of all the water available.*)
Nous apportons **des** fruits.	We're bringing (some) fruit. (*Not all the fruit that exists.*)

- In the negative, **de (d')** is used.

Il achète **du** vin.	Il n'achète pas **de** vin.
Je mange **de la** viande.	Je ne mange pas **de** viande.
Jetez **de l'**eau sur le feu.	Ne jetez pas **d'**eau sur le feu.
Elle apporte **des** fruits.	Elle n'apporte pas **de** fruits.

- **De** is also used with a plural adjective that precedes a noun.

Ils ont **des** amis.	Ils ont **de** bons amis.
Elle visite **des** hôtels chers.	Elle visite **de** grands hôtels.
Elle achète **des** fruits.	Elle achète **de** beaux fruits.

- **De** is used after expressions of quantity.

Most expressions of quantity use only **de (d')** before a following noun. The list below gives some of the most important expressions of quantity.

assez de enough	Il a **assez de** café.
beaucoup de a lot, many	Elle a **beaucoup d'**argent.
peu de few	Il y a **peu de** clients.
un peu de a little	Achetez **un peu de** farine.
trop de too much	J'ai **trop de** travail.
tant de so much	N'apportez pas **tant de** vin.
autant de as (so) many	Il a **autant de** clients qu'il désire.
moins de fewer, less	Il y a **moins de** clients.
une bouteille de a bottle of	Il apporte **une bouteille de** vin.
un verre de a glass of	Il désire **un verre d'**eau.
une tasse de a cup of	Je désire **une tasse de** café.
un litre de a liter of	Achetez **un litre de** lait.
une douzaine de a dozen	Il achète **une douzaine d'**œufs.
un kilo de a kilo of	Apportez **un kilo de** viande.
un morceau de a piece of	Elle mange **un morceau de** jambon.

The expressions **la plupart** (*most*) and **bien** (*many*) are exceptions and always take **des.**

> **La plupart des** gens aiment le vin.
> **Bien des** étudiants étudient à la bibliothèque.

- There are certain verbal expressions that normally use only **de** before a noun. Below is a partial list of such expressions.

avoir besoin de to need	**Il a besoin d'**argent
se passer de to do without	**Elle se passe de** cigarettes.
manquer de to lack	**Je manque de** patience.
avoir envie de to feel like, to want	**Nous avons envie de** vin.
changer de to change	**Ils vont changer de** profession.

**Exercices
d'application**

A. Complétez chaque phrase par la forme convenable du partitif **(du, de la, de l', des)**.

1. Au supermarché, il y a _____ produits alimentaires.
2. Avez-vous _____ fromage?
3. Demandez _____ eau.
4. Je fais _____ achats.
5. Mangez-vous _____ yaourt?
6. Cherchons _____ viande pour le dîner.
7. Ils apportent _____ vin.
8. Y a-t-il _____ crème pour le café?

B. Répondez négativement aux questions suivantes.

1. Mangez-vous des légumes?
2. Achetez-vous du pain français?
3. Demandez-vous de l'eau au restaurant?
4. Faites-vous des courses aujourd'hui?
5. Désirez-vous de la viande très chère?
6. Avez-vous des provisions à la maison?

Le camembert? C'est un fromage. Il est délicieux.

C. Choisissez l'élément entre parenthèses qui complète logiquement la phrase.

1. (de / des) On apporte à la table _____ délicieuses fraises.
2. (du / de) Nous avons besoin _____ beurre pour le pain.
3. (du / de) On trouve _____ poulet dans une charcuterie.
4. (des / de) Il y a trop _____ clients dans le magasin.
5. (de / du) _____ vin rouge, s'il vous plaît.
6. (de / des) Tu dépenses bien _____ sous.
7. (de / des) Un kilo _____ steak coûte 35 francs.
8. (d' / de l') Elle demande _____ eau.
9. (de / des) Il y a _____ très grands marchés en France.
10. (des / de) J'ai _____ oignons pour la salade.
11. (de / du) Je désire une tasse _____ café.
12. (du / de) N'achetez pas _____ vin blanc.

⚠ RAPPEL   ⚠ RAPPEL   ⚠ RAPPEL

The use of articles in French and English is quite often similar. When you use *a* or *an* in English, the indefinite article **un** or **une** is normally appropriate in French. If English usage specifies *the,* the definite article **le, la, l', les** is used in French.

J'apporte **un** filet.	I am bringing a shopping bag.
Nous allons à **la** boulangerie.	We are going to the bakery.

There are many cases where English omits the article altogether. In French, however, nouns are usually not used without articles. If the noun is being used in a general sense or if you are referring to a specific noun, the definite article is appropriate. If the concepts of *some* or *any* are either stated or implied in English, the partitive must be used in French. Compare the following examples.

General Sense	Specific Noun	Partitive Sense
La viande coûte cher.	La viande que vous achetez coûte cher.	J'achète de la viande.
Meat is expensive.	The meat that you are buying is expensive.	I am buying (some) meat.

Be careful not to overuse the definite article by saying something like *Allez à la boucherie et achetez la viande.* This error conveys to a French speaker that you are buying all the meat in the shop or that you are referring to some specific meat.

A. Choisissez l'élément entre parenthèses qui complète logiquement la phrase.

1. (le / du) A l'épicerie j'achète souvent _____ thon.
2. (des / les) Ne dépense pas _____ sous de ton frère.
3. (la / une) Je cherche _____ boîte de haricots.
4. (des / les) Ils adorent _____ fromages français.
5. (le / du) Il y a _____ beurre dans les pâtisseries.
6. (les / des) Nous faisons _____ achats de la semaine.
7. (des / les) _____ légumes congelés ne sont pas frais.
8. (la / une) Je commande toujours _____ salade.

B. Complétez les phrases avec les articles convenables: indéfinis, définis ou partitifs.

1. Dans un supermarché, on trouve _____ aliments congelés, _____ viande, _____ lait, _____ eau minérale et beaucoup _____ clients.
2. Si vous détestez _____ desserts, achetez _____ fruits.
3. Aujourd'hui _____ prix sont trop élevés dans la plupart _____ magasins.
4. Si vous désirez _____ bons fruits, cherchez _____ marchand de fruits.
5. Pour préparer un dîner à la française, j'achète _____ bœuf, _____ légumes, _____ salade, _____ fromage et une bouteille _____ vin.
6. Oui, _____ viande coûte très cher, mais je vais acheter un morceau _____ steak.
7. Demandez _____ café si vous n'aimez pas _____ vin.
8. En France on passe devant bien _____ boulangeries et peu _____ supermarchés.
9. Ce n'est pas _____ charcuterie; n'entrez pas là si vous cherchez _____ jambon.
10. Les supermarchés français manquent _____ sacs en papier et vous avez besoin _____ filets.

C. Répondez négativement aux questions suivantes.

1. Faites-vous les provisions de la semaine?
2. Préparez-vous du café tous les matins?
3. Aimez-vous le café?
4. Avez-vous beaucoup de courses aujourd'hui?
5. Achetez-vous des pâtisseries françaises?
6. Y a-t-il un marché près d'ici?
7. Avez-vous assez d'argent?
8. Faites-vous des achats tous les jours?

6. *Aller* + the Infinitive

A form of **aller** followed by the infinitive of another verb is one way to speak of the future in French. This construction refers to the near future and corresponds to the English *to be going to* + infinitive.*

Je vais acheter du lait.	I am going to buy some milk.
Il ne **va** pas **déjeuner** à la maison demain.	He isn't going to eat lunch at home tomorrow.
Vous allez rester ici.	You are going to stay here.
Ils vont aimer le vin.	They are going to like the wine.

Exercice d'application

Formez des phrases en employant les sujets entre parenthèses et le futur proche (**aller** + l'infinitif) des verbes indiqués en italique.

Exemple: J'aime les pâtisseries. (vous)
Vous allez aimer les pâtisseries.

1. Elle *achète* une baguette à la boulangerie. (tu)
2. Nous ne *faisons* pas les provisions samedi. (je)
3. Vous *célébrez* votre anniversaire aujourd'hui. (beaucoup d'amis)
4. Tu *es* au rayon de la charcuterie? (vous)
5. Catherine *a* besoin de gruyère pour une fondue. (Pierre)
6. J'*oublie* le filet. (ils)

7. *Il est* and *C'est*

Both **il (elle) est** and **c'est** can mean *he (she / it / that) is*. However, the two constructions are not interchangeable. There are certain grammatical situations that require choosing between **il (elle) est** and **c'est**. These constructions are outlined below.

il (elle) est + adjective referring to a specific person or thing	J'aime ce vin. **Il est** bon. Je préfère cette boulangerie. **Elle est** excellente.
il (elle) est + unmodified noun of profession, nationality, or religion	**Il est** marchand. **Elle est** française. **Il est** protestant.

Note that the indefinite article is omitted before *unmodified* nouns of profession, nationality, or religious persuasion. When used to categorize a person as to profession, nationality, or religious persuasion, these nouns have the value of descriptive adjectives and therefore follow the same pattern as **il est bon** or **elle est excellente**. It is for this same reason that such nouns are not capitalized.†

---

*For more information on **aller** + the infinitive, see Chapter 10, p. 238.

†A noun indicating nationality is usually capitalized: **une Française.** Adjectives of nationality are not: **française.**

c'est + proper name	**C'est** Monsieur Dupont.
	C'est Marie.
c'est + pronoun	**C'est** moi.
	C'est elle.
c'est + masculine adjective referring to an idea or situation	Jacques mange trop, **c'est** vrai.
	Ces légumes ne sont pas bons, **c'est** certain.
	La salade n'est pas fraîche, **c'est** évident.
c'est + modified noun	**C'est** un bon vin.
	C'est une boulangerie excellente.
	C'est un professeur intéressant.
	C'est une Française cosmopolite.

Note that **c'est** will be used with *any modified noun,* including nouns of profession, nationality, or religious persuasion. The indefinite article is considered to be a modifier.

⚠ RAPPEL   ⚠ RAPPEL   ⚠ RAPPEL

To state a person's profession, nationality, or religious persuasion, you may use either **il (elle) est** or **c'est un(e).** Remember to omit the indefinite article after **il (elle) est** and retain it after **c'est.** If the noun is modified by an adjective, you must use **c'est un(e).**

Il est marchand.	**C'est un** marchand.	**C'est un** bon marchand.
Elle est française.	**C'est une** Française.	**C'est une** Française cosmopolite.

The distinctions outlined above also apply to the plural forms of both constructions: **ils (elles) sont** and **ce sont.**

J'aime ces vins. **Ils sont** bons.
Elles sont professeurs.
Ce sont les Dupont.
Ce sont eux.
Ce sont de bons marchands.

Exercice d'application

Répondez par une phrase complète aux questions suivantes. Employez les mots entre parenthèses dans vos réponses.

1. (a) Le gruyère, qu'est-ce que c'est? (fromage)
   (b) Comment est-il? (délicieux)

2. (a) Les gens qui traversent la rue, est-ce que ce sont des marchands? (étudiants en vacances)
   (b) Sont-ils français? (américains)
3. (a) On achète du lait dans ce magasin. Qu'est-ce que c'est? (crémerie)
   (b) Du lait sans crème, qu'est-ce que c'est? (lait écrémé)
4. (a) Qui va préparer la fondue? (moi)
   (b) Les fraises et les pommes, qu'est-ce que c'est? (fruits)
5. (a) Un yaourt aux fraises. Comment est-il? (parfumé)
   (b) S'il n'a pas de parfum? (nature)
6. (a) La dame parle anglais avec un accent. Pourquoi? (Argentine)
   (b) Le monsieur a un nom de famille britannique. Pourquoi? (anglais)

8. *Voilà* and *Il y a*

Both **voilà** and **il y a** mean *there is, there are,* but the two constructions are used in different senses.

Voilà is used to point out or indicate something. It is the verbal equivalent of gesturing with your hand to show something to someone.

> Regardez, **voilà** les Dupont.
> **Voilà** les fruits que vous cherchez.

Il y a simply states the existence or presence of something.

> **Il y a** un marchand de fruits ici.
> **Il y a** des marchés en France.

Note that both constructions are invariable, even when they are the equivalents of *there are.*

Exercice d'application

Choisissez l'expression convenable: **voilà** ou **il y a.**

1. _____ le parking du supermarché.
2. _____ du lait dans un yaourt.
3. _____ souvent des pommes de terre au repas.
4. _____ une épicerie!
5. _____ votre monnaie, Madame.
6. _____ des abricots à l'épicerie aujourd'hui.
7. _____ le vin blanc pour la fondue.
8. _____ une odeur de pain, normalement, dans une boulangerie.

Choisissez l'expression convenable pour compléter les phrases suivantes:

1. (Ce sont / C'est) _____ des bouteilles de vin rosé.
2. (Voilà / Il y a) _____ beaucoup de légumes dans les supermarchés en France.
3. (Il y a / Voilà) _____ le café instantané que je cherche.
4. (C'est / Il est) Les croissants du supermarché ne sont pas frais? _____ possible.
5. (Elle est / C'est une) Je vais écouter la conférence de Madame Dupont. _____ excellente artiste.
6. (Américain / américain) L'épicier adore parler avec mon père qui est _____ .
7. (Il y a / Voilà) _____ des haricots verts dans une salade niçoise.
8. (est / est un) Notre voisin, Monsieur Jean, _____ boucher.

Activités d'expansion

A. Formez des phrases complètes en faisant tous les changements nécessaires.

1. Je / avoir / besoin / croissants
2. Bien / étudiants / avoir / très peu / argent
3. Hervé / adorer / légumes / et / fruits / mais / il / ne pas aimer / viande
4. Nous / aller / apporter / vin / fromage / pain / et / fruits
5. Bonheur / et / liberté / être / importants dans la vie / mais / on / ne pas se passer / argent
6. Nous / aller / changer / supermarché / parce que / viande / coûter / trop cher / chez Bidoux
7. Elles / désirer / étudier / espagnol / et / biologie
8. Elle / désirer / beau / légumes / pour / préparer / salade

B. Voici une liste de personnes et de choses qui sont bien connues. Faites une phrase pour identifier ou pour décrire la personne ou la chose. Commencez votre phrase par **c'est (ce sont)** ou **il(s) / elle(s) est (sont)**.

Exemple: Burt Reynolds   *C'est un acteur. Il est beau.*

une Cadillac	une Renault
François Mitterrand	le champagne Moët
le roquefort	des petits pois

McDonald's   Mick Jagger
le jambon   Picasso
Jonas Salk   Burt Bacharach

C. *A l'épicerie.* Complétez le dialogue suivant selon les indications entre parenthèses.

VOUS: *(Greet the grocer.)*

L'EPICIER: Bonjour, Monsieur. Vous désirez?

VOUS: *(Say you want a bottle of wine, some flour, a kilo of potatoes, and some spaghetti.)*

L'EPICIER: Très bien, Monsieur. Et avec ça?

VOUS: *(Say you need some coffee also.)*

L'EPICIER: Du café moulu, Monsieur?

VOUS: *(Say no, that you prefer instant coffee.)*

L'EPICIER: C'est tout, Monsieur?

VOUS: *(Say that's all.)*

L'EPICIER: C'est 40 francs, Monsieur.

VOUS: *(Say here's 40 francs.)*

L'EPICIER: Merci, Monsieur.

D. *Au marché.* Complétez le dialogue suivant selon les indications entre parenthèses.

LA MARCHANDE: Bonjour, Madame, qu'est-ce que vous désirez?

VOUS: *(Ask her if there are any nice strawberries this year.)*

LA MARCHANDE: Mais oui, Madame. Combien de fraises désirez-vous?

VOUS: *(Say you want 500 grams of strawberries.)*

LA MARCHANDE: Et avec cela?

VOUS: *(Say you also feel like some cherries today and ask her if she has some fresh cherries.)*

LA MARCHANDE: Certainement, Madame.

VOUS: *(Ask her if they are expensive.)*

LA MARCHANDE: 20 francs le kilo, Madame. Elles coûtent cher cette année.

VOUS: *(Say you adore cherries but they are too expensive.)*

LA MARCHANDE:	Vous désirez autre chose, Madame?
VOUS:	*(Say no, that's all, thank you.)*
LA MARCHANDE:	Alors, ça fait 4 francs pour les fraises.
VOUS:	*(Say here's five francs.)*
LA MARCHANDE:	Voilà votre monnaie, Madame. Et merci.

E. *Le marché.* Répondez aux questions suivantes.

1. Aimez-vous faire les provisions? Pourquoi?
2. Quand est-ce que vous allez au marché?
3. Quelles sortes de viande est-ce que vous achetez?
4. Quelles sortes de fruits est-ce que vous achetez?
5. Quelles sortes de légumes est-ce que vous achetez?
6. Quels sont les aliments que vous aimez beaucoup?
7. Quels sont les aliments que vous détestez?
8. Qu'est-ce que vous préférez comme viande? Comme fruit? Comme légume?
9. Est-ce que vous avez un marché dans votre ville?
10. Est-ce que vous mangez du pain? Beaucoup ou très peu?

F. *Situations orales*

1. Les présentations. Utilisez les questions suivantes pour interviewer un(e) camarade de classe. Et puis, en vous servant de ses réponses, présentez cette personne aux autres membres de la classe.
Comment t'appelles-tu? Où habites-tu? Habites-tu avec tes parents? Quelle est ta profession? Qu'est-ce que tu étudies comme matière principale? Est-ce que tu travailles? Où? Est-ce que tu es marié(e)? As-tu des enfants? Quelle est la chose la plus importante dans la vie pour toi? Qu'est-ce que tu aimes faire quand tu as du temps libre? Est-ce que tu aimes voyager? Quels pays vas-tu visiter l'année prochaine?
2. Vous êtes en France avec des amis et vous désirez faire un pique-nique. Vous entrez dans une épicerie. Qu'est-ce que vous demandez? Un(e) camarade de classe va jouer le rôle de l'épicier.
3. Vous êtes en France. Composez trois phrases impératives pour donner des ordres à vos camarades de classe. Vos camarades acceptent ou refusent vos ordres en utilisant une phrase complète.

Exemple: *Achète des légumes au marché.*
Non, je ne vais pas acheter de légumes parce que je n'aime pas les légumes.

G. *Situations écrites*

1. Vous êtes en France et vous invitez des amis français à dîner. Vous préparez un repas typiquement américain: du poulet frit, une salade de pommes de terre, des haricots et une tarte aux pommes. Racontez votre excursion chez les petits commerçants pour faire vos provisions.
2. Faites la description des provisions que vous achetez quand vous faites le marché.

Chapitre

2

Une fête d'anniversaire célébrée en famille

Lecture:

Une Famille travaille et s'amuse

(Sept heures du matin. Monsieur et Madame Jérôme Fouché se lèvent.° Philippe, dix-huit ans, et Jacquot, douze ans, sont toujours au lit. Dans une troisième chambre, Béatrice, seize ans, semble° attendre quelque chose. Monsieur Fouché passe à la salle de bains où il se lave,° se rase,° se coiffe° et finalement s'habille.° Il se dépêche,° car il ne peut pas être en retard° à son rendez-vous de neuf heures.)

MME FOUCHE: Réveillez-vous,° les enfants, si vous ne voulez pas être en retard.

PHILIPPE: J'ai encore sommeil,° Maman. Et ça m'est égal° si je n'arrive pas à l'heure. On ne punit° plus les élèves qui arrivent en retard au lycée.°

JACQUOT: Est-ce que je dois° t'attendre ce matin, Papa? Je veux descendre de bonne heure. Tu sais que je m'amuse° toujours un peu avec mes copains° avant d'entrer à l'école.

MME FOUCHE: Jacquot, tu es au collège° depuis un an. Tu grandis° et tu as besoin de réfléchir° à l'instruction° que tu reçois.° Choisis. On est bébé ou on est jeune homme.

M. FOUCHE: (Il entre à la cuisine.) Réfléchis bien à tout cela, Jacquot. Nous réussissons° dans la vie si nous nous habituons,° même à ton âge, à une vie disciplinée.

BEATRICE: (Elle ne se lève pas et appelle sa mère.) Maman, j'ai mal° à la tête. Je crois qu'il vaut mieux° que je reste à la maison aujourd'hui.

PHILIPPE: C'est bizarre! Soudain, quand tu as à° présenter un petit topo° sur les Etats-Unis dans ton cours° de civilisation, tu as besoin de te reposer!°

BEATRICE: Pas vrai! Petit monstre! Maman!

MME FOUCHE: C'est assez, vous deux! Philippe, ne te moque pas° de ta sœur. Béatrice, ne te fâche pas° comme ça. Fais un petit effort. Si ça ne va pas mieux à midi, je vais téléphoner au médecin. Maintenant, le petit déjeuner nous attend.

M. FOUCHE: Je bois mon café au lait et je mange sur le pouce,° chérie. J'ai beaucoup à faire ce matin.

MME FOUCHE: Est-ce que tu rentres à midi comme d'habitude?

M. FOUCHE: Bien sûr. J'ai besoin d'un bon déjeuner à midi, tu sais, sans cela je ne finis pas très bien ma journée. Il est déjà huit heures et demie. Allez, à tout à l'heure, chérie. Au revoir, les enfants.

(Les trois jeunes quittent la maison aussi. A midi et quart, tout le monde est de retour° à la maison, et on passe à table.)

M. FOUCHE: Alors, Philippe. Les examens du bac° arrivent bientôt, n'est-ce pas? Je dois dire que tu restes admirablement calme.

PHILIPPE: Tu sais, Papa, je m'inquiète° comme tout le monde, et je bachote° comme je peux. Mais je n'ai pas l'intention d'être malade à cause de tout ça.

M. FOUCHE: Tu as raison, Philippe. Mais je n'ai pas à te dire l'importance de ce moment dans la vie. Tu es un garçon raisonnable.° Mais un peu plus de travail ne fait jamais de mal.°

PHILIPPE: Ecoute, Papa. Je prépare l'examen depuis trois ans, et je me rends compte° de l'importance du bac. Sans le diplôme,° il n'y a pas d'université; et sans l'université, il n'y a pas de carrière.° Ne t'inquiète pas! Je me débrouille.°

MME FOUCHE: Eh oui, Jérôme. Tu sais que même s'il ne réussit pas au bachot° en juin, Philippe peut se présenter° encore une fois en automne.

BEATRICE: Ecoutez, tout le monde. Moi aussi, j'ai beaucoup de boulot.° Ce n'est pas parce que je suis en seconde° qu'on peut croire que je perds mon temps.

M. FOUCHE: Bien sûr que non, Béatrice. Mais, dans deux ans, en terminale,° tu vas te trouver,° toi aussi, dans la même situation.

JACQUOT: Maman, qu'est-ce qu'il y a comme dessert?

MME FOUCHE: Voilà quelqu'un qui sait qu'il faut aussi nourrir° le corps. Encore un morceau de rôti?

(Les Fouché terminent le repas. Plus tard, vers cinq heures, les cours finissent et les élèves rentrent à la maison pour faire leurs devoirs.° Quand M. Fouché arrive à sept heures, on écoute les nouvelles° à la télévision et puis, vers huit heures, on passe à table pour le souper.)

MME FOUCHE: Voilà une petite salade de tomates pour commencer. Jacquot, attends les autres. Ce n'est pas parce que tu m'aides un peu que tu peux te servir° avant tout le monde.

JACQUOT: Maman, j'ai faim° et puis, si je finis de manger assez tôt, je vais pouvoir terminer mes devoirs.

M. FOUCHE: Jacquot, obéis° à ta mère. Il n'y a pas de mal élevés° dans cette famille, n'est-ce pas?

MME FOUCHE: Béatrice et Philippe, qu'est-ce que vous allez faire ce soir?

BEATRICE: Je suis surchargée° de travail. J'ai à préparer une explication de texte° d'une fable de La Fontaine° pour demain, et je vais me coucher° tout de suite après.

PHILIPPE: Eh bien, moi, je descends au café pour passer une petite heure avec les copains. J'ai besoin de me détendre° un peu. Ensuite, je vais lire mes bouquins° et me coucher° aussi avant minuit.

M. FOUCHE: Heureusement que nous avons les repas pour nous voir et nous parler pendant la semaine! Dimanche, faisons un pique-nique. Ça fait toujours du bien,° et nous avons tous besoin de nous détendre.

Vocabulaire

NOMS

bac m (slang) See **baccalauréat**.

baccalauréat m diploma based on exam at the end of secondary education

bachot m (slang) See **baccalauréat**.

boulot m work (slang)

bouquin m book (slang)

carrière f career

collège m first four years of secondary school

copain m friend

cours m course

devoir m assignment

diplôme m diploma, degree

explication de texte f literary analysis

instruction f education

La Fontaine 17th century author

lycée m last three years of secondary school

mal élevé m ill-mannered child

nouvelles f pl news

seconde f first year of lycée

terminale f last year of lycée

topo m classroom presentation (slang)

VERBES

s'amuser to have fun

avoir à to need to

avoir faim to be hungry

avoir mal to have an ache

avoir sommeil to be sleepy

bachoter to prepare for the bac

se coiffer to brush (comb) one's hair

se coucher to go to bed

se débrouiller to manage

se dépêcher to hurry

se détendre to relax

devoir to have to

être de retour to be back

être égal to be all the same

être en retard to be late

se fâcher to become angry

faire du bien to be beneficial

faire du mal to harm

grandir to grow up

s'habiller to get dressed

s'habituer to get used to

s'inquiéter to worry

se laver to wash

se lever to get up

manger sur le pouce to eat on the run

se moquer to make fun of

nourrir to feed

obéir to obey

se présenter to be a candidate

punir to punish

se raser to shave

recevoir to receive

réfléchir to think about

se rendre compte to realize

se reposer to rest

réussir to succeed

se réveiller to wake up

sembler to seem

se servir to serve oneself

se trouver to find oneself

valoir mieux to be better, more worthwhile

ADJECTIFS

raisonnable reasonable

surchargé overburdened

A. Complétez chaque phrase par l'expression qui convient.

avoir faim	se lever
se dépêcher	manger sur le pouce
être des mal élevés	se rendre compte
s'inquiéter	se servir

1. A table les enfants ne doivent pas _____ avant les adultes.
2. Si on n'a pas le temps de déjeuner, il faut _____ .
3. Si on a peur d'être en retard, il faut _____ pour arriver à l'heure.
4. Si on a un examen à 8 heures, on doit _____ à 7 heures.
5. Si un étudiant ne réussit pas au bac, il va _____ qu'il doit encore bachoter.
6. Si vous ne mangez pas bien, vous risquez d' _____ .
7. Les étudiants qui ont peur des examens vont _____ le jour d'un examen.
8. Si les parents n'insistent pas sur les bonnes manières, les enfants vont _____ .

Il doit beaucoup réfléchir avant de répondre à cette question.

B. Complétez chaque phrase par un terme de la liste suivante.

boulot	devoirs
bouquins	diplôme
cours	se présenter
se détendre	réussir

1. Chaque semestre j'ai cinq _____ différents.
2. Notre prof d'anglais donne beaucoup de _____ écrits.
3. Elle travaille beaucoup ce matin. Elle a besoin de _____ .
4. Si on veut aller à l'université, il faut avoir le _____ .
5. Mon frère a l'intention de _____ au concours d'entrée à l'école de médecine.
6. J'étudie beaucoup et je pense que je vais _____ à tous mes examens.
7. Je ne vais pas aller au cinéma parce que j'ai du _____ à faire.
8. Après le dîner, il doit lire ses _____ .

C. Indiquez si chaque phrase est vraie ou fausse. Si la phrase est fausse, corrigez-la.

1. Normalement un étudiant français ne va pas à l'université sans le bac.
2. L'étudiant français va passer le bac après un an au collège.
3. Un topo doit être présenté devant la classe.
4. Un étudiant en terminale va préparer l'examen du bac.
5. Pour s'amuser un étudiant français aime bachoter.
6. Si on est en seconde on est à l'école primaire.
7. Le bac est un examen et un diplôme.
8. On passe l'examen du bac à la fin du lycée.

Structures

1. The Present Tense of Regular -ir Verbs

To form the present tense of regular -ir verbs, drop the -ir ending of the infinitive and add the appropriate endings to the remaining stem: -is, -is, -it, -issons, -issez, -issent.

finir to finish	
je fin**is**	nous fin**issons**
tu fin**is**	vous fin**issez**
il / elle / on fin**it**	ils / elles fin**issent**

Imperative

finissez	finish *(formal or plural)*
finis	finish *(familiar)*
finissons	let's finish *(collective)*

Note the **-iss-** infix that appears in the plural forms of all regular **-ir** verbs.

Below is a list of some of the most common **-ir** verbs.

bâtir	to build	**obéir**	to obey
choisir	to choose	**punir**	to punish
finir	to finish	**réfléchir**	to think
grandir	to grow up	**remplir**	to fill
nourrir	to nourish, to feed	**réussir**	to succeed

Exercices d'application

A. Complétez chaque phrase par la forme convenable du verbe entre parenthèses.

1. Nous *(bâtir)* une nouvelle maison.
2. Tu *(obéir)* à tes parents?
3. Ils *(finir)* le semestre en juin.
4. Vous *(choisir)* des cours difficiles.
5. Ce petit enfant *(grandir)*, n'est-ce pas?
6. Elles *(réfléchir)* aux problèmes.
7. Je *(réussir)* à tous mes examens.
8. Vous *(nourrir)* trop les enfants.

B. Donnez les ordres suivants aux personnes indiquées.

1. Dites à votre mère de ne pas punir le chien.
2. Dites à un groupe d'amis de choisir la date de la soirée.
3. Proposez à vos copains de finir le travail.
4. Dites à un enfant d'obéir tout de suite.
5. Dites à votre père de réfléchir au problème.
6. Dites à votre frère de remplir les verres.

C. Répondez aux questions suivantes.

1. Choisissez-vous beaucoup de cours chaque semestre?
2. Est-ce que beaucoup de familles bâtissent des maisons modernes?
3. Est-ce que les adolescents obéissent toujours à leurs parents?
4. Réussissez-vous aux examens?
5. Réfléchissez-vous souvent à la situation internationale?
6. Finissez-vous les examens avant les vacances de Noël?

2. The Present Tense of Regular -re Verbs

To form the present tense of regular **-re** verbs, drop the **-re** ending of the infinitive and add the appropriate endings to the remaining stem: **-s, -s, —, -ons, -ez, -ent.**

répondre to answer	
je répond**s**	nous répond**ons**
tu répond**s**	vous répond**ez**
il / elle / on répond	ils / elles répond**ent**

Imperative

répondez	answer *(formal or plural)*
réponds	answer *(familiar)*
répondons	let's answer *(collective)*

Note that the **il** form adds no ending to the basic stem. Below is a list of some of the most common **-re** verbs.

attendre	to wait for	**perdre**	to lose
dépendre	to depend	**rendre**	to give back
descendre	to go down	**répondre**	to answer
entendre	to hear	**vendre**	to sell

Exercices d'application

A. Complétez chaque phrase par la forme convenable du verbe entre parenthèses.

1. Je *(vendre)* ma voiture.
2. *(Rendre)* -vous beaucoup de devoirs en retard?
3. Ils *(attendre)* leurs copains au lycée.
4. Nous *(répondre)* toujours aux questions du professeur.
5. Elle *(descendre)* souvent au café.
6. Tu *(entendre)* de la musique?
7. Ça *(dépendre)*.
8. Nous ne *(perdre)* pas notre temps ici.

B. Donnez les ordres suivants aux personnes indiquées.

1. Dites à votre ami d'attendre un moment.
2. Dites à votre père de répondre au téléphone.
3. Proposez à un groupe de descendre au café.
4. Dites à un camarade de classe de rendre les livres de français au professeur.
5. Dites à un enfant de ne pas perdre ses bouquins.
6. Proposez à votre club de vendre des bonbons.

C. Répondez aux questions suivantes.

1. Attendez-vous la fin du semestre?
2. Rendez-vous souvent des livres à la bibliothèque?
3. Est-ce que votre professeur répond aux questions de la classe?
4. Est-ce que vos amis descendent souvent en ville?
5. Est-ce que les étudiants vendent leurs bouquins à la fin du semestre?
6. Dépendez-vous de vos parents?

3. Reflexive Verbs

A reflexive verb is always accompanied by a reflexive pronoun that refers to the subject of the verb and indicates that the subject is performing an action upon or for itself. The reflexive pronoun is placed after the subject and directly before the verb.

se réveiller to get (oneself) up	
je **me** réveille	nous **nous** réveillons
tu **te** réveilles	vous **vous** réveillez
il / elle / on **se** réveille	ils **se** réveillent

The pronouns **me, te,** and **se** drop the **e** before verb forms beginning with a vowel or a mute **h.**

> Elles **s'**habillent élégamment.
> Je **m'**arrête à la charcuterie.

To form the negative of a reflexive verb, place **ne** before the reflexive pronoun and **pas** (or another appropriate negative expression) after the verb.

> Je **ne** me réveille **pas** tôt.
> Vous **ne** vous réveillez **pas** vite.

If a reflexive verb is used in the infinitive form following a conjugated verb, the reflexive pronoun is placed before the infinitive and must agree in person and number with the subject of the conjugated verb.

Je désire **me reposer.**   **Nous** allons **nous dépêcher.**
Tu ne dois pas **te fâcher.**   **Vous** savez **vous débrouiller.**
Anne adore **s'amuser.**   **Mes frères** détestent **se réveiller** tôt.

To form an affirmative command, place the reflexive pronoun after the verb form, separated by a hyphen.

réveillez-vous   *(formal or plural)*
dépêche-toi   *(familiar)*
reposons-nous   *(collective)*

Note that the pronoun **te** changes to the stressed form **toi** when in this final position. Remember to drop the final **s** on the familiar imperative of reflexive verbs that end in **-er**.

In a negative command, the reflexive pronoun will precede the verb form. **Ne** is placed before the reflexive pronoun and **pas** after the verb form.*

ne vous réveillez pas
ne te dépêche pas
ne nous reposons pas

Below is a list of some of the more common reflexive verbs.†

s'arrêter	to stop	**se laver**	to wash
se brosser	to brush	**se lever**	to get up
se coucher	to go to bed	**se moquer de**	to make fun of
se détendre	to relax	**se peigner**	to comb
se fâcher	to become angry	**se raser**	to shave
s'habiller	to get dressed	**se reposer**	to rest

Reciprocal verbs are identical in structure to reflexive verbs. When a verb is used reciprocally, the reflexive pronoun indicates that two or more persons are performing actions upon or for each other rather than on or for themselves.

Nous nous voyons souvent.	We see each other often.
Vous vous regardez.	You look at each other.
Ils s'aiment beaucoup.	They like each other a lot.

Since two or more persons must be involved, only the plural forms **(nous, vous, ils, elles)** of verbs may be used reciprocally.

For emphasis, or to avoid confusion, the construction **l'un(e) l'autre** or **les un(e)s les autres** may be added after the verb.

Ils s'amusent.	They are having a good time. *(reflexive)*
	They amuse each other. *(reciprocal)*
Ils s'amusent les uns les autres	They amuse each other. *(reciprocal)*
Elles se voient.	They see themselves. *(reflexive)*
Elles se voient l'une l'autre.	They see each other. *(reciprocal)*

---

*For the interrogative of reflexive verbs, see Basic Question Patterns, p. 46.

†Most of these verbs are regular **-er** verbs, although you may see verbs of other conjugations used reflexively. The fact that a verb is reflexive does not alter its normal conjugation. **Se lever** is conjugated like **acheter**. Note that the subject of a reflexive verb performs an action on or for itself.

Certain verbs change meaning when used reflexively. Below is a partial list of such reflexive verbs.

aller to go	**s'en aller** to go away
amuser to amuse	**s'amuser** to have a good time
débrouiller to straighten out	**se débrouiller** to get by, to manage
demander to ask	**se demander** to wonder
dépêcher to send quickly	**se dépêcher** to hurry
ennuyer to bother	**s'ennuyer** to get bored
entendre to hear	**s'entendre** to get along
habituer to familiarize	**s'habituer à** to get used to
rendre compte to account for	**se rendre compte de** to realize
tromper to deceive	**se tromper** to be wrong

⚠ RAPPEL   ⚠ RAPPEL   ⚠ RAPPEL

Like the idiomatic reflexive verbs listed above, many verbs can be used reflexively or nonreflexively, depending on whether the action of the verb is reflected on the subject or on a different object. Remember — in the reflexive construction, the subject and the object are the same person(s).

Il s'amuse.	He has a good time.
Il amuse son frère.	He amuses his brother.
Vous vous arrêtez.	You stop.
Vous arrêtez la voiture.	You stop the car.
Elles se couchent.	They go to bed.
Elles couchent les enfants.	They put the children to bed.

Exercices d'application

A. Complétez chaque phrase par la forme convenable du verbe entre parenthèses.

1. Tu (se moquer) de ta petite sœur!
2. Je suis raisonnable et je (se débrouiller).
3. Attention—vos parents (se fâcher).
4. On (se demander) quelquefois si les examens sont nécessaires.
5. Nous ne (se détendre) pas souvent.
6. Vous (se rendre) compte du problème.
7. Quand elle a beaucoup à faire, elle (se dépêcher).
8. Ils (se coiffer) dans la salle de bains.

B. Ajoutez les pronoms réfléchis convenables ou nécessaires.

1. Le petit _____ habille sans difficulté.
2. Vous adorez _____ lever à dix heures.

3. J'aime _____ coucher les enfants très tard.
4. Le soir nous _____ ennuyons.
5. Le clown _____ amuse les jeunes filles.
6. Tu _____ laves la voiture.
7. Tous les membres de cette famille _____ adorent.
8. Habille _____ et puis va _____ habiller ton frère.

C. Donnez les ordres suivants aux personnes indiquées.

1. Dites à votre ami de se réveiller.
2. Dites à vos parents de s'amuser.
3. Proposez à vos copains de se dépêcher.
4. Dites à un enfant de ne pas se moquer des autres.
5. Dites à un parent de ne pas se fâcher.
6. Proposez à un groupe de s'arrêter au restaurant.
7. Dites à un camarade de classe de se débrouiller.
8. Dites à deux amis de se reposer.

D. Répondez aux questions suivantes.

1. Vous amusez-vous aux surprise-parties?
2. Vous couchez-vous tard en général?
3. Vous entendez-vous avec tout le monde?
4. Vous et les membres de votre famille, vous parlez-vous souvent?
5. Est-ce que les étudiants s'habillent bien?
6. Est-ce que les frères et les sœurs s'aiment toujours?
7. Est-ce que les professeurs amusent les étudiants dans tous les cours?
8. Vous fâchez-vous facilement?

Exercices d'ensemble

A. Complétez chaque phrase par les formes convenables des verbes entre parenthèses.

1. L'enfant (se fâcher) parce qu'il a faim. (Nourrir) le pauvre bébé, s'il te plaît.
2. Nous sommes propriétaires d'une maison, mais nous désirons habiter l'Italie. (Vendre) la maison et (bâtir) une villa à Florence. (S'amuser) au soleil.
3. Quand je (se lever) le matin, je (se laver), je (se brosser) les dents, je (me peigner), et ensuite je (s'habiller).
4. Tu es en retard, François. (Se dépêcher) et (ne pas s'arrêter) au café. Et (réfléchir) avant de répondre aux questions du prof.
5. Jean et Marie! (Se reposer) si vous avez envie d'aller au parc. On (descendre) en ville dans une heure.

B. Complétez les phrases suivantes en utilisant les verbes de cette leçon.

1. Après que je me réveille, je...
2. Avant de me coucher, je...

*Le bébé amuse ses
parents.*

3. Pour finir mes devoirs avant le cours, je...
4. Si je perds mon argent, je...
5. Quand mon prof donne trop de devoirs, je...
6. Quand je suis très fatigué, je...
7. S'il faut choisir, je...
8. Quand mes amis n'arrivent pas à l'heure, je...
9. Quand j'ai un topo à présenter, je...
10. Si je descends en ville le samedi soir, je...

C. Répondez aux questions suivantes.

1. Est-ce que vous vous levez à la même heure tous les jours?
2. Est-ce que vous vous dépêchez pour arriver au cours à l'heure?
3. Vous arrêtez-vous à un bar quelquefois le vendredi après-midi?
4. A quelle heure est-ce que vous vous couchez d'habitude?
5. Est-ce que vous finissez toujours vos devoirs avant de vous coucher?
6. En général, réfléchissez-vous avant de parler?
7. Est-ce que vous descendez souvent en ville? Quand?
8. Est-ce que vous perdez quelquefois vos livres?
9. Est-ce que vous vous amusez à l'université?
10. Est-ce que vous obéissez à vos parents?

4. Irregular Verbs Ending in -*oir* and -*oire*

A. -*Oir* Verbs

vouloir to want

je **veux**
tu **veux**
il / elle / on **veut**
nous **voulons**
vous **voulez**
ils / elles **veulent**

pouvoir to be able

je **peux**
tu **peux**
il / elle / on **peut**
nous **pouvons**
vous **pouvez**
ils / elles **peuvent**

voir to see

je **vois**
tu **vois**
il / elle / on **voit**
nous **voyons**
vous **voyez**
ils / elles **voient**

recevoir to receive

je **reçois**
tu **reçois**
il / elle / on **reçoit**
nous **recevons**
vous **recevez**
ils / elles **reçoivent**

devoir to have to; to owe

je **dois**
tu **dois**
il / elle / on **doit**
nous **devons**
vous **devez**
ils / elles **doivent**

savoir to know

je **sais**
tu **sais**
il / elle / on **sait**
nous **savons**
vous **savez**
ils / elles **savent**

Note that the verb **devoir** has two different meanings. When it means *to owe*, it is followed by a direct object, usually indicating a sum: **Je dois cinq dollars** à mes parents.

When **devoir** means *to have to*, it is an auxiliary verb and is followed by the infinitive form of a main verb.

Je dois étudier maintenant.	I have to study now.
Vous devez vous reposer un peu.	You have to rest a little.
Elles doivent répondre aux questions.	They must answer the questions.

The verbs **falloir, valoir mieux,** and **pleuvoir** are all impersonal verbs that are conjugated only in the **il** form but may be used in any tense.

falloir to have to: **il faut**
valoir mieux to be better: **il vaut mieux**
pleuvoir to rain: **il pleut**

Note that **falloir** and **valoir mieux** are followed by the infinitive of another verb.

Il faut répondre.	It is necessary to answer.
Il vaut mieux rentrer.	It's better to go home.

Used in this way, **falloir** has the same basic meaning as **devoir,** but **devoir** is conjugated in all persons. **Falloir** is considered to be more general and somewhat stronger in its statement of necessity.

Il faut rentrer.	It is imperative to go home.
Je dois rentrer.	I have to go home.

Falloir and **devoir** are interchangeable when **il faut** is used with the appropriate indirect object pronoun to make the statement of necessity more personal.

Il me faut rentrer.
Je dois rentrer.

The expression **valoir la peine** means *to be worth the trouble.* Its subject will always be a thing, not a person, and it is used only in the third persons.

Ce travail vaut la peine.
Les études valent la peine.

B. *-Oire* **Verbs**

croire to believe	**boire** to drink
je **crois**	je **bois**
tu **crois**	tu **bois**
il / elle / on **croit**	il / elle / on **boit**
nous **croyons**	nous **buvons**
vous **croyez**	vous **buvez**
ils / elles **croient**	ils / elles **boivent**

Exercice d'application

Complétez chaque phrase par la forme convenable du verbe entre parenthèses.

1. Nous *(devoir)* nous réveiller à sept heures.
2. Ne va pas au parc, il *(pleuvoir).*
3. *(Boire)* -vous du vin?
4. Tu te trompes, tu *(savoir).*
5. Ils *(recevoir)* beaucoup d'invitations.
6. Il *(valoir mieux)* se débrouiller.
7. Je ne *(croire)* pas tout le monde.
8. *(Voir)* -vous souvent les Bédier?
9. Vous ne *(pouvoir)* pas vous en aller.

10. Nous *(vouloir)* réussir aux examens ce semestre.
11. Il *(devoir)* cent francs à ses parents.
12. Merci, je ne *(boire)* pas de café.

5. Basic Question Patterns

To transform a declarative statement into a question for which a simple *yes* or *no* answer is expected, the techniques outlined below are used. These transformations apply to all simple tenses.

A. *Est-ce que* The simplest and most common way to ask a question is to place **est-ce que** at the beginning of the sentence. Using **est-ce que** requires no change in word order.

Declarative Sentence	Question	
Vous restez à la maison.	**Est-ce que** vous restez à la maison?	Are you staying at home?
Les enfants s'amusent.	**Est-ce que** les enfants s'amusent?	Do the children have fun?
Jean va finir ses devoirs.	**Est-ce que** Jean va finir ses devoirs?	Is Jean going to finish his homework?

⚠ RAPPEL   ⚠ RAPPEL   ⚠ RAPPEL

Do not try to translate **est-ce que**. Think of it as a single unit that transforms statements into questions, much like a type of interrogative punctuation.

B. **Inversion** When the subject of a sentence is a pronoun, a question can also be formed by inverting the subject and verb.

Declarative Sentence	Question
Vous restez à la maison.	**Restez-vous** à la maison?
Il va au marché.	**Va-t-il** au marché?
Nous allons réussir à l'examen.	**Allons-nous** réussir à l'examen?

When the subject of the sentence is a noun, the noun subject itself cannot be inverted. However, a pronoun that agrees in gender and number with the preceding noun subject can be inserted directly after the verb to form the question.

Declarative Sentence	Question
Les enfants restent ici.	**Les enfants restent-ils** ici?
Jean va au marché.	**Jean va-t-il** au marché?

Note that, for pronunciation purposes, a **t** is inserted between third-person singular verbs that end in a vowel and their subject pronoun, as in **va-t-il?** and **écoute-t-elle?**

C. *N'est-ce pas* Placed directly after a declarative sentence, **n'est-ce pas** may be used to form a question when confirmation of the statement is anticipated. **N'est-ce pas?** is the equivalent of the English expressions *isn't that right?*, *aren't they?*, *doesn't he?*, etc.

Declarative Sentence	Question	
Vous restez ici.	Vous restez ici, **n'est-ce pas?**	You're staying here, aren't you?
Les enfants s'amusent.	Les enfants s'amusent, **n'est-ce pas?**	The children have fun, don't they?
Jean finit ses devoirs.	Jean finit ses devoirs, **n'est-ce pas?**	Jean is finishing his homework, isn't he?

D. **Intonation** In conversation, questions are frequently formed simply with a rising tone of voice.

Declarative Sentence	Question
Vous restez ici.	**Vous restez ici?**
Les enfants s'amusent.	**Les enfants s'amusent?**
Jean finit ses devoirs.	**Jean finit ses devoirs?**

 ⚠ RAPPEL   ⚠ RAPPEL   ⚠ RAPPEL

For reflexive verbs, the simplest way to form a question is to use **est-ce que.**

To use inversion with reflexive verbs, invert only the subject pronoun. The reflexive pronoun remains in its normal position before the verb.

Est-ce que vous vous entendez bien avec vos parents?

Vous amusez-vous?
S'habille-t-elle?
Se couchent-ils?

Inversion poses no special problem when the subject of a reflexive verb is a noun. Insert the appropriate extra subject pronoun after the verb form, as outlined above.

Les enfants se couchent-ils?
Jean se lave-t-il?

A. Transformez chaque phrase en une question. Utilisez l'inversion.

1. Vous avez des frères et des sœurs.
2. Alice s'entend avec ses parents.
3. Nous nous habillons élégamment pour la surprise-partie.
4. Elle va se reposer maintenant.
5. Vous voulez dîner avec nous.
6. Vous vous moquez de moi.
7. Tu remplis les verres à vin.
8. Alain se couche à dix heures.

B. Formulez quatre questions pour chaque réponse indiquée.
Employez (a) **est-ce que;** (b) **l'inversion;** (c) **n'est-ce pas;** (d)
l'intonation.

1. Oui, nous dînons au restaurant.
2. Oui, je me fâche facilement. (Employez **tu** dans la question.)
3. Non, les petits ne veulent pas rentrer.
4. Oui, je m'habitue au cours de français.
5. Oui, Béatrice se lève tard.

6. Idioms with *Etre* and *Avoir*

A. **Idioms with *Etre*** Certain idiomatic expressions in French involve the
verb **être.** These expressions closely parallel their English equivalents,
which use the verb *to be.*

être en train de to be in the process of	**Je suis en train de** dîner.
être égal à to make no difference, not to matter	**Cela m'est égal.**
être de retour to be back	Les enfants **sont de retour.**
être à l'heure to be on time	Caroline **est** toujours **à l'heure** pour la classe.
être en retard to be late	Jean **est en retard** pour la soirée.
être en avance to be early	Nous allons **être en avance.**
ça y est that's it; it's done	Vous finissez? Oui, **ça y est.**

B. **Idioms with *Avoir*** There is an extensive list of French idioms that involve the verb **avoir,** whose English equivalents use the verb *to be.*

1. Physical Conditions

avoir chaud to be hot	**J'ai chaud** dans le bain.
avoir froid to be cold	**Il a froid** dans la neige.
avoir faim to be hungry	A midi **les enfants ont faim.**
avoir soif to be thirsty	**Nous avons soif** après le travail.
avoir sommeil to be sleepy	A minuit **j'ai sommeil.**

avoir mal à to have an ache	J'ai mal à la tête.
avoir l'air to seem	Elle a l'air triste.
avoir quelque chose to have something wrong	Elle a quelque chose.
avoir … ans to be … years old	Il a vingt ans.

2. **Psychological States**

avoir peur de to be afraid of	J'ai peur des serpents.
avoir honte de to be ashamed of	Il a honte de ses notes.
avoir raison to be right	Vous avez raison.
avoir tort to be wrong	Ils ont tort.
avoir envie de to feel like	Elle a envie de pleurer.
avoir besoin de to need	Nous avons besoin de savoir.

3. **Circumstances**

avoir lieu to take place	La réunion a lieu à neuf heures.
avoir de la chance to be lucky	Vous avez de la chance.
avoir l'occasion to have the opportunity	J'ai l'occasion de voyager.
avoir à to have to	J'ai à téléphoner à l'épicier.

Exercices d'application

A. Répondez à la question en employant un idiotisme formé avec **être**.

1. Est-ce que Paul finit ses devoirs?
   Non, il _____ regarder la télévision.
2. Vous avez rendez-vous à midi et vous arrivez à midi juste. Etes-vous en retard?
   Non, nous _____ .
3. Vous n'avez pas faim et il n'y a pas de dessert après le repas. Qu'est-ce que vous pensez?
   Je pense que _____ .
4. Les cours se terminent à quatre heures et demie et les élèves rentrent directement à la maison. Sont-ils en retard?
   Non, parce qu'ils _____ à cinq heures.
5. Vous terminez un travail très difficile. Qu'est-ce que vous dites?
   Enfin, _____ .

B. Répondez à chacune des situations suivantes en employant un idiotisme formé avec le verbe **avoir**.

1. Normalement, vous dînez à huit heures; il est maintenant neuf heures et demie. Vous pensez: …
2. Philippe se blesse à la jambe dans un match de football. Il pense: …

3. Je ne prépare jamais ma leçon d'histoire, mais je réussis à l'examen! Je pense: ...
4. Le prof pose une question et vous répondez correctement. Il annonce: ...
5. Votre club se réunit toujours le vendredi. Un copain demande le jour de la réunion. Vous répondez: La réunion ...

7. *Depuis* with the Present Tense

Depuis means *for* when followed by an expression of time. It is used with the present tense to denote an action that began in the past but is still going on in the present. This construction is equivalent to the English concept *has (have) been ... -ing*.

J'habite ici **depuis** cinq ans.	I have been living here for five years.
Il parle depuis une heure.	He has been speaking for an hour.
Nous nous reposons depuis un quart d'heure.	We have been resting for fifteen minutes.
Vous attendez ici **depuis** une heure.	You have been waiting here for an hour.

⚠ RAPPEL ⚠ RAPPEL ⚠ RAPPEL

Remember that **depuis** plus the present tense in French is used to express the English idea *has (have) been ...ing*. Don't fall into the trap of trying to translate the structure word for word.

This idiom takes on particular importance since the pattern is commonly used; when you go to a French-speaking country, you are sure to be asked questions involving **depuis** + present tense.

Vous **étudiez** le français **depuis** longtemps?
Vous **êtes** en France **depuis** quand?
Vous **habitez** Paris **depuis** combien de temps?

Exercice d'application

En vous servant de **depuis** et des mots entre parenthèses, composez une phrase pour expliquer chacune des situations suivantes.

1. Vous arrivez au marché à huit heures; il est maintenant neuf heures. (Nous / être ici / une heure)
2. Marc commence son bain à dix heures; il est maintenant onze heures. (Il / se laver / une heure)
3. Vous vous faites mal à la jambe lundi; c'est aujourd'hui mercredi. (Je / avoir mal à la jambe / trois jours)

4. Jeanne arrive au lycée en octobre; nous sommes au mois de décembre. (Jeanne / étudier / deux mois)
5. Les étudiants américains rentrent à New York le 2 juillet; c'est aujourd'hui le 23 juillet. (Ils / être de retour / trois semaines)

Exercices d'ensemble

A. Demandez à un(e) camarade de classe...

1. s'il (elle) va voir beaucoup de films.
2. s'il (elle) est normalement de retour à la maison à cinq heures.
3. s'il (elle) sait toujours répondre aux questions du professeur.
4. quel âge il (elle) a.
5. s'il (elle) peut toujours être à l'heure au cours de français.
6. s'il (elle) boit du café, du thé ou du vin avec le dîner.
7. s'il (elle) étudie le français depuis longtemps.
8. s'il (elle) a froid ou chaud dans cette salle de classe.
9. s'il (elle) reçoit bientôt un diplôme.
10. s'il (elle) veut aller un jour en France.

B. Employez le schéma suivant pour composer six phrases.

Exemples: Je veux m'amuser.
Mes parents doivent acheter une voiture.

Je Tu Mon ami(e) Mon père Ma mère Mes parents Mes amis Il	ne	vouloir pouvoir savoir devoir valoir mieux falloir	pas	Verbe à l'infinitif	le la l' les un(e) du de l' de l' des

Activités d'expansion

A. Formez des phrases complètes en faisant tous les changements nécessaires.

1. Perdre / vous / souvent / bouquins
2. Ils / choisir / toujours / cours / qui / être / facile

3. Je / finir / mes devoirs / et / je / s'en aller
4. Il / valoir / mieux / ne pas s'inquiéter
5. Vous / savoir / qu'il / falloir / étudier / n'est-ce pas
6. Il / devoir / beaucoup / réfléchir / avant de répondre / cette question
7. Je / se demander / si le prof / se tromper
8. Pouvoir / vous / se débrouiller / dans un cours de maths
9. Vous / ne pas devoir / se moquer / vos amis
10. Vous / devoir / ne pas avoir honte / vouloir / réussir

B. *Interview.* Un sociologue français fait des recherches sur la vie en famille chez les étudiants américains. Quelles sont vos réponses à ces questions?

1. Votre père, que fait-il? Depuis combien de temps?
2. Et votre mère, que fait-elle? Depuis combien de temps?
3. Est-ce que vous recevez souvent vos parents chez vous? Pourquoi?
4. Est-ce que vous vous entendez bien avec vos parents?
5. Est-ce que vous vous fâchez quelquefois contre vos parents?
6. Est-ce que vous avez l'occasion de voir très souvent vos parents? Pourquoi?
7. Est-ce que tous les enfants se disputent quelquefois avec leurs parents?
8. Avez-vous des frères et des sœurs? Combien? Que font-ils?
9. Etes-vous marié? Avez-vous des enfants?
10. Vos grands-parents sont-ils encore vivants ou sont-ils morts?

C. Faites une liste des dix ordres qu'on entend le plus souvent dans une famille américaine typique.

D. *Interview.* Posez les questions suivantes à un(e) camarade de classe et faites un reportage sur ses activités aux autres membres de la classe.

1. A quelle heure est-ce que tu te réveilles?
2. Est-ce que tu te lèves tout de suite? Pourquoi?
3. Quelles autres choses est-ce qu'il te faut faire avant de partir de la maison?
4. A quelle heure a lieu ton premier cours?
5. D'habitude, est-ce que tu es en retard ou en avance à ce cours?
6. Depuis quand es-tu étudiant à cette université?
7. Est-ce que tu t'habitues à la vie universitaire?
8. Est-ce que tu es surchargé de travail ce semestre? Pourquoi?
9. Quand tu as un examen est-ce que tu t'inquiètes?
10. Est-ce que tu t'ennuies en classe?
11. Qu'est-ce que tu fais pour te détendre le soir quand tu es rentré chez toi?
12. Les étudiants ont-ils besoin de beaucoup d'argent? Pourquoi?

E. *Situations Orales*

1. Un débat

   Pour: *Les écoles secondaires américaines sont très bonnes.*

   Contre: *Les écoles secondaires américaines sont mauvaises.*

   Divisez la classe en deux groupes et discutez le pour et le contre des écoles américaines.

2. Faites une liste de cinq questions pour interviewer un(e) camarade de classe. Comme sujet, choisissez entre la vie en famille et la vie d'étudiant.

3. Composez trois phrases qui font la description de votre vie à l'école. Vos camarades de classes vont donner leurs réactions à vos déclarations.

F. *Situations écrites*

1. Faites la description de votre famille.

2. Vous êtes en France et vous parlez avec un(e) étudiant(e) français(e) qui vous demande de décrire votre journée typique et votre emploi du temps.

3. Quels aspects de votre vie à l'école aimez-vous et détestez-vous en particulier?

Chapitre
3

Des amis se retrouvent en ville.

Lecture:

Les Copains d'aujourd'hui, ce sont les amis de demain

Aux Etats-Unis, s'il y a des enfants dans une famille, il y a aussi des copains—peut-être même plusieurs copains—que les parents accueillent° volontiers à la maison. Pour mieux connaître ces «gosses»,° on leur ouvre les portes de son foyer.° Les copains et copines viennent regarder la télé, écouter des disques ou peut-être prendre des repas. Il n'y a rien de plus normal, dites-vous? Mais, les Français suivent°-ils le même modèle?

Il faut dire que non. Les attitudes américaines que nous décrivons° ici n'existent que très rarement en France. D'abord, les rapports° familiaux sont, le plus souvent, assez étroits°; c'est-à-dire que, dans la vie quotidienne,° les personnes de sa connaissance° sont moins importantes que les relations° entre parents et enfants. Les repas en famille et les activités ensemble, en fin de semaine, encouragent la vie familiale. Mais cet esprit n'empêche° pas les jeunes de se faire des amis. Prenons l'exemple des enfants Fouché—Jacquot, Béatrice et Philippe—pour voir comment ils s'entendent avec les copains.

Jacquot, on se rappelle,° a douze ans. A-t-il beaucoup d'heures de loisir?° Non, car il n'a congé° que le mercredi après-midi et il doit aussi aller à l'école le samedi matin. Chaque jour, pendant la semaine, ses cours finissent tard. Au collège, il est bavard° et sportif° et n'a aucune° difficulté à se faire des amis. Quand il a du temps libre,° il ne s'ennuie presque jamais. Tous les mercredis, Jacquot et quelques autres petits «gars»° de son âge se retrouvent° au parc ou sur le terrain° du collège où ils jouent au football.° Le samedi après-midi, son meilleur ami l'attend dans la rue et ils partent tous les deux en vélo° à la patinoire.° Jacquot passe° le mois de juillet en colonie de vacances° où il rencontre° des jeunes qui viennent de partout.° En août, il accompagne la famille en vacances, mais il est content de revoir ses amis à la rentrée° en septembre.

Et Béatrice? A seize ans, elle aime sortir avec les copines. Il y a surtout deux jeunes filles qu'elle fréquente.° Elles partagent° des confidences, se consultent, se disent absolument tout. Deux ou trois fois par semaine, elles s'arrêtent au même petit café pour se détendre et rigoler° un peu avant de rentrer. Parle-t-elle beaucoup au téléphone à ses amies? Jamais. Le téléphone appartient° à toute la famille. Les enfants ne doivent pas s'en servir° pour s'amuser. Les jours de congé, les copines descendent en ville où elles font du lèche-vitrines.° Elles achètent des disques (pas souvent, car ils sont si chers!) ou des livres. Ce sont actuellement° leurs distractions° préférées. De temps en temps, le week-end, il y a une boum° où Béatrice revoit tous les membres de son petit groupe. C'est une soirée qu'elle trouve chouette° parce qu'elle adore danser. Elle espère que cet été toute la bande° va pouvoir se retrouver à la piscine° municipale ou à la Maison des Jeunes et de la Culture.° Elle prend au sérieux° ses relations amicales,° et il est très probable que plusieurs de ses amies loyales d'aujourd'hui vont l'être pendant encore de longues années.

A dix-huit ans, Philippe est en terminale, et parmi les gens qu'il connaît il y a plusieurs copains et copines qu'il fréquente régulièrement. Ce cercle d'amis se divertit° souvent en groupe. L'hiver il partent plusieurs fois ensemble pour faire du ski; l'été ils se donnent rendez-vous° pour faire du tennis ou du volley.° Et ils sont passionnés° du cinéma. Philippe ne possède pas sa propre° voiture, mais il a un permis de conduire° parce que ses parents ont besoin d'aide au volant° pendant les grandes vacances. Depuis l'âge de seize ans, il se rend au lycée en vélomoteur.° Généralement, il s'arrête au café après les cours où il rencontre ses amis qui prennent un pot° ensemble. Comme sa sœur et son petit frère, Philippe reçoit une certaine somme d'argent (une centaine° de francs) de ses parents tous les mois. Voilà la source principale de son argent de poche,° car les lycéens° ont rarement la possibilité de prendre un emploi° temporaire pour payer leurs propres dépenses.° Pour Philippe, cependant, ce n'est pas un inconvénient. En ce moment, il n'a pas beaucoup de temps libre, car il prépare le bac et se consacre° entièrement à ses études. Mais il ne néglige pas ses copains parce qu'il sait que les amis apportent à sa vie une dimension intellectuelle et sociale importante et nécessaire. Un ami, c'est pour la vie, n'est-ce pas? Du moins, c'est ce qu'on dit en France.

Vocabulaire

NOMS

argent de poche *m* spending money
bande *f* gang
boum *f* party (slang)
centaine *f* about a hundred
colonie de vacances *f* summer camp

congé *m* day off
connaissance *f* acquaintance
dépense *f* expenditure
distraction *f* amusement
emploi *m* job
football *m* soccer
foyer *m* home
gars *m* boy (slang)

gosse *m, f* kid (slang)
loisir *m* leisure
lycéen *m,* **lycéenne** *f lycée* student
Maison des Jeunes et de la Culture *f* youth center
patinoire *f* skating rink
permis de conduire *m* driver's license

piscine *f* swimming pool
rapport *m* relationship
relation amicale *f* friendship
rentrée *f* opening of school
terrain *m* grounds
vélo *m* bicycle
vélomoteur *m* motorbike
volant *m* steering wheel
volley *m* volleyball

VERBES

accueillir to welcome
appartenir to belong
se consacrer à to devote oneself to
décrire to describe
se divertir to amuse oneself

se donner rendez-vous to arrange to meet
empêcher to prevent
faire du lèche-vitrines to go window-shopping
fréquenter to see often
partager to share
passer to spend
prendre au sérieux to take seriously
prendre un pot to have a beer
se rappeler to remember
rencontrer to meet by chance
se retrouver to meet by arrangement
rigoler to laugh
se servir de to use

suivre to follow; to take (a course)

ADJECTIFS

aucun any; not a single
bavard outgoing; talkative
chouette neat; nice *(slang)*
étroit strong, narrow
libre free
passionné crazy about
propre own
quotidien, -ienne everyday
sportif, -ive athletic

ADVERBES

actuellement presently
partout everywhere

Exercices de vocabulaire

A. Trouvez dans la liste un synonyme pour chaque verbe indiqué en italique.

accueillent	prennent un pot
se détendent	se rappellent
se divertissent	se donnent rendez-vous
empêchent	se servent de
fréquentent	

1. Elles *utilisent* leurs vélomoteurs pour aller à l'école.
2. Mes copines *vont souvent à* ce café.
3. Ils *s'amusent* bien à la patinoire.
4. Ils *arrêtent* leurs enfants de bavarder au téléphone.
5. Ils *se souviennent de* leurs vacances.
6. Les amies *se retrouvent* à la piscine.
7. Les gosses *se reposent* après leur match de football.
8. Ils *reçoivent* souvent leurs amis.
9. Mes cousins *boivent une bière* ensemble.

B. Complétez chaque phrase par un terme de la liste suivante.

bavards	foyer	rentrée
chouette	piscine	sportifs
congé	propre	terrain
étroits		

1. Mon frère et ma sœur adorent jouer au tennis. Ils sont très _____ .

2. Quand on aime beaucoup quelque chose, on dit que c'est _____ .

3. En France, les élèves ont _____ le mercredi après-midi.

4. En été, les enfants aiment beaucoup nager à la _____ .

5. Il a son permis de conduire et il a aussi sa _____ voiture.

6. A l'âge de dix-neuf ou vingt ans, la plupart des enfants quittent le _____ .

7. Après les grandes vacances, les étudiants sont contents de voir arriver la _____ .

8. Les jeunes aiment aller au _____ du collège pour jouer au football.

9. La plupart des jeunes sont très _____ quand ils rencontrent leurs amis.

10. Les rapports familiaux sont souvent _____ en France.

C. Indiquez si chaque phrase est vraie ou fausse d'après la lecture. Si la phrase est fausse, corrigez-la.

1. La famille française reçoit souvent à la maison les amis des enfants.
2. Les étudiants français vont à l'école le samedi matin.
3. La rentrée en France a lieu en août.
4. Les amis français parlent beaucoup au téléphone.
5. Les jeunes Français ont tendance à sortir en groupe.
6. Les jeunes Français s'intéressent, comme les jeunes Américains, aux sports.
7. Après l'âge de dix-sept ou dix-huit ans, un jeune Français va sûrement posséder une voiture.
8. Normalement, un étudiant français va avoir un emploi temporaire pour gagner son argent de poche.
9. S'il ne travaille pas, un étudiant de lycée en France a beaucoup de temps libre pour se divertir.
10. Avec l'argent de poche que ses parents lui donnent, un jeune Français peut facilement acheter beaucoup de disques et des billets pour les concerts de rock.

Structures

1. Irregular Verbs Ending in *-ir* and *-re*

The following irregular verbs have been grouped according to similarities of conjugation.*

A. -Ir Verbs

partir to leave

je **pars**
tu **pars**
il / elle / on **part**
nous **partons**
vous **partez**
ils / elles **partent**

dormir to sleep

je **dors**
tu **dors**
il / elle / on **dort**
nous **dormons**
vous **dormez**
ils / elles **dorment**

sortir to go out

je **sors**
tu **sors**
il / elle / on **sort**
nous **sortons**
vous **sortez**
ils / elles **sortent**

servir to serve

je **sers**
tu **sers**
il / elle / on **sert**
nous **servons**
vous **servez**
ils / elles **servent**

ouvrir to open

j'**ouvre**
tu **ouvres**
il / elle / on **ouvre**
nous **ouvrons**
vous **ouvrez**
ils / elles **ouvrent**

offrir to offer

j'**offre**
tu **offres**
il / elle / on **offre**
nous **offrons**
vous **offrez**
ils / elles **offrent**

courir to run

je **cours**
tu **cours**
il / elle / on **court**
nous **courons**
vous **courez**
ils / elles **courent**

venir to come

je **viens**
tu **viens**
il / elle / on **vient**
nous **venons**
vous **venez**
ils / elles **viennent**

*See also Appendix B, 1, p. 280.

Devenir (*to become*), **revenir** (*to come back*), **se souvenir de** (*to remember*), **tenir** (*to hold*), and **obtenir** (*to obtain*) are conjugated like **venir**.

Venir de + infinitive, used in the present tense, is the equivalent of *to have just* + past participle.

Il **vient d'arriver**.	He has just arrived.
Je **viens de prendre** un pot.	I have just had a beer.

Exercice d'application

Complétez chaque phrase par la forme convenable du verbe entre parenthèses.

1. Je *(dormir)* assez tard le week-end.
2. Mes copains *(venir)* chez moi ce soir.
3. *(Sortir)*-vous souvent le samedi?
4. A quelle heure *(partir)*-on pour le lycée?
5. Ce match de football *(devenir)* intéressant, n'est-ce pas?
6. Nous *(servir)* le dîner à huit heures.
7. Je ne *(se souvenir)* pas de la date de l'examen.
8. Deux nouveaux restaurants *(ouvrir)* en ville demain.
9. *(Offrir)*-tu des bonbons à tes copains?
10. Je *(courir)* tous les matins. Et toi?

B.   -Re Verbs

écrire to write	**vivre** to live	**suivre** to follow; to take (a course)
j'**écris**	je **vis**	je **suis**
tu **écris**	tu **vis**	tu **suis**
il / elle / on **écrit**	il / elle / on **vit**	il / elle / on **suit**
nous **écrivons**	nous **vivons**	nous **suivons**
vous **écrivez**	vous **vivez**	vous **suivez**
ils / elles **écrivent**	ils / elles **vivent**	ils / elles **suivent**

dire to say, to tell	**lire** to read	**prendre** to take
je **dis**	je **lis**	je **prends**
tu **dis**	tu **lis**	tu **prends**
il / elle / on **dit**	il / elle / on **lit**	il / elle / on **prend**
nous **disons**	nous **lisons**	nous **prenons**
vous **dites**	vous **lisez**	vous **prenez**
ils / elles **disent**	ils / elles **lisent**	ils / elles **prennent**

Other verbs conjugated like **prendre** are **apprendre** (*to learn*), **comprendre** (*to understand*), and **surprendre** (*to surprise*).

mettre   to put (on)
_____

je **mets**   nous **mettons**
tu **mets**   vous **mettez**
il / elle / on **met**   ils / elles **mettent**

Permettre (*to permit*) and **promettre** (*to promise*) are conjugated like **mettre**.

connaître   to know
_____

je **connais**   nous **connaissons**
tu **connais**   vous **connaissez**
il / elle / on **connaît** ils / elles **connaissent**

Note that **connaître** and **savoir** both have the English equivalent *to know*, but the uses of the two verbs differ.

Savoir is used with facts and specific information such as numbers, dates, etc. **Savoir** also means *to know how*.

Savez-vous la date?   Do you know the date?
Je sais jouer au tennis.   I know how to play tennis.

Connaître means *to know* in the sense of *to be acquainted with*. When referring to proper names, **connaître** is used.

Je connais l'œuvre de Sartre.   I know the work of Sartre.
Ils connaissent un bon   They know a good restaurant in
  restaurant à Paris.   Paris.
Connaissez-vous les Martin?   Do you know the Martins?

Exercices d'application

A. Complétez chaque phrase par la forme convenable du verbe entre parenthèses.

1. Nous (*écrire*) beaucoup de devoirs dans ce cours.
2. Je (*lire*) le journal tous les jours.
3. (*Prendre*)-vous votre vélo pour aller à l'école?
4. Mes copains me (*comprendre*) bien.
5. Elle (*suivre*) cinq cours différents ce semestre.
6. Ils (*mettre*) leurs enfants dans une colonie de vacances.
7. Avec ce prof on (*apprendre*) beaucoup.
8. Je (*comprendre*) le problème.
9. Il (*dire*) toujours bonjour au professeur.
10. Dans ce pays on (*vivre*) bien.

Est-ce que vous lisez un journal tous les jours?

B. Complétez chaque phrase par la forme convenable de **connaître** ou **savoir** selon le sens.

1. _____ -vous la réponse?
2. Nous _____ les Fouché.
3. _____ -tu la date de demain?
4. Il ne _____ pas cette jeune fille.
5. Ils _____ bien Paris.
6. Je _____ la route à prendre et je la _____ très bien.

Exercices d'ensemble

A. Répondez aux questions suivantes.

1. Ecrivez-vous beaucoup de lettres?
2. Venez-vous à l'université tous les jours?
3. Combien de cours suivez-vous ce semestre?
4. Sortez-vous avec des amis tous les week-ends?
5. Quand partez-vous en vacances?
6. Lisez-vous beaucoup?
7. Dormez-vous tard un jour de congé?
8. Connaissez-vous de bons restaurants ici?

B. Posez les questions précédentes à un(e) camarade de classe en employant la forme familière **(tu)** des verbes.

2. Agreement and Position of Adjectives

A. Agreement of Adjectives A French adjective always agrees in gender and number with the noun it modifies.

	Singular	Plural
Masculine	Le garçon est **grand**.	Les fruits sont **bons**.
Feminine	C'est une femme **amusante**.	Ses sœurs sont **intelligentes**.

If a single adjective modifies two nouns, one masculine and one feminine, the adjective will be in the *masculine plural* form.

Le frère et la sœur sont **intelligents**.
Les disques et les soirées sont **importants** pour les jeunes.

Most adjectives simply add **-e** to the masculine singular form to derive the feminine singular.*

françals   française
amusant   amusante
mauvais   mauvaise

Certain adjectives have irregular feminine forms. These irregular feminine formations are summarized below.

Masculine Ending	Feminine Ending	Examples (masculine)	(feminine)
• mute **e**	mute **e**	facile	facile
		jeune	jeune
• -el		cruel	cruelle
-eil		pareil	pareille
-il	double consonant + **e**	gentil	gentille
-en		ancien	ancienne
-on		bon	bonne
-s		gros	grosse
• -et	-ète	complet	complète
		secret	secrète
• -er	-ère	cher	chère
		dernier	dernière
• -eux	-euse	nombr**eux**	nombr**euse**
		ennuy**eux**	ennuy**euse**

*Note that a final consonant will be silent in the masculine form, but the same consonant will be pronounced in the feminine form because of the added e: amusant, amusante; petit, petite.

• -eur	-euse	ment**eur**	ment**euse**
		tromp**eur**	tromp**euse**
-eur	-rice	conservat**eur**	conservat**rice**
		créat**eur**	créat**rice**
• -f	-ve	acti**f**	acti**ve**
		neu**f**	neu**ve**

There are a few adjectives that are totally irregular in the feminine form. For example:

long	**longue**
frais	**fraîche**
fou	**folle**

The following adjectives have an alternate form to be used before a masculine singular word beginning with a vowel or a mute **h.**

Masculine	Feminine	Alternate Form	Example
beau	belle	bel	un **bel** homme
nouveau	nouvelle	nouvel	un **nouvel** emploi
vieux	vieille	vieil	un **vieil** ami

Most adjectives form the plural by adding **-s** to the singular.

	Singular	Plural
Masculine	amusant	amusant**s**
	réel	réel**s**
	petit	petit**s**
Feminine	amusante	amusante**s**
	réelle	réelle**s**
	petite	petite**s**

Certain adjectives are irregular in the formation of the plural. These irregular plural forms are summarized below.

Singular Ending	Plural Ending	Examples (singular)	(plural)
• -s	-s	frais	frais
		gros	gros
• -x	-x	heureux	heureux
		dangereux	dangereux
• -eau	-x	beau	beau**x**
• -al	-aux	internation**al**	internation**aux**
		loy**al**	loy**aux**

The feminine plural of these adjectives is regular.

fraîche	fraîche**s**
heureuse	heureuse**s**
loyale	loyale**s**

**Exercices
d'application**

A. Répondez aux questions suivantes. Transformez les adjectifs au féminin.

1. Mon grand-père est vieux. Et ma grand-mère?
2. Marc est très riche. Et Marie?
3. Robert est gentil, n'est-ce pas? Et Hélène?
4. Lucien est sportif. Et ses sœurs?
5. Ce garçon est gros. Et sa cousine?
6. Bernard est sérieux. Et Jeanne?
7. Ce monsieur est très conservateur. Et sa femme?
8. Ces vélos sont petits. Et les voitures?
9. Monsieur Bédier est innovateur. Et Madame Dubois?
10. Notre compagnon est fatigué. Et sa femme?

B. Complétez chaque phrase par la forme convenable de l'adjectif entre parenthèses.

1. Ce sont des amis *(loyal)*.
2. Nous passons des moments *(amusant)*.
3. Jouons près du *(vieux)* hôtel.
4. Il partage des pâtisseries *(frais)* avec son amie.
5. Voilà une motocyclette *(neuf)*.
6. Le gouvernement aide les familles *(nombreux)*.
7. Donnez-nous les prix *(net)*.
8. Nous cherchons des garçons et des filles *(sportif)*.
9. Vous avez des connaissances et des amies *(curieux)*.
10. C'est la *(premier)* et la *(dernier)* fois que j'accueille ces gens.
11. Béatrice trouve que ses copines sont *(fou)* mais *(généreux)*.

B. **Position of Adjectives** Most French adjectives follow the nouns they modify.

un ami **content**	des emplois **intéressants**
une soirée **amusante**	des amies **loyales**

The following adjectives are exceptions. They normally precede the noun.*

autre	un **autre** copain	**bon**	un **bon** repas
jeune	un **jeune** ami	**grand**	un **grand** terrain

*Remember, when one of these preceding adjectives is used in the plural, the partitive article **des** will change to **de**: **de** petits animaux, **de** bonnes distractions.

court	une courte distraction	gros	un gros monsieur
haut	une haute montagne	long	une longue soirée
joli	un joli enfant	gentil	un gentil copain
mauvais	un mauvais garçon	beau	un beau vélo
meilleur	mon meilleur ami	nouveau	une nouvelle voiture
petit	une petite fille	vieux	un vieux quartier

When there is more than one adjective modifying a noun, each adjective assumes its normal position.

> une femme **intelligente et importante**
> une **pauvre** femme **intelligente**
> une **bonne jeune** femme

Note that when two adjectives follow the noun they are generally linked together by **et**. But when two adjectives precede the noun, **et** is not used.

There is a group of adjectives that change meaning according to whether they are placed before or after a noun. Below is a partial list of such adjectives.

Adjective	Examples	
ancien(ne)	un **ancien** professeur	a former teacher
	un bâtiment **ancien**	an ancient building
bon(ne)	une **bonne** soirée	a good party
	un homme **bon**	a kind man
cher (chère)	une **chère** amie	a dear friend
	une robe **chère**	an expensive dress
dernier (dernière)	la **dernière** fois	the last (final) time
	la semaine **dernière**	last (the preceding) week
grand(e)	un **grand** auteur	a great author
	un garçon **grand**	a tall boy
même	le **même** jour	the same day
	le courage **même**	the very courage
pauvre	un **pauvre** chat	a poor (to be pitied) cat
	un lycéen **pauvre**	a poor (penniless) student
prochain(e)	la **prochaine** fois	the next (following) time
	la semaine **prochaine**	next week
propre	son **propre** frère	his own brother
	sa chambre **propre**	his clean room

⚠ RAPPEL   ⚠ RAPPEL   ⚠ RAPPEL

1. Most French adjectives follow the nouns they modify.
2. There is a group of adjectives that precede the noun.
3. A few adjectives change meaning depending on whether they are placed before or after the noun.

Exercice d'application

Mettez la forme convenable de chaque adjectif entre parenthèses devant ou derrière le nom selon le sens de la phrase.

1. (heureux) Voilà un *couple*.
2. (pauvre) C'est un *étudiant* qui n'a jamais d'argent de poche.
3. (gros / petit) Je connais un *garçon* qui adore manger.
4. (vieux / français) Visitons ensemble *la maison*.
5. (propre) Je n'ai pas besoin de ton vélo, j'ai mon *vélomoteur*.
6. (autre / jeune) Nous avons des *compagnons*.
7. (ancien / important) La Sorbonne est une *université*.
8. (petit / intelligent) C'est une *jeune fille*.
9. (long / difficile) Nous suivons des *cours de philosophie*.

3. Possessive Adjectives

The possessive adjectives in French are equivalent to the English terms *my, your, his, her, its, our, their.*

One Possessor	Single Possession	Plural Possessions
my	*mon* (m) *ma* (f)	*mes*
your *(tu)*	*ton* (m) *ta* (f)	*tes*
his / her / its	*son* (m) *sa* (f)	*ses*
More than One Possessor	**Single Possession**	**Plural Possessions**
our	*notre* (m & f)	*nos*
your	*votre* (m & f)	*vos*
their	*leur* (m & f)	*leurs*

Mon ami et **ma** cousine adorent **mes** parents.
Ton père et **ta** mère parlent à **tes** amies.
Son frère et **sa** sœur apportent **ses** affaires.
Notre chien et **notre** gosse restent chez **nos** parents.
Votre vélo et **votre** bande sont **vos** distractions préférées.
Leur piscine et **leur** voiture sont **leurs** possessions favorites.

The forms **mon, ton, son** are used before a feminine word beginning with a vowel or a mute **h** for the purpose of pronunciation.

> **mon** amie
> **ton** histoire
> **son** école

⚠ RAPPEL   ⚠ RAPPEL   ⚠ RAPPEL

1. French possessive adjectives agree in gender and number with the thing or person possessed, *not* with the possessor.

sa sœur	his or her sister
son vélo	his or her bicycle

2. You must repeat the appropriate possessive adjective before each noun in a series.

   son père et **son frère**   her father and brother

3. The choice between **son, sa, ses** and **leur, leurs** often poses a problem for English speakers. Remember—when **son, sa,** and **ses** are used, there is only one possessor who may possess one thing (**son vélo**) or more than one thing (**ses livres**).

   When **leur, leurs** are used, there is more than one possessor, but they may possess one thing among them (**leur maison**) or more than one thing (**leurs enfants**).

Exercices d'application

A. Complétez chaque phrase par l'adjectif possessif convenable.

1. Elle travaille à la piscine l'été. C'est _____ premier emploi.
2. Le professeur me dit «très bien» quand _____ réponse est bonne.
3. Les Lelouch invitent tout le monde à une soirée dans _____ appartement.
4. Cette jeune fille avec Marc? C'est _____ cousine.
5. N'oubliez pas _____ bouquins.
6. Je sors le week-end avec _____ ami(e) et _____ autres copains.
7. C'est un plaisir de connaître ta famille. _____ parents sont sympathiques.
8. Les Triaire sont en train de vendre _____ voitures.
9. Nous dépensons tout _____ argent de poche pour des disques.

B. Répondez aux questions suivantes.

1. Est-ce que vos cours sont difficiles?
2. Est-ce que vos copains s'amusent le week-end?
3. Est-ce que votre université est grande?
4. Est-ce que vos profs font bien leurs conférences?
5. Est-ce que votre voiture marche bien?

4. Demonstrative Adjectives

The demonstrative adjectives are equivalent to the English terms *this, that, these, those.*

Like any other adjective in French, demonstrative adjectives must agree in gender and number with the nouns they modify.

	Singular		Plural	
Masculine	*ce (cet)*	} this, that	*ces*	} these, those
Feminine	*cette*		*ces*	

Je vais prendre un pot avec les copains.

J'achète **ce** livre et **ces** disques.
Elle aime **cette** chambre et **ces** affaires.

The alternate form **cet** is used before a masculine singular noun beginning with a vowel or a mute **h.**

cet emploi
cet homme

⚠ RAPPEL   ⚠ RAPPEL   ⚠ RAPPEL

The demonstrative adjectives used as such make the distinction *this,* *that* or *these, those* according to the context of the sentence.

Ce disque est bon.	*This (that)* record is good.
Ce garçon est mon frère.	*That (this)* boy is my brother.

When you wish to make a direct comparison between two elements, add **-ci** and **-là** after the nouns in order to make the contrast clear.

Ce garçon-ci est mon ami, et **ce garçon-là** est mon frère.
This boy is my friend, and *that boy* is my brother.

**Exercice
d'application**

Complétez chaque phrase par l'adjectif démonstratif convenable.

1. _____ dépense n'est pas nécessaire.
2. Nous apprécions beaucoup _____ relations amicales.
3. Connaissez-vous _____ homme?
4. _____ garçon s'ennuie ici.
5. Je vais prendre un pot avec _____ copines.
6. _____ amis se donnent souvent rendez-vous.
7. Sais-tu si _____ emploi est permanent?
8. Ils se rencontrent près de _____ terrain.

**Exercices
d'ensemble**

A. Complétez chaque phrase par les formes convenables des adjectifs entre parenthèses.

1. Avec mes *(new)* blue-jeans, je vais mettre *(my)* blouse *(yellow)*.
2. Tu as *(your)* permis de conduire, Béatrice; tu peux prendre *(your)* voiture.
3. Elle met *(her)* argent dans une banque *(ancient)*.
4. Jean va acheter une *(old)* voiture chez *(that)* homme.
5. Achetez *(your)* billets pour le concert.
6. J'aime les villes et les villages *(interesting)* de *(this)* pays.
7. *(Dear)* amie, j'adore recevoir de *(your)* lettres.

8. Leurs copines disent qu'elles sont *(happy)* dans *(this)* école.
9. Ecoute, mon petit, tu vas prendre *(your)* vélo, et tu ne vas pas oublier d'apporter *(your)* bouquins.
10. On trouve beaucoup de fraises *(fresh)* dans *(those)* marchés.

B. En employant les adjectifs de cette leçon, composez des phrases pour décrire les choses et les personnes suivantes.

1. votre professeur
2. vos parents
3. votre ami(e)
4. votre voiture
5. votre animal domestique
6. vos cours

5. Formation and Position of Adverbs

An adverb modifies a verb, an adjective, or another adverb. It tells *how* something is done.

Il parle **facilement**.	He speaks easily.
Il est **finalement** convaincu.	He is finally convinced.
Elles parlent **terriblement** vite.	They speak terribly quickly.

In English, most adverbs are easily recognized by the *-ly* ending. In French, many adverbs end in **-ment**.

Unlike adjectives that must reflect the gender and number of the nouns they modify, adverbs show no agreement.

A. **Formation of Adverbs** Most adverbs in French are formed by adding **-ment** to the feminine form of the adjective.

Masculine Adjective	Feminine Adjective	Adverb
final	finale	**finalement**
calme	calme	**calmement**
cruel	cruelle	**cruellement**
premier	première	**premièrement**
curieux	curieuse	**curieusement**
actif	active	**activement**
long	longue	**longuement**

Certain exceptions to the regular formation of adverbs are summarized below.

Adjective Ending	Irregularity	Adjective	Adverb
-i	no **-e** added	vrai	vrai**ment**
-u		absolu	absolu**ment**
-ant	**-amment**	brillant	brill**amment**
		constant	const**amment**

-ent	-emment*	évid**ent**	évid**emment**
		pati**ent**	pati**emment**

A few adverbs have completely irregular stems.

bref	brève	**brièvement**
gentil	gentille	**gentiment**

A few important adverbs are completely different from the corresponding adjectives.

Adjective	Adverb
bon	bien
mauvais	mal
meilleur	mieux
petit	peu
rapide	vite

 ⚠ RAPPEL ⚠ RAPPEL ⚠ RAPPEL

Remember that you must be aware of the distinction between describing something and telling *how* something is done. Note that **être** is normally followed by an adjective.

Le repas est **bon.**	The meal is good.
Le concert est **mauvais.**	The concert is bad.
Ce groupe est **meilleur.**	This group is better.
Son fils est **petit.**	Her son is little.
Elle fait **bien** la cuisine.	She cooks well.
Ils chantent **mal.**	They sing badly.
Ils jouent **mieux.**	They play better.
Il parle **peu.**	He speaks little.

Some commonly used adverbs include the following.

Time	Place	Frequency	Quantity
aujourd'hui	ici	déjà	assez
hier	là	enfin	beaucoup
demain	là-bas	souvent	trop
maintenant	partout	toujours	peu
tard	quelque part	jamais	
tôt		quelquefois	
vite			

*The **-emment** ending is pronounced the same way as the **-amment** ending.

B. **Position of Adverbs** The usual position for adverbs used with simple tenses is directly following the conjugated verb.

> Il finit **facilement** ses devoirs.
> Elles répondent **bien** aux questions.
> Nous terminons **toujours** à neuf heures.

Many adverbs of time, place, frequency, and manner may also be placed at the beginning or the end of a sentence.

> **Demain,** nous allons partir.
> Nous allons partir **demain.**

Any adverb that is dependent on the verb for its meaning, such as adverbs of quantity, for example, must be placed directly after the verb.

> Il parle **assez** en classe.
> Vous allez **trop** aux cafés.
> Elles aimeraient **beaucoup** nous accompagner.
> Je fais **mieux** la cuisine.

⚠ RAPPEL ⚠ RAPPEL ⚠ RAPPEL

The only location in which an adverb can never be placed is after the subject, as is often done in English.

I *finally* speak French.	Je parle **finalement** le français.
The Martins *always* arrive on time.	Les Martin arrivent **toujours** à l'heure.
He *already* knows the truth.	Il sait **déjà** la verité.

Exercices d'application

A. Employez dans la deuxième phrase la forme adverbiale de l'adjectif indiqué.

Exemple: Vous avez l'air *calme.* Vous parlez *calmement.*

1. C'est un homme *patient.* Il attend _____ .
2. Ils font un *bon* travail. Ils travaillent _____ .
3. Cet examen est *facile.* Je peux le faire _____ .
4. Voilà le *meilleur* vendeur. Il vend _____ que les autres.
5. Philippe est un participant *actif.* Il participe _____ .
6. Votre réponse est *brillante.* Vous répondez _____ .
7. Les enfants sont *gentils.* Ils se divertissent _____ .
8. Ces gens sont de *mauvais* danseurs. Il dansent _____ .
9. On nous sert un *petit* repas. On sert _____ au repas.
10. Les trains sont assez *rapides* ici. Il vont _____ ici.

B. Mettez l'adverbe entre parenthèses à la place convenable dans la phrase.

1. (ici) On s'amuse.
2. (directement) Répondez à la question.
3. (déjà) Il néglige son petit chat.
4. (aujourd'hui) Nous descendons en ville.
5. (bien) Vous amusez-vous au café?
6. (beaucoup) Ils parlent à leurs amis.
7. (souvent) Je viens à ce restaurant.
8. (mal) Ce prof comprend les problèmes des étudiants.
9. (naturellement) Nous voulons accueillir vos amis.
10. (maintenant) Elle va à la piscine.

6. Comparative and Superlative of Adjectives and Adverbs

A. **Adjectives** To form the comparative of adjectives, place **plus, moins,** or **aussi** before the adjective and **que** after the adjective. The adjective must agree in gender and number with the first of the two nouns used in the comparison.

plus ... que	more ... than	Ces cafés sont **plus intéressants que** les autres.
moins ... que	less ... than	Lucien est **moins blond que** Marie.
aussi ... que	as ... as	Elle est **aussi intelligente que** Roger.

The adjective **bon** has an irregular comparative form, **meilleur** (*better*), which shows all normal gender agreements.

Ce café-ci est **meilleur** que ce café-là.
Les boissons ici sont **meilleures** que là-bas.

The comparative of **beaucoup de** is **plus de.**

Marie a **plus d'**amis que son frère.
Il y a **plus de** vingt personnes dans cette classe.

Note that **aussi** is replaced by **si** in a negative sentence.

Cette bande n'est pas **si** amusante **que** l'autre.

To form the superlative of adjectives, place the appropriate definite article plus **plus** or **moins** before the adjective and **de** after the adjective.

Il est **le plus intelligent de** la classe.
Cette bande est **la moins amusante de** toutes les bandes.
Nos amis sont **les plus loyaux du** monde.

1. When a noun is included in the superlative construction, the adjective is placed in its normal position and shows the appropriate agreement.

   If the adjective normally precedes the noun, the superlative construction is similar to the English superlative.

> C'est **la plus belle étudiante** de la classe.
> Ce sont **les meilleures distractions** de la ville.

   If the adjective normally follows the noun, its complete superlative form, including the appropriate definite article, must follow the noun. The noun itself will still be preceded by its own definite article or possessive adjective.

> C'est **le livre le plus intéressant** de tous.
> C'est **mon moment le moins heureux**.
> Ce sont **les groupes les plus actifs** du club.
> Ce sont **ses activités les moins amusantes** de la journée.

2. Remember that the preposition **de** is used after the superlative as the equivalent of *in* or *of*.

Exercices d'application

A. Formez des phrases comparatives logiques en faisant tous les changements nécessaires.

1. Une petite voiture / être / confortable / une grande voiture
2. Une soirée / être / bon / un examen
3. Les chats / être / gentil / les chiens
4. Ma mère / être / vieux / mon père
5. Un vélomoteur / être / rapide / une motocyclette
6. Notre université / être / âgé / la Sorbonne
7. Les légumes congelés / être / frais / les légumes du marché
8. Les disques / être / cher / les billets de cinéma

B. Faites les transformations nécessaires pour composer des phrases superlatives.

1. Une Rolls / être / voiture / cher / monde
2. Ce / être / bâtiment / haut / ville
3. Le Rhode Island / être / petit / état / Etats-Unis
4. Ce / être / difficile / tous mes cours
5. Les vacances d'été / être / long / année
6. Voilà / mon / bon / ami

7. La Renault 5 / être / voiture / économique / la France
8. Harvard / être / vieux / université / Etats-Unis

C. Employez l'adjectif entre parenthèses dans une phrase comparative ou superlative selon les expressions indiquées.

1. (grand) Paris / la France
2. (haut) la Tour Eiffel / le Jefferson Memorial
3. (cher) la Renault 5 / la Porsche
4. (intéressant) le théâtre / le cinéma
5. (grand) l'état du Texas / les Etats-Unis
6. (rapide) la motocyclette / le vélo
7. (délicat) la cuisine française / toutes les cuisines
8. (nombreux) une famille de quatre enfants / une famille de dix enfants

B. Adverbs The comparative of adverbs is formed in the same way as the comparative of adjectives. Remember, however, that adverbs are invariable.

> Elle parle **aussi lentement que** son frère.
> Ils travaillent **moins bien que** vous.
> Nous finissons **plus vite que** les autres.

The adverb **bien** has the irregular comparative form **mieux** (*better*).

> Vous répondez **mieux que** Charles.
> Je m'amuse **mieux** ici **qu'**au café.

The superlative of adverbs is formed by placing **le plus** or **le moins** before the adverb. Since adverbs are invariable, **le** is always used in the superlative construction.

> Elle répond **le mieux de** tous les étudiants.
> Ils travaillent **le plus sérieusement du** groupe.
> Vous arrivez **le plus tôt des** amis.

Note that **de** is also used with the superlative of adverbs as the equivalent of *in* or *of*.

Exercice d'application

Employez la forme comparative ou superlative de l'adverbe entre parenthèses.

1. (souvent) Pauvre Bernard, il n'étudie jamais et il répond _____ toute la classe.
2. (bien) Les étudiants qui viennent en classe réussissent _____ les étudiants qui ne viennent jamais.
3. (bien) Ma voiture est en très mauvais état. Je l'aime _____ toutes les voitures de ma famille.

4. (vite) Le cheval qui perd la course va _____ les autres.
5. (tard) Ma sœur quitte la maison à huit heures et mon frère à neuf heures. Mon frère s'en va _____ ma sœur.

Exercices d'ensemble

A. Mettez les phrases suivantes au féminin.

Exemple: Mon père est beau. *Ma mère est belle.*

1. Mon frère est actif, gentil et beau.
2. Ce vieil ami est modeste, loyal et amusant.
3. Cet ancien vendeur est cruel, trompeur et fou.

B. Mettez les phrases suivantes au pluriel.

1. Ce vieil ami est gros et heureux.
2. C'est un bel acteur célèbre.
3. Ce nouvel ami est loyal.

C. Répondez aux questions suivantes en choisissant parmi les mots entre parenthèses pour exprimer vos sentiments personnels.

1. Comment sont vos voisins? (loyal / sympathique / sincère / cruel / ennuyeux / paresseux / ambitieux / méchant / intéressant)
2. Comment faites-vous vos devoirs? (facilement / vite / parfaitement / correctement / difficilement / lentement / sérieusement / mal)
3. Comment sont les vendeurs d'automobiles? (gentil / menteur / amusant / patient / optimiste / bavard / généreux / honnête / malhonnête / drôle / ennuyeux)
4. Comment sont les détectives privés? (bavard / discret / gentil / honnête / malhonnête / intelligent / lent / modeste / prudent / travailleur)
5. Comment conduisez-vous votre voiture? (prudemment / imprudemment / vite / lentement / attentivement / calmement / mal / correctement / dangereusement)

D. Répondez aux questions suivantes.

1. A votre avis, qui est le meilleur acteur du monde? Et la meilleure actrice?
2. A votre avis, quel est le programme le plus intéressant à la télé?
3. Quelle est la ville la plus importante du monde?
4. Quelle est la meilleure voiture du monde?
5. Quel chanteur ou quelle chanteuse chante le mieux du monde?

7. Negation

A. **Basic Negative Constructions** To use the basic negative constructions, place **ne** before the conjugated verb and **pas** or other negative expressions following the conjugated verb.

The most common negative expressions are summarized below.

ne ... **pas**	not	Il **ne** répond **pas.**
ne ... **plus**	no longer	Elle **ne** travaille **plus** ici.
ne ... **jamais**	never	Ils **ne** s'ennuient **jamais.**
ne ... **guère**	hardly	Ce **n'**est **guère** possible.
ne ... **aucun(e)**	not any, no	Il **n'**y a **aucun** marché ici.
ne ... **rien**	nothing	Nous **n'**achetons **rien.**
ne ... **personne**	no one	Il **n'**aime **personne.**
ne ... **pas encore**	not yet	Je **n'**ai **pas encore** congé.
ne ... **ni ... ni**	neither ... nor	Elle **n'**a **ni** frères **ni** sœurs.
ne ... **que**	only	Il **n'**a sur lui **que** quelques sous.

In negative questions, both **ne** and the appropriate negative expression assume their normal positions. Note that **si** is used instead of **oui** if the answer is affirmative.

> Est-ce que vous **ne** venez **pas** à la surprise-partie?
> **Ne** venez-vous **pas** à la surprise-partie?
> **Si,** je viens à la surprise-partie.

With reflexive verbs, **ne** is placed before the reflexive pronoun.

> Je **ne** m'amuse **plus** ici.
> Est-ce qu'elle **ne** s'entend **pas** avec ses copains?
> **Ne** vous couchez-vous **pas?**

Rien and **personne** are pronouns that can also be used as the subject or object in a sentence. In such cases, these negatives are placed in the normal subject or object position. **Ne** is still placed before the verb.

Rien n'arrive ici.	Nothing is happening here.
Personne ne va à ce concert.	Nobody is going to that concert.
Je **ne** vois **rien.**	I don't see anything.
Il **n'**aime **personne.**	He likes no one.

Aucun(e) is an adjective. It is always singular but does have a feminine form and can modify the subject or object of the verb.

> **Aucune** jeune fille **ne** sort avec lui.
> Il **n'**a **aucun** problème.

With the expression **ne ... que, que** is placed directly before the word it modifies.

> Je **ne** regarde, le soir à la télé, **que** le sport.
> Elle **n'**achète **que** les meilleurs fruits.

An infinitive may be made negative by placing both elements of the negative expression before the infinitive.

> Il préfère **ne pas** partir.
> Nous aimons mieux **ne plus** avoir de soirées.
> Faites attention de **ne jamais** aller là-bas.

1. English usage prohibits a double negative. Although there may be several negative concepts in a thought group in English, only one of them is expressed negatively.

No one ever buys *anything* at that store *anymore.*

In French, each negative concept is expressed by the appropriate negative expression placed in its normal location. When there is more than one negative following a verb, the negative adverbs will precede the negative pronouns. Remember to place **ne** before the verb.

Personne n'achète **jamais plus rien** dans ce magasin.

2. Remember also to omit **pas** when using any other negative expression.

B. Use of Articles in Negative Constructions Remember that after most negative expressions, the partitive form used is **de.**

Il **ne** boit **pas de** bière.
Nous **ne** mangeons **jamais de** pâtisseries.
Il **n'**y a **plus de** beurre dans le frigo.

With **ne ... ni ... ni ...,** the partitive will be dropped completely, but the definite article will be retained.

Il **ne** boit **ni bière ni vin.**
Il **n'**aime **ni la bière ni le vin.**

After **ne ... que,** both the definite article and the partitive will be retained. The partitive is retained because this construction does not negate the noun; it simply qualifies the noun.

Nous **ne** fréquentons **que les cafés du quartier.**	We go only to the local cafes.
Il **ne** boit **que de la bière.**	He drinks only beer.
Je **n'**apporte **que des fruits.**	I'm bringing only fruit.

Remember also that after **être** used negatively, the partitive will also be retained.

Ce **n'est pas de la bière**; c'est du jus de pomme.	That's not beer, that's apple juice.
Ce **ne sont pas des jeux** intéressants.	Those are not interesting games.

Exercices d'application

A. Mettez les phrases suivantes au négatif en remplaçant les mots en italique par les expressions entre parenthèses.

Exemple: *Tout le monde* a trois jours de congé par semaine. (ne … personne)
   Personne n'a trois jours de congé par semaine.

1. Pierre connaît *quelqu'un* d'important. (ne … personne)
2. Marc vient *encore* au cours. (ne … plus)
3. *Quelqu'un* comprend ses actions. (ne … personne)
4. Elle prend *tout* au sérieux. (ne … rien)
5. Il écrit *quelque chose* dans son livre. (ne … rien)
6. Ils dorment *toujours* jusqu'à midi. (ne … jamais)
7. Nous connaissons *plusieurs* épiciers. (ne … aucun)
8. Elle sait le nom *et* l'adresse du médecin en question. (ne … ni … ni)
9. On sert du caviar *et* des escargots dans ce restaurant. (ne … ni … ni)
10. C'est *entièrement* possible. (ne … guère)

B. Mettez les phrases suivantes au négatif. Employez les expressions négatives de la leçon.

1. Mon groupe d'amis fréquente encore ce café.
2. Vraiment, son copain a quelque chose.
3. Tout le monde est ici.
4. Nous sommes toujours en retard.
5. Il y a quelqu'un à la porte.
6. Mon petit frère trouve toujours quelque chose à faire.
7. Est-ce que ces gosses s'ennuient encore?
8. Je vais dire aux copains d'apporter quelque chose à la soirée.
9. Vous avez encore quelques doutes.
10. Quelque chose arrive toujours au lycée.

C. Répondez négativement aux questions suivantes.

1. Arrivez-vous toujours en retard?
2. Avez-vous encore des devoirs à écrire?
3. Prenez-vous l'autobus ou le train pour voyager?
4. Est-ce que tout le monde aime ce film?
5. Mangez-vous du pâté et des escargots?
6. Est-ce un bon restaurant?
7. Ecrit-on des compositions dans un cours de maths?
8. Y a-t-il deux professeurs dans cette classe?

Activités d'expansion

Voici une liste d'adjectifs qui peut être utile pour les exercices suivants. N'oubliez pas que beaucoup d'adverbes sont basés sur un adjectif.

actif	différent	intelligent	petit
ambitieux	difficile	intéressant	poli
amical	discret	jeune	propre
amusant	drôle	joli	protestant
attentif	économique	laid	prudent
bavard	égoïste	lent	rapide
beau	énergique	long	riche
bon	ennuyeux	loyal	secret
bref	facile	malhonnête	sérieux
brillant	fatigué	mauvais	sincère
calme	fort	méchant	socialiste
charitable	fou	modeste	sportif
cher	franc	nerveux	sympathique
clair	généreux	nombreux	stupide
communiste	gentil	nouveau	timide
complet	grand	optimiste	tranquille
content	haut	orgueilleux	travailleur
correct	heureux	paresseux	triste
cruel	honnête	partiel	vaniteux
curieux	important	patient	vieux
dangereux	individualiste	pauvre	
délicat			

A. Composez des phrases comparatives en utilisant les noms suivants. Faites deux phrases pour chaque paire de noms. Commencez la première phrase par le premier nom et la deuxième par le deuxième nom.

1. les vins californiens / les vins français
2. la Cadillac / la Renault
3. les Walton / les Jefferson
4. Henry Kissinger / Burt Reynolds
5. John Denver / George Burns
6. le Concorde / le Boeing 747
7. Phyllis Diller / la reine Elisabeth II
8. les femmes / les hommes

B. Ecrivez une phrase superlative en utilisant chacun des noms de la liste suivante.

1. la Rolls-Royce

2. J. Paul Getty
3. la Russie
4. le mont Everest
5. le Rhode Island
6. l'éléphant
7. Tokyo
8. Bruce Jenner

C. Répondez aux questions suivantes. Utilisez beaucoup d'adjectifs et d'adverbes dans vos réponses.

1. Comment courez-vous?
2. Comment vous réveillez-vous?
3. Comment attendez-vous quand vous faites la queue?
4. Comment est Bruce Jenner?
5. Comment refusez-vous une invitation chez vos amis?
6. Comment chantez-vous?
7. Comment vous fâchez-vous?
8. Comment vous débrouillez-vous quand vous ne savez pas répondre à une question?
9. Comment est Joan Rivers?
10. Comment est Superman?
11. Comment lisez-vous?
12. Comment êtes-vous en général?

D. Répondez aux questions suivantes.

1. Est-ce que vous voyez encore vos copains d'enfance?
2. Est-ce que vous avez quelque chose à dire à vos parents?
3. Est-ce que tout le monde dort jusqu'à deux heures de l'après-midi?
4. Est-ce que vous prenez de la vodka et du champagne tous les jours?
5. Est-ce que vous aimez le caviar et les escargots?
6. Est-ce que vous servez toujours du caviar à vos invités?
7. Est-ce que quelqu'un va en classe le dimanche?
8. Est-ce que vous lisez un journal et un magazine tous les jours?

E. *Interview. Les copains*. Posez les questions suivantes à un(e) camarade de classe et faites un reportage aux autres membres de la classe.

1. Est-ce que tu accueilles tes copains souvent à la maison?
2. Où est-ce que tu retrouves tes copains pour te détendre ou pour prendre un pot?
3. Est-ce que tu fréquentes les mêmes copains la plupart du temps?
4. Est-ce que tu as un jour de congé ce semestre? Quel jour?
5. Est-ce que tu descends souvent en ville avec tes copains? Où allez-vous?

6. Est-ce que tu es invité(e) à des boums pendant le week-end?
7. Comment toi et tes copains venez-vous à l'université?
8. Est-ce que toi et tes copains vous avez des emplois temporaires pour payer vos propres dépenses?

F. *Situations orales*

1. Ecrivez une phrase pour décrire les jeunes aux Etats-Unis. Vos camarades de classe vont accepter ou ne pas accepter votre opinion en disant: *Je suis d'accord, parce que...* ou bien, *Je ne suis pas d'accord parce que...*
2. Faites le même exercice mais cette fois décrivez votre voiture préférée.
3. Faites le même exercice mais cette fois décrivez un ami idéal.

G. *Situations écrites*

1. Faites le portrait d'un camarade de classe, d'un professeur ou d'une autre personne que vous trouvez intéressante. Comment est-il (elle)?
2. Comparez deux personnes de votre choix ou bien deux choses qui sont très différentes.
3. Comparez les activités des jeunes en France et aux Etats-Unis.

Chapitre 4

Après le repas, on regarde la télévision.

Une Emission pleine d'action

(Gérard et son ami américain Jerry sont allés prendre un pot au café. Voici une partie de leur conversation.)

GERARD: Raconte°-moi un peu ta soirée d'hier. Es-tu sorti?

JERRY: Non, je suis resté chez moi. Tu sais que je viens de louer,° avec mon copain Tom, un appartement où il y a un poste de télé.°

GERARD: La télévision est-elle en couleurs? Chouette! On a diffusé° justement hier soir une émission en direct° de l'Opéra de Paris. L'as-tu vue?°

JERRY: Je vais te raconter ce que j'ai fait.° D'abord, je me suis installé° devant le poste pour regarder cette émission qui s'appelle «Des Chiffres° et des Lettres»—j'adore ce jeu° qui ressemble un peu aux mots-croisés.° Bref, quand j'ai essayé d'allumer° le poste—rien! J'ai demandé à Tom: «Le propriétaire° t'a-t-il dit que le poste est en panne?°» «Non», m'a-t-il répondu. Tout à coup, Tom a découvert° ma bêtise:° «Regarde, mon vieux, le poste n'est même pas branché°!»

GERARD: Tu n'as donc pas raté° ton jeu?

JERRY: Si. Mais, heureusement, nous nous sommes aperçus° de tout ça au moment où la speakerine° d'Antenne 2° a paru° pour annoncer les émissions du soir.

GERARD: Et qu'est-ce qu'elle a raconté à ses chers téléspectateurs?°

JERRY: Eh bien, elle a présenté° un programme de variétés assez banal,° suivi° d'un documentaire,° et j'ai changé de chaîne.°

GERARD: Ah, tu as dû° regarder le film de Robert Redford sur TF 1°.

JERRY: Oui, finalement, c'est ce que j'ai fait. Mais d'abord j'ai consulté mon *Télé 7 jours* où j'ai lu° le petit résumé des programmes sur FR 3,° la troisième chaîne, et ensuite j'ai pris la décision° de regarder un film américain en version française. J'ai remarqué qu'il y a un grand nombre de films étrangers à la télé en France.

GERARD: Tu as raison, et ce sont souvent des importations de Hollywood. Mais ce film, est-ce qu'il t'a plu?°

JERRY: Infiniment. Je suis allé le voir avec mes cousins quand on l'a présenté pour la première fois à New York. Nous nous sommes bien amusés ce soir-là. C'est peut-être à cause de ce bon souvenir° que j'ai voulu° le revoir. Il faut dire aussi que Redford a très bien joué° le rôle de Waldo Pepper, et j'ai passé deux heures agréables devant le petit écran.°

La Maison de la Radio à Paris

GERARD: Qu'est-ce que tu as trouvé d'intéressant dans le film?

JERRY: C'est une histoire qui a eu lieu° à l'époque° des années 20.° Le héros, un aviateur° aventureux,° s'est présenté aux gens du Nebraska comme un as° de la Première Guerre mondiale. Il a inventé pour lui-même un passé et une réputation fondés sur son héroisme, même s'il n'a jamais fait la guerre.° Pour gagner° un peu d'argent, il s'est mis° à émerveiller° ces gens par des acrobaties° en avion. A tout le monde il a fait le récit° d'une vie qu'il a entièrement inventée. Et parce qu'il a vécu° si intensément ce rêve° composé de moments de gloire° qu'il n'a jamais connus, Waldo est tombé dans son propre piège.° Il s'est imaginé° en combat avec l'ennemi. Il a couru des risques,° et, inévitablement, il est mort victime de lui-même. En somme, il n'a même pas essayé de sortir de la légende qu'il a créée.

GERARD: Il y a là le sujet d'un bon feuilleton,° n'est-ce pas?

JERRY: Peut-être. Mais selon les commentaires que j'ai lus, il y a déjà trop de ces feuilletons à la télé.

GERARD: Comme cette fameuse série qui raconte les aventures d'une famille de rois du pétrole° qui a amassé une fortune au Texas. Les Français l'ont importée, et quand la série passe à la télé le samedi soir, elle immobilise des milliers de gens.

JERRY: Oui, j'ai essayé de regarder cette émission dans un bar l'autre soir et j'ai eu une drôle d'°impression. Je l'ai trouvée beaucoup moins longue qu'en Amérique. C'est sûrement parce qu'elle n'a pas été interrompue° par la publicité.°

GERARD: En effet, la télévision française a imposé des limites aux réclames.° Il n'y a de la publicité qu'entre les films ou les émissions.

JERRY: J'ai pu ensuite regarder une émission que j'ai beaucoup appréciée° sur l'art moderne. Pour finir, j'ai vu les actualités° de TF 1.

GERARD: Tu as de la chance d'avoir la télé en couleurs. Quand je vais chez mes parents, je suis obligé de regarder leur vieux poste noir et blanc. Ils ont dû envoyer leur nouveau récepteur° à l'atelier de réparation° pour régler° la couleur.

JERRY: Ne t'en fais pas.° Je peux te raconter, tous les matins, les programmes de TV que j'ai vus la veille.° D'accord?

Vocabulaire

NOMS

acrobaties *f pl* acrobatics
actualités *f pl* news
années 20 *f pl* the Twenties
Antenne 2 *f* French TV network
as *m* ace
atelier de réparation *m* repair shop
aviateur *m* aviator
bêtise *f* stupidity
chaîne *f* channel
chiffre *m* number
documentaire *m* documentary
émission *f* program

époque *f* era
feuilleton *m* serial
FR 3 *f* France Régions 3 (TV network)
gloire *f* glory
jeu *m* game
mots-croisés *m pl* crossword puzzle
petit écran *m* TV
piège *m* trap
poste de télé *m* television set
propriétaire *m, f* landlord
publicité *f* commercials
récepteur *m* television set
réclame *f* advertisement
rêve *m* dream

roi du pétrole *m* oil baron
souvenir *m* memory
speakerine *f* announcer
télé *f* TV
Télé 7 jours *m* television program guide
téléspectateur *m* viewer
TF 1 *f* Télévision Française 1 (TV network)
veille *f* preceding evening

VERBES

allumer to turn on
aperçu *past participle of* **s'apercevoir** to notice
apprécier to enjoy

couru *past participle of*
courir des risques to take chances

découvert *past participle of*
découvrir to discover

diffuser to broadcast

dû *past participle of*
devoir to have to

émerveiller to amaze

s'en faire to worry

eu lieu *past participle of*
avoir lieu to take place

faire la guerre to fight a war

faire le récit to tell the story

fait *past participle of*
faire to do

gagner to earn

s'imaginer to imagine

s'installer to settle down

interrompu *past participle of*
interrompre to interrupt

jouer to play

louer to rent

lu *past participle of* **lire** to read

mis *past participle of* **se mettre à** to begin

paru *past participle of*
paraître to appear

passer à la télé to appear on TV

plu *past participle of*
plaire to please

présenter to introduce

pris *past participle of*
prendre la décision to make a decision

raconter to relate

rater to miss (*slang*)

régler to adjust

suivi *past participle of*
suivre to follow

vécu *past participle of*
vivre to live

voulu *past participle of*
vouloir to want to

vu *past participle of* **voir** to see

ADJECTIFS/LOCUTIONS ADJECTIVES

aventureux adventurous

banal dull

branché plugged in

drôle de strange

en direct live

en panne in need of repair

Exercices de vocabulaire

A. Complétez les phrases suivantes.

1. Si on ne peut pas régler son poste de télévision, il faut l'envoyer à un...
   a. propriétaire
   b. récepteur
   c. atelier de réparation
   d. roi du pétrole

2. On ne peut pas regarder son émission préférée si son récepteur est...
   a. branché
   b. à la télé
   c. en fin de programme
   d. en panne

3. Si on n'aime pas la publicité, on peut trouver des chaînes à la télé qui ne présentent pas de...
   a. actualités
   b. feuilletons
   c. speakerines
   d. réclames

4. Il y a des gens qui aiment toutes sortes de jeux, même les...
   a. documentaires
   b. mots-croisés
   c. souvenirs
   d. chaînes

5. Si on veut voir son émission préférée, il faut être sûr que son récepteur est branché et...
   a. en panne
   b. loué
   c. banal
   d. allumé

6. Si on veut savoir ce qui est arrivé dans le monde aujourd'hui, on regarde les...
   a. publicités
   b. actualités
   c. mots-croisés
   d. jeux

7. Une histoire qui ne finit pas en un seul épisode mais continue indéfiniment s'appelle un...
   a. piège
   b. rêve
   c. souvenir
   d. feuilleton

8. Si vous n'aimez pas le programme que vous regardez, vous pouvez changer de...
   a. récepteur
   b. téléspectateur
   c. chaîne
   d. bêtise

B. Trouvez dans la liste un synonyme pour chaque verbe indiqué en italique.

s'apercevoir	se mettre à
apprécier	rater
s'en faire	régler
faire le récit	

1. Je voudrais *rectifier* la couleur, mais je ne sais pas comment.
2. Va-t-elle *se rendre compte* de sa bêtise?
3. Jerry veut *commencer à* regarder la télé à dix heures.
4. Waldo désirait *parler* de ses aventures à tout le monde.
5. On n'est pas obligé d'*aimer* tous les documentaires.
6. Il ne faut pas trop *s'inquiéter*, même si la vie est difficile.
7. Allume la télé tout de suite ou tu vas *manquer* ton émission favorite!

Structures

1. Formation of the *Passé Composé*

A. Verbs Conjugated with *Avoir*
The **passé composé** of most French verbs is formed with the present tense of the auxiliary verb **avoir** and the past participle of the main verb.

To form the past participle of a regular verb, drop the infinitive ending and add the appropriate ending to the stem: **-er** verbs— **-é**; **-ir** verbs— **-i**; **-re** verbs— **-u**.

parler Past participle: **parlé**	**finir** Past participle: **fini**	**répondre** Past participle: **répondu**
j'**ai parlé**	j'**ai fini**	j'**ai répondu**
tu **as parlé**	tu **as fini**	tu **as répondu**
il / elle / on **a parlé**	il / elle / on **a fini**	il / elle / on **a répondu**
nous **avons parlé**	nous **avons fini**	nous **avons répondu**
vous **avez parlé**	vous **avez fini**	vous **avez répondu**
ils / elles **ont parlé**	ils / elles **ont fini**	ils / elles **ont répondu**

⚠ RAPPEL   ⚠ RAPPEL   ⚠ RAPPEL

Note that the **passé composé** always consists of an auxiliary verb plus a past participle, even when its English equivalent is the simple past tense.

$$\textbf{j'ai regardé} \quad \begin{cases} \text{I watched} \\ \text{I have watched} \\ \text{I did watch} \end{cases}$$

The past participle of a verb conjugated with the auxiliary **avoir** must show agreement with a preceding direct object or direct object pronoun that is feminine and/or plural.*

Tu as loué l'appartement?	Tu **l'**as loué?
Elle a regardé l'émission.	Elle **l'**a regardé**e**.
Nous avons écrit les lettres.	Nous **les** avons écrit**es**.
On a montré une réclame drôle.	**La réclame** qu'on a montré**e** est drôle.

The following verbs conjugated with **avoir** have irregular past participles.

avoir	**eu**
être	**été**
faire	**fait**

Ending in -i		**Ending in -it**	
rire	**ri**	conduire	**conduit**
sourire	**souri**	écrire	**écrit**
suivre	**suivi**	dire	**dit**

*For a discussion of direct object pronouns, see Chapter 9, page 214.

Ending in -u	Ending in -is
boire **bu**	mettre **mis**
connaître **connu**	prendre **pris**
devoir* **dû**	comprendre **compris**
falloir **fallu**	apprendre **appris**
lire **lu**	
plaire **plu**	**Ending in -ert**
pleuvoir **plu**	
pouvoir **pu**	couvrir **couvert**
recevoir **reçu**	découvrir **découvert**
savoir **su**	offrir **offert**
vivre **vécu**	ouvrir **ouvert**
voir **vu**	souffrir **souffert**
vouloir **voulu**	

Exercices d'application

A. Complétez chaque phrase par le participe passé du verbe entre parenthèses.

1. Mon ami a (*raconter*) une histoire drôle.
2. Vous avez (*dire*) bonjour aux copains.
3. J'ai (*réussir*) à l'examen.
4. Nous avons (*boire*) du champagne à la soirée.
5. Elle a (*répondre*) aux questions du prof.
6. Tu as (*prendre*) la voiture ce matin?
7. A ce moment-là elles ont (*vouloir*) partir.
8. Hier, il a (*pleuvoir*).
9. La semaine dernière j'ai (*avoir*) un accident.
10. On a (*devoir*) étudier hier soir.
11. Marie a (*être*) malade en classe.
12. J'ai (*vivre*) à Paris pendant deux ans.

B. Transformez les phrase suivantes au passé composé.

1. Tu essaies le nouveau poste?
2. Il faut partir à neuf heures ce soir.
3. Nous lisons des livres intéressants.
4. J'ouvre la porte.
5. Nous faisons un bon voyage, n'est-ce pas?
6. Vous ratez votre émission.
7. Ils voient le film à la télé.
8. Nous écrivons beaucoup de compositions.
9. Je comprends son attitude.
10. Nous mettons la voiture dans le garage.

*The **passé composé** of **devoir** has the English equivalents *had to* or *must have*. **Hier soir, j'ai dû étudier.** "Last night I had to study." **Hier soir, il a dû s'endormir de bonne heure.** "He must have fallen asleep early last night."

B. Verbs Conjugated with *Etre*

1. **Verbs of Motion** Some verbs form the **passé composé** with **être** as the auxiliary. The past participle of a verb conjugated with **être** must agree in gender and number with the subject of the verb.

aller	venir
je **suis allé(e)**	je **suis venu(e)**
tu **es allé(e)**	tu **es venu(e)**
il / elle / on **est allé(e)**	il / elle / on **est venu(e)**
nous **sommes allé(e)s**	nous **sommes venu(e)s**
vous **êtes allé(e)(s)**	vous **êtes venu(e)(s)**
ils / elles **sont allé(e)s**	ils / elles **sont venu(e)s**

Below is a list of verbs conjugated with **être** in the **passé composé** and their past participles. Most of these verbs are verbs of motion. Many can be grouped by opposites; this will help you remember them.

aller (allé) to go	**venir (venu)** to come
arriver (arrivé) to arrive	**partir (parti)** to leave
monter (monté) to go up	**descendre (descendu)** to go down
	tomber (tombé) to fall
naître (né) to be born	**mourir (mort)** to die
entrer (entré) to come in	**sortir (sorti)** to go out
rester (resté) to stay	**retourner (retournè)** to go back
	rentrer (rentré) to come (go) home
devenir (devenu) to become	
revenir (revenue) to come back	

The verbs **monter, descendre,** and **sortir** sometimes take a direct object. In these cases, the verb is conjugated with **avoir,** and the past participle agrees with the preceding direct object or direct object pronoun.

Elle a descendu la rue.	Elle **l'**a descend**ue**.
Ils ont monté la rue.	**La rue** qu'ils ont mont**ée** est grande.
Nous avons sorti nos portefeuilles.	Nos portefeuilles? Nous **les** avons sort**is**.

2. **Reflexive Verbs** All reflexive verbs form the **passé composé** with **être** as the auxiliary. The appropriate reflexive pronoun precedes the auxiliary. The past participles of reflexive verbs are formed in the regular manner.

se lever

je **me suis levé(e)**	nous **nous sommes levé(e)s**
tu **t'es levé(e)**	vous **vous êtes levé(e)(s)**
il / elle / on **s'est levé(e)**	ils / elles **se sont levé(e)s**

As shown above, the past participle of a reflexive verb agrees in gender and number with the reflexive pronoun *when the pronoun functions as a direct object.*

elle **s'est habillée**	vous **vous** êtes réveillé**s**
nous **nous** sommes levé**es**	ils **se** sont lavé**s**

In cases where a reflexive verb is followed by a noun direct object, the reflexive pronoun is no longer the direct object, and the past participle does not agree with the pronoun.

Elle **s'est coupée.**	She cut herself.
Elle s'est coupé **les cheveux.**	She cut her hair (for herself).

With the following verbs, the reflexive pronoun is an indirect object, rather than a direct object. The past participles of these verbs show no agreement.

s'écrire to write to each other	Ils se sont **écrit.**
se parler to speak to each other	Vous vous êtes **parlé.**
se rendre compte to realize	Elle s'est **rendu** compte.
se donner to give to each other	Elles se sont **donné** rendez-vous.
se plaire to enjoy oneself	Nous nous sommes **plu** ici.
s'imaginer to imagine	Elles se sont **imaginé** un voyage.

⚠ RAPPEL   ⚠ RAPPEL   ⚠ RAPPEL

The past participles of
1. verbs conjugated with **avoir** agree only with a preceding direct object.
2. verbs conjugated with **être** always agree with the subject of the verb.
3. reflexive verbs agree with the preceding reflexive pronoun when this pronoun functions as a direct object.

Exercices d'application

A. Complétez chaque phrase par le passé composé du verbe entre parenthèses.

1. Elle *(venir)* s'installer devant la télé.
2. Je *(naître)* en janvier.
3. Tu *(s'habiller)* très vite ce matin.
4. Mes copains *(partir)* en vacances.
5. Vous *(retourner)* trop tard, mes enfants.
6. Le Président Kennedy *(mourir)* en 1963.
7. Elles *(se lever)* à huit heures.
8. Nous *(rentrer)* directement à la maison ce soir.

B. Transformez les phrases suivantes au passé composé.

1. Je reste devant le petit écran.
2. Elle se rend compte de son erreur.
3. Vous vous amusez à la soirée.
4. Nous arrivons en classe à neuf heures.
5. Ils vont au cinéma.
6. Je descends au café.
7. Elle sort avec Marc cet après-midi.
8. Nous venons au match de football en retard.
9. Elles deviennent fatiguées.
10. Ils se couchent après minuit.
11. Elles s'écrivent souvent.
12. Tu descends la rue.

C. **The Negative Used with the *Passé Composé*** To negate a verb used in the **passé composé,** place **ne** before the auxiliary or object pronoun and **pas** before the past participle.

Il **n'**a **pas** parlé.   Elles **ne** sont **pas** parties.
Vous **ne** l'avez **pas** compris.   Ils **ne** se sont **pas** amusés là-
                                                      bas.

Like **pas,** most negative expressions immediately precede the past participle. However, **personne** follows the past participle, and **aucun, que,** and **ni ... ni** are placed directly before the words they modify.

Il **n'**a **jamais** parlé.   Je **n'**ai vu **personne** au café.
Vous **n'**avez **rien** compris.   Elle **n'**a pris **que** de l'eau.
Elles **ne** sont **pas** encore parties.   Nous **ne** sommes entrés **ni** au
                                                       café **ni** au bar.

Exercice d'application

Mettez les phrases suivantes au négatif en employant les indications entre parenthèses.

1. (ne ... pas) J'ai allumé le poste.
2. (ne ... jamais) Tu as vu ce documentaire.
3. (ne ... pas) Ils se sont amusés à la soirée.
4. (ne ... pas) Elle est partie à l'heure.
5. (ne ... que) Nous avons consulté *Télé 7 jours.*

6. (ne … rien) Tu as compris?
7. (ne … jamais) Vous vous êtes entendus avec vos copains.
8. (ne … ni … ni) Il est allé à la charcuterie et à la pâtisserie.
9. (ne … personne) Elles ont vu Alice au marché.
10. (ne … pas encore) Nous sommes allés à la soirée.

D. **Adverbs Used with the** *Passé Composé* There is no hard and fast rule regarding the placement of adverbs used with the **passé composé** and other compound tenses. Most short adverbs and a few of the more common longer adverbs are placed between the auxiliary and the past participle. Below is a partial list of adverbs that normally follow the auxiliary and precede the past participle.

bien	Elle s'est **bien** amusée.
assez	Vous avez **assez** regardé la télé.
beaucoup	J'ai **beaucoup** appris.
bientôt	Il est **bientôt** parti.
déjà	Elles ont **déjà** fini.
encore	Vous avez **encore** acheté des disques?
enfin	J'ai **enfin** écrit la lettre.
longtemps	Il a **longtemps** parlé.
mal	Nous avons **mal** répondu.
peut-être	Ils sont **peut-être** venus hier.
souvent	Je suis **souvent** allé en ville.
toujours	Elles ont **toujours** aimé cette émission.
trop	Ils ont **trop** regardé la télé.
vite	Vous vous êtes **vite** habillés.
seulement	Il a **seulement** voulu poser une question.
vraiment	J'ai **vraiment** souffert.
probablement	Ils ont **probablement** vu ce film.
certainement	Nous avons **certainement** lu le livre.
sûrement	Vous êtes **sûrement** sortis le week-end.

Longer adverbs, including most of those ending in **-ment,** are placed after the past participle.

Il a parlé **brillamment.**
Vous avez fait **régulièrement** des courses.
Elles sont restées **constamment** chez elles.

Exercice d'application

Transformez les phrases suivantes au passé composé.

1. Je réponds brillamment.
2. Elle ne reçoit que ses meilleurs amis.
3. Tu ne rates jamais les bonnes émissions.
4. Nous dormons mal.

5. Elles rentrent enfin à six heures.
6. Il boit beaucoup.
7. Nous ne voyons personne.
8. Nous comprenons vite le problème.
9. Ils parlent cruellement.
10. La propriétaire part déjà.
11. Elle reste là brièvement.
12. Ils ne se lèvent pas encore.

2. Basic Question Patterns with the *Passé Composé*

⚠ RAPPEL   ⚠ RAPPEL   ⚠ RAPPEL

- The techniques used to form questions with the **passé composé** (and any other compound tense) are the same as those discussed in Chapter 2: **est-ce que,** inversion, **n'est-ce pas,** and intonation.
- When using inversion with a compound tense, invert the conjugated auxiliary and its subject pronoun; the past participle follows.
- Remember—in questions with reflexive verbs, the reflexive pronoun always precedes the auxiliary.

Est-ce que

Est-ce qu'il n'a pas pris le train?

Est-ce que Béatrice est allée aussi?

Est-ce que vous vous êtes amusé?

N'est-ce pas

Il n'a pas pris le train, **n'est-ce pas?**

Béatrice est allée aussi, **n'est-ce pas?**

Vous vous êtes amusé, **n'est-ce pas?**

Inversion

N'a-t-il pas pris le train?
Béatrice est-elle allée aussi?
Vous êtes-vous amusé?

Intonation

Il n'a pas pris le train?
Béatrice est allée aussi?
Vous vous êtes amusé?

Exercice d'application

Transformez chaque phrase en une question. Utilisez l'inversion.

1. Vous avez branché le poste.
2. Les téléspectateurs ont bien apprécié la réclame.
3. La speakerine a annoncé le programme du soir.
4. Vos amis sont venus regarder la télévision.
5. Elle s'est mise devant la télévision.

LA SEMAINE PROCHAINE...

TF1

SAMEDI 29 AOUT
- 20.30 « Music-hall à Provins » avec Julio Iglesias, Nicolas Peyrac, Jeane Manson.
- 21.50 « Madame Columbo » : « Le mystère de la marionnette »

DIMANCHE 30 AOUT
- 20.30 « Le crépuscule des aigles », film de John Guillemin. Avec George Peppard, James Mason.
- 23.00 « Jazz à Antibes », émission de Jean-Christophe Averty. Avec Jacques Higelin, Joe Turner.

LUNDI 31 AOUT
- 20.30 « Maigret et l'affaire Saint-Fiacre », film de Jean Delannoy. Avec Jean Gabin, M. Auclair, Valentine Tessier
- 22.10 « Portrait : Jean Gabin ».

MARDI 1 SEPTEMBRE
- 20.30 « La croisière jaune », film d'André Sauvage. La croisière Citroën de 1931, à travers l'Asie
- 22.05 « Des idées et des hommes » : « Teilhard de Chardin ».

MERCREDI 2 SEPTEMBRE
- 20.35 « Julien Fontanes » : « La 10ⁿ plaie d'Egypte », série de Jean Cosmos.

JEUDI 3 SEPTEMBRE
- 20.30 « Le serment d'Heidelberg », téléfilm d'André Farwagi. Avec Bernard Le Coq, Michel Aumont, C. Allegret.
- 21.30 « Le dossier Kundrikova ».

VENDREDI 4 SEPTEMBRE
- 20.30 « Au théâtre ce soir » : « Monsieur Dehors », de Claude Reichmann. Avec Axelle Abbadie, Daniel Colas.

A2

SAMEDI 29 AOUT
- 18.00 Concert (en stéréo sur France Musique) : « Symphonie fantastique » d'Hector Berlioz
- 20.35 « Les enquêtes du commissaire Maigret » : « Les danseuses du gai moulin ». Avec Jean Richard, Gérard Darrieu, Danièle Croisy, Luc Florian.

DIMANCHE 30 AOUT
- 20.35 « Jeux sans frontières », à Annecy
- 22.00 « Les naïfs français » : « La grande famille »

LUNDI 31 AOUT
- 20.35 Retransmission de la Comédie-Française : « Le pain de ménage », de Jules Renard. Avec J. Toja et Claude Winter.
- 21.20 Variétés : Julio Iglesias
- 22.00 « Lire, c'est vivre » : Van Gogh (2).

MARDI 1er SEPTEMBRE
- 20.35 « Les dossiers de l'écran » : « Gauguin le sauvage », film de Fielde Cook. Avec David Carradine

MERCREDI 2 SEPTEMBRE
- 20.35 « C'est du spectacle »
- 22.10 Magazine médical. « Les jours de notre vie » : « Les risques du cancer »
- 23.15 Cyclisme : championnats du monde

JEUDI 3 SEPTEMBRE
- 20.35 « Jeudi cinéma » : « Domicile conjugal », film de François Truffaut. Avec Jean-Pierre Léaud, Claude Jade.
- 23.55 Cyclisme : championnats du monde

VENDREDI 4 SEPTEMBRE
- 20.35 « L'ennemi de la mort » (2) feuilleton
- 21.40 « Apostrophes d'été »
- 23.05 « Athlétisme et cyclisme ».

FR3

SAMEDI 29 AOUT
- 20.30 « L'ultime retraite », téléfilm américain de George Schaefer. Avec Diana Rigg, Judi Bowker, Pamela Brown.

DIMANCHE 30 AOUT
- 20.30 « Les villes aux trésors » : « Toulouse Agen ».
- 21.45 « Un comédien lit un auteur » : « Jean-Marc Thibault lit La Rochefoucauld »
- 22.35 « Cinéma de minuit » : « La chanson de Roland » film de Frank Cassentis. Avec Klaus Kinski, Dominique Sanda, Alain Cuny, Pierre Clémenti.

LUNDI 31 AOUT
- 20.30 « Le piège », film de John Huston. Avec Paul Newman, Dominique Sanda, James Mason.

MARDI 1 SEPTEMBRE
- 20.30 « L'or du Hollandais », film de Delme Daves. Avec Alan Ladd, Ernest Borgnine, Katy Jurado

MERCREDI 2 SEPTEMBRE
- 20.30 « Il pleut sur Santiago », film de Hevio Soto. Avec Annie Girardot, Jean-Louis Trintignant, Bibi Andersson

JEUDI 3 SEPTEMBRE
- 20.30 « Château en Suède », film de Roger Vadim d'après Françoise Sagan. Avec Monica Vitti, Jean-Claude Brialy.

VENDREDI 4 SEPTEMBRE
- 20.30 « Le nouveau vendredi » : les forces en présence Est-Ouest.
- 21.30 « Portrait d'un inconnu », téléfilm de Paul Planchon. Avec Bernard Freyd.

6. Vous vous êtes couchés avant le film.
7. L'émission a été amusante.
8. Tu t'es bien amusé hier soir.

Exercices d'ensemble

A. Transformez les phrases suivantes au passé composé. Faites attention au verbe auxiliaire.

1. Je me réveille à huit heures.
2. Nous achetons toujours trop de choses au supermarché.
3. Ma famille ne reçoit jamais mes copains.
4. Nous rentrons directement à la maison.
5. Je ne fais pas le marché.
6. Vous vous dépêchez de finir.
7. Elle ne suit qu'un cours de français.
8. Les étudiants se débrouillent bien.
9. Je mets mes affaires dans ma chambre.
10. On va souvent au cinéma.
11. Nous ne lisons jamais le journal du soir.
12. Je pars avant la fin de l'émission.

B. Formez des questions au passé composé.

1. Vos copains / venir / chez vous / récemment
2. Vous / regarder / une bonne émission / hier
3. Votre famille / acheter / un nouveau poste
4. Votre ami / aller / au cinéma / le week-end dernier
5. Vous / se coucher / tôt ou tard / hier
6. Tout le monde / faire / ses devoirs / pour la classe
7. Il / y avoir / une soirée / récemment
8. Le prof / ne pas / arriver / à l'heure
9. Vous / prendre / une décision / lentement
10. Vous / ne jamais / écouter / les actualités
11. Vous / être / en retard / ce matin
12. Vos amis / ne pas / sortir / hier soir

C. Posez les questions précédentes à des camarades de classe qui doivent répondre aux questions négativement. Employez la forme familière si c'est possible.

D. Complétez chaque phrase par la forme convenable du participe passé entre parenthèses.

1. (vu) C'est une émission que tu as déjà _____ .
2. (aperçu) Elle s'est _____ de sa bêtise.
3. (raconté) Charles connaît les histoires que vous avez _____ .
4. (écrit) Les deux amis se sont _____ .
5. (eu) Elle se rappelle les bons souvenirs qu'elle a _____ .
6. (sorti) Jean a _____ ses livres pour étudier.

3. Use of the *Passé Composé*

The **passé composé** is used to express an action that was completed within a specified or implied time frame in the past. You must often judge from the context of the sentence if the action has been completed. The following contexts indicate completed actions.

- *An isolated action.*

    A single action that simply relates what someone did or what occurred is expressed with the **passé composé.**

    > Il **a lavé** la voiture.
    > Nous **sommes allés** au cinéma.
    > Le concert **a eu** lieu sans incident.

- *An action with a specified beginning or end.*

    An action for which either the beginning or the end can be easily visualized will be expressed with the **passé composé.** The action or event can be of short or long duration, but if the beginning or end of the action is delineated by the context of the sentence, the **passé composé** is used.

    > La guerre **a commencé** au mois de septembre.
    > J'**ai regardé** la télé pendant une demi-heure.
    > Cette émission **a duré** deux heures.
    > La semaine dernière nous **sommes allés** au concert.

- *A series of actions.*

    A succession of completed actions, or a single completed action repeated a number of times within a limited time frame, is expressed with the **passé composé.**

    > Il **s'est levé, a pris** son petit déjeuner et **est sorti.**
    > Aujourd'hui, je **suis allé** trois fois à la bibliothèque.
    > Pendant son voyage, elle **a pris** le train plusieurs fois.

- *Reaction to an event or situation / Change in a state or condition.*

    An action that is characterized by its suddenness or immediacy is expressed with the **passé composé.** Such an action may state an immediate reaction to an event or situation.

    > Au moment de l'accident, j'**ai pensé**: «Je vais mourir».
    > Les enfants **ont voulu** sortir quand la neige **a commencé** à tomber.

Such an action may express a sudden change in an existing state or condition. This use of the **passé composé** often parallels the English concepts *to become* or *to get.*

Quand j'**ai vu** l'examen, j'**ai eu** peur.

Après avoir mangé la mauvaise viande, il **a été** malade.

Après l'accident, elles n'**ont** pas **pu** marcher.

In addition to the contexts discussed above, there are certain expressions of time that may indicate that an action is completed within a given time frame. Below is a partial list of such expressions.

enfin   tout de suite
finalement   à ce moment
soudain   une fois
tout à coup   vite
immédiatement

⚠ RAPPEL   ⚠ RAPPEL   ⚠ RAPPEL

The **passé composé** is not the only past tense in French. As you will see in Chapter 5, a verb may be used in any of the past tenses, depending on the context and duration of the action in question. The **passé composé** is used to indicate that an action was of limited duration and was completed within a certain time frame.

The examples below provide further illustration of the various uses of the **passé composé.** Pay special attention to the different contexts that indicate completed action and therefore require the **passé composé.**

J'ai fréquenté cinq écoles.
Series of actions: After that period, you were no longer at those schools.

J'ai déménagé trois fois.
Series of actions: You moved several times, but all the moves have been completed.

Pendant ma jeunesse, j'ai appris l'espagnol.
Specified beginning or end: You may know Spanish now, but you have stopped studying it.

Mon père est entré dans l'armée.
Isolated action: He may still be in the Army, but the act of joining it is completed.

Il y a trois ans, j'ai voyagé au Mexique.
Specified beginning or end: The trip began and ended three years ago.

Je me suis marié.
Isolated action: You may still be married, but the act of getting married is completed.

L'année dernière, j'ai acheté une voiture.
Specified beginning or end: You may still have the same car, but the act of acquiring it is completed.

L'été dernier, j'ai travaillé.	*Specified beginning or end:* You may still be working, but the work you were doing last summer is over.
J'ai vu un accident.	*Isolated action:* The accident is over.
Le chauffeur n'a pas pu marcher tout de suite.	*Change in a state or condition:* He may be able to walk now, but at that moment he tried and couldn't.
Je suis venue à l'école.	*Isolated action:* You left for school and got there, thus completing the action.
Hier, il a plu.	*Specified beginning or end:* The rain started and stopped yesterday.
J'ai déjà eu mon cours de français.	*Isolated action:* The class began and ended.
J'ai su que j'ai réussi à mon examen.	*Isolated action:* Both the act of passing the exam and finding out that news are completed.
Après le déjeuner, j'ai pensé à mon départ.	*Specified beginning or end:* You looked at your watch and remembered that you had to be home early.
Je n'ai pas voulu quitter mes amis.	*Reaction to an event or situation:* At that moment you regretted having to leave.

Exercice d'application

Choisissez la justification de l'emploi du passé composé dans chaque exemple.

a. Isolated action
b. Specified beginning or end
c. Series of actions

d. Reaction to an event or situation / Change in a state or condition

1. En entendant l'explication de son ami, il a cru son histoire.
2. J'ai passé deux ans dans une autre université.
3. Nous avons eu une drôle d'idée.
4. Pendant toute la journée de Noël ils ont été tristes.
5. Les gens sont devenus mécontents quand l'inflation a augmenté les prix.
6. Il a pris son manteau, s'est levé et a quitté la maison.
7. Il n'a plus voulu parler à son copain.
8. Ah! Vous êtes arrivé.
9. Le concert a duré quatre heures.

10. Personne n'a pu comprendre cet acte de terrorisme.
11. Elle a posé la même question trop souvent.
12. Soudain nous avons eu chaud.
13. Je n'ai rien fait.
14. D'abord elles sont rentrées et ensuite elles ont téléphoné à la police.
15. Au milieu de notre conversation, il s'est fâché.

Activités d'expansion

A. Mettez le passage suivant au passé composé. Faites attention à l'accord des participes passés et des adjectifs, et à la position des adverbes.

Hier soir / je / rentrer / très tard / et / je / rater / mon / émission / préféré. Je / décider de / lire / un peu le journal / et / je / remarquer / à la page radio-télévision / l'annonce / suivant: «*La nuit des morts-vivants*, à 11h30, à la chaîne 3.»

Un de mes amis / voir / ce film / l'année / dernier / et / il / plaire / beaucoup / à mon ami. Alors, / je / prendre / vite / la décision de / voir le film aussi. Je / allumer / le poste de télévision / et / je / se mettre / à regarder le film.

Un jour un médecin fou / découvrir / comment créer des morts-vivants. Tout à coup / il / comprendre / l'importance de sa découverte. Immédiatement / il / partir / à la morgue / pour voler / d'autres cadavres. Enfin, / quand / il / arriver / à la morgue, / il / laisser / sa voiture derrière le bâtiment. Il / entrer / tranquillement / dans la morgue / par une / petit / porte / secret / et / pendant dix minutes, il / examiner / lentement / tous les cadavres. A un moment donné, il / entendre / quelqu'un / et / soudain, il / avoir peur. Pendant quelques minutes, il / rester / sans bouger. Ensuite ce médecin fou / écrire / un message pour les autorités. Il / écrire / calmement / aux autorités: «Hier, je / reconnaître / que je suis un génie / et / je vais faire la guerre contre tout le monde avec mes monstres.» Puis, le médecin / prendre / un autre cadavre / et / il / quitter / furtivement / la morgue.

Le jour suivant / un employé de la morgue / trouver / le message / et / envoyer / la note aux autorités qui / lire / le message, / rigoler / et / dire: «C'est le travail d'un fou!» Finalement, ils / étudier / la situation / et / décider / de faire une investigation.

Deux jours plus tard, la police / aller / voir / le pauvre médecin. Ils / trouver / toutes sortes de matériel de laboratoire, le cadavre et le premier mort-vivant. La police / arrêter / le médecin fou. Le film / se terminer / par l'exécution du pauvre médecin.

Je / se dire: «Quel mauvais film! Il faut parler à mon ami de son choix de films.»

B. *Interview. La télé.* Posez les questions suivantes à un(e) camarade de classe.

1. Combien de postes de télévision as-tu chez toi? Est-ce que tu as la télé en couleurs ou en noir et blanc?
2. Quelle est ton émission préférée? Est-ce que tu as vu cette émission la semaine dernière? Est-ce que le programme t'a plu?
3. Est-ce que tu aimes les feuilletons? Est-ce que tu as vu un feuilleton la semaine dernière? Quel feuilleton?
4. Hier soir, est-ce que tu es sorti(e) ou es-tu resté(e) chez toi pour voir ton programme favori?
5. Est-ce que tu as vu les actualités hier soir? Et la veille?
6. Qui est ton speaker ou ta speakerine préféré(e)?
7. Qu'est-ce que tu penses des réclames à la télé? Quelle est ta réclame préférée?
8. Est-ce que tu as la télé par câbles? Quel est l'avantage de la télé par câbles?

C. Formez des phrases complètes au passé composé en faisant tous les changements nécessaires.

1. Ils / apprendre / beaucoup / pendant leur voyage en France
2. Nous / ne pas regarder / trop / la télé le jour de Noël
3. Ne personne / vouloir / venir / hier
4. Cet étudiant / ne jamais faire / régulièrement / ses devoirs
5. Après cette mauvaise émission / elle / ne plus regarder / sérieusement / ce programme
6. Elle / ne pas lire / certainement / ce livre-là
7. Après cet incident / elle / ne plus s'amuser / bien / avec cette amie
8. Ils / ne pas voir / probablement / ce film-là

D. *Interview. Vos activités de la semaine dernière.* Formez des questions au passé composé en faisant tous les changements nécessaires et posez ces questions à un(e) camarade de classe.

Exemple: Tu / se lever / de bonne heure *Est-ce que tu t'es levé(e) de bonne heure? T'es-tu levé(e) de bonne heure?*

1. Tu / regarder / régulièrement / la télé
2. Tu / aller / à un concert
3. Tu / lire / vite / le journal / ce matin
4. Tu / se dépêcher / ce matin
5. Tu / venir / à l'université

6. Tu / faire / les provisions / la semaine dernière
7. Tu / voir / un film / récemment
8. Tu / écrire / une lettre
9. Tu / offrir / un cadeau à quelqu'un
10. Tu / conduire / prudemment
11. Tu / se fâcher
12. Tu / travailler / beaucoup

E. *Interview. La vie d'étudiant.* Demandez à un(e) camarade de classe:

1. à quelle heure il (elle) est arrivé(e) à l'université aujourd'hui
2. s'il (si elle) s'est levé(e) de bonne heure ce matin
3. s'il (si elle) s'est dépêché(e) pour arriver à l'école à l'heure aujourd'hui
4. s'il (si elle) est venu(e) à la bibliothèque le week-end passé
5. s'il (si elle) a travaillé à la bibliothèque la semaine dernière
6. s'il (si elle) a manqué des cours la semaine passée
7. s'il (si elle) a fait beaucoup de devoirs hier soir
8. s'il (si elle) a fini ses devoirs de bonne heure hier soir
9. à quelle heure il (elle) est parti(e) de l'université vendredi passé
10. s'il (si elle) a eu de bonnes notes le semestre dernier

F. *Situations orales*

1. Faites une liste de cinq questions pour interviewer un(e) camarade de classe au sujet de son émission préférée à la télé.
2. Un(e) étudiant(e) va dire à un(e) camarade de classe de faire trois choses dans la salle de classe. Un volontaire va raconter ce qui est arrivé.

Exemple: Etudiant(e): *Va à la porte.*
          [*Le (la) camarade va à la porte.*]
          Etudiant(e): *Qu'est-ce qu'il (elle) a fait?*
          Volontaire: *Il (elle) est allé(e) à la porte.*

3. En employant le passé composé, un(e) étudiant(e) va dire à la classe quelque chose qu'il (elle) a fait. Les autres membres de la classe vont poser des questions à cet étudiant à propos de ce qu'il (elle) vient de dire.

G. *Situations écrites*

1. Racontez ce qui s'est passé dans une émission intéressante que vous avez vue à la télé.
2. Racontez ce que vous avez fait hier.
3. Racontez ce que vous avez fait pendant les vacances.

Chapitre
5

le rayon des télévisions dans un grand magasin

Ne changez pas de chaîne

Pour rendre plus facile la compréhension des temps du passé en français, la lecture suivante reprend le dialogue de la leçon 4. Elle contient, cependant, deux autres temps verbaux, l'imparfait et le plus-que-parfait. Comparez la version suivante au simple récit d'événements dans la lecture de la leçon 4 et remarquez les nouvelles dimensions temporelles.

(Gérard et son ami américain Jerry *prenaient* un pot au café quand Gérard a demandé à son copain de raconter ce qu'il *avait fait* la veille. Voici une partie de leur conversation.)

GERARD: Tu m'as dit que tu *avais* l'intention de t'amuser hier soir. Qu'est-ce que tu as fait finalement? Es-tu sorti?

JERRY: Non, j'*étais* un peu fatigué et je n'*avais* pas envie de sortir. Je suis donc resté chez moi. Tu sais que mon copain Tom et moi venons de louer un appartement. Nous *hésitions* entre deux appartements et nous avons enfin décidé de prendre le deuxième que nous avons visité parce qu'il y *avait* un poste de télé.

GERARD: La télévision en couleurs? Chouette! On *devait* diffuser une émission en direct de l'Opéra de Paris hier soir. L'as-tu vue?

JERRY: Pour commencer, je ne *savais* pas si j'*allais* voir aucune émission! D'abord, j'ai décidé de regarder cette émission qui s'appelle «Des Chiffres et des Lettres», mais quand j'ai essayé d'allumer le poste—rien! J'ai demandé à Tom si le propriétaire *avait indiqué* que le poste *était* en panne. Tom a répondu que, selon le propriétaire, tous les appareils *étaient* en bon état. C'est à ce moment-là qu'il a découvert ma bêtise: le poste n'*était* même pas branché!

GERARD: Tu n'as donc pas raté ton jeu?

JERRY: Si. On *avait* déjà *terminé* le dernier jeu quand j'ai enfin allumé le poste. Heureusement, nous nous sommes aperçus de tout ça au moment où la speakerine d'Antenne 2 *annonçait* les émissions du soir.

GERARD: *Avait*-elle des choses intéressantes à raconter à ses chers téléspectateurs?

JERRY: Elle a présenté un programme de variétés assez banal, suivi d'un documentaire que j'*avais* déjà *vu*, et j'ai changé de chaîne.

GERARD: Il y *avait* un film de Robert Redford sur TF 1. Tu as dû regarder ça, n'est-ce pas?

JERRY: Oui, mais d'abord j'ai consulté mon *Télé 7 jours* où j'ai lu ce que FR 3 *offrait* comme programme. J'ai vite compris que les émissions de la troisième chaîne n'*allaient* pas me plaire et j'ai pris la décision de regarder le film. Il y *avait*, justement, un film américain en version française. D'ailleurs, j'ai remarqué qu'il y a un grand nombre de films étrangers à la télé en France.

GERARD: Tu as raison. La semaine dernière c'*était* des films allemands et italiens, cette semaine ce sont des importations de Hollywood. Mais ce film, est-ce qu'il t'a plu?

JERRY: Infiniment. Pour moi, c'*était* la deuxième fois que je *regardais* ce film. J'*étais* déjà *allé* le voir avec mes cousins à New-York. Nous nous *étions* si bien *amusés* ce soir-là, et j'*avais* un si bon souvenir de la soirée, que j'ai voulu revoir le film. Il faut dire aussi que Redford, l'acteur qui a joué le rôle du héros, *était* super. J'ai passé deux heures agréables devant le petit écran.

GERARD: Qu'est-ce qu'il y *avait* d'intéressant dans le film?

JERRY: D'abord, il s'*agissait* d'un jeune aviateur aventureux qui s'*appelait* Waldo Pepper et qui *essayait* de gagner de l'argent comme pilote. Ce jeune homme s'est présenté aux gens du Nebraska comme un as de la Première Guerre mondiale. Il a inventé pour lui-même un passé et une réputation fondés sur son héroïsme pendant la guerre et il s'est mis à émerveiller tout le monde par des acrobaties en avion. Malheureusement, cette histoire *était* fausse, car il n'*était* jamais *allé* à la guerre. Mais Waldo, qui *faisait* si souvent ce récit où il s'*offrait* des moments de gloire qu'il n'*avait* jamais *connus*, est finalement tombé dans son propre piège. Il ne *distinguait* plus le passé qu'il *inventait* du présent qu'il *vivait*. Quand il *montait* dans son avion pour faire des acrobaties, *il s'imaginait* en combat avec l'ennemi. Il a couru des risques et il est mort sa propre victime. C'*était* inévitable. En somme, il n'a même pas essayé de sortir de la légende qu'il *avait créée*.

GERARD: C'est un sujet qui a beaucoup de possibilités. Tiens, j'ai une idée! Si on *faisait* un feuilleton de la vie de Waldo Pepper?

JERRY: Peut-être. Mais j'ai lu récemment un article où on *disait* justement qu'il y *avait* déjà trop de ces feuilletons à la télé.

GERARD: Comme cette fameuse série qui raconte les aventures d'une famille de rois du pétrole qui a amassé une fortune au Texas. Les Français l'ont importée il y a quelques années. On dit que l'an dernier, quand la série *passait* à la télé le samedi soir, elle *immobilisait* des milliers de gens qui *étaient* restés à la maison!

JERRY: Oui, j'ai essayé de regarder cette émission pendant que j'*étais* dans un bar l'autre soir et j'ai eu une drôle d'impression. Je l'ai trouvée beaucoup moins longue qu'en Amérique. C'est sûrement parce qu'elle n'a pas été interrompue par la publicité. Pour un Américain, c'*était* assez bizarre.

GERARD: En effet, la télévision française a imposé des limites aux réclames qu'on peut faire au cours de la journée. Il n'y a de la publicité qu'entre les films ou les émissions.

JERRY: Il y *avait* aussi, hier soir, une émission que j'ai beaucoup appréciée sur l'art moderne. Pour finir, j'ai vu les actualités de TF 1.

GERARD: Tu as de la chance d'avoir la télé en couleurs. J'*avais* l'intention de voir cette émission sur l'art moderne. Mais j'*étais* chez mes parents et j'*étais* obligé de regarder leur vieux poste noir et blanc. Leur nouveau récepteur ne *marchait* pas bien, et ils ont dû l'envoyer à l'atelier de réparation pour régler la couleur

JERRY: Ah, je ne *savais* pas que tu *avais* la vie si dure! Ne t'en fais pas. Je peux te raconter, tous les matins, les programmes que j'ai vus la veille. D'accord?

Structures

1. Formation of the Imperfect

To form the imperfect of a French verb, drop the **-ons** ending of the present tense **nous** form and add the appropriate endings: **-ais, -ais, -ait, -ions, -iez, -aient**.

parler (nous parlo̶n̶s̶)	**finir** (nous finisso̶n̶s̶)	**répondre** (nous répondo̶n̶s̶)
je parl**ais**	je finiss**ais**	je répond**ais**
tu parl**ais**	tu finiss**ais**	tu répond**ais**
il / elle / on parl**ait**	il / elle / on finiss**ait**	il / elle / on répond**ait**
nous parl**ions**	nous finiss**ions**	nous répond**ions**
vous parl**iez**	vous finiss**iez**	vous répond**iez**
ils / elles parl**aient**	ils / elles finiss**aient**	ils / elles répond**aient**

Etre is the only French verb that is irregular in the imperfect.

être	
j'**étais**	nous **étions**
tu **étais**	vous **étiez**
il / elle / on **était**	ils / elles **étaient**

A. Transformez les phrases suivantes à l'imparfait en employant le sujet entre parenthèses.

Exemple: Nous allons à la bibliothèque tous les jours. (tu)
Tu allais à la bibliothèque tous les jours.

1. Nous demandons toujours l'heure. (je)
2. Nous avons beaucoup de copains. (vous)
3. Nous savons la date des matchs télévisés. (elles)
4. Nous prenons la voiture tous les jours. (ma sœur)
5. Nous vendons de beaux fruits au marché. (on)
6. Nous nous amusons souvent au café. (tu)
7. Nous sommes contents de nos études. (Julie)
8. Nous buvons toujours le même vin. (mes parents)
9. Nous faisons le marché le samedi. (nous)
10. Nous voyons toujours les mêmes amis. (vous)
11. Nous nous lavons tous les matins. (il)
12. Nous courons quatre jours par semaine. (elle)

B. Complétez chaque phrase par la forme convenable de l'imparfait du verbe entre parenthèses.

1. Le poste n' *(être)* pas branché.
2. *(Prendre)*-vous souvent des décisions?
3. Nos héros à la télévision *(être)* souvent très jeunes.
4. Tu *(réciter)* trop souvent tes aventures.
5. Les aviateurs *(avoir)*-ils du courage?
6. Il *(s'imaginer)* qu'il était un vrai Don Juan.
7. La speakerine *(annoncer)* les programmes.
8. Le pilote de guerre *(courir)*-il des risques tous les jours?
9. Nous nous *(ressembler)* à l'âge de seize ans.
10. *(Jouer)*-vous souvent au basketball?

2. Use of the Imperfect

A. **General Uses of the Imperfect** The imperfect tense is used to describe people, scenes, actions, or conditions in the past. The imperfect is sometimes called the descriptive tense.

1. **Decor** The imperfect is used to describe scenes and events that form the background or decor of a time frame in the past.

   The imperfect is also used to describe two or more events that are going on simultaneously and that may frequently be linked by the conjunction **pendant que** (*while*). This use of the imperfect expresses the English concept *was (were) ...-ing.*

Hier soir il **faisait** très chaud. Je **regardais** la télé pendant que mon camarade de chambre **étudiait.** Nous **écoutions** les bruits qui **venaient** par la fenêtre et nous **discutions** de nos projets de vacances quand soudain...	Last night it was very warm. I was watching TV while my roommate was studying. We were listening to the noises coming from the window and we were discussing our vacation plans when suddenly...

   The verb **aller** in the imperfect followed by an infinitive is the equivalent of the English *was (were) going to....*

J'**allais faire** mes devoirs, mais au lieu de cela j'ai décidé de regarder la télé.	I was going to do my homework, but instead of that I decided to watch TV.
Ils **allaient regarder** la télé quand leurs amis sont arrivés.	They were going to watch TV when their friends arrived.

2. **Habitual Actions** The imperfect is used to describe actions that were repeated habitually for an indefinite period in the past. Used in this way, the imperfect describes a situation that recurred regularly. This use of the imperfect is the equivalent of the English concepts *used to* or *would* when referring to the past.

Je **parlais** souvent à mon père.	I used to talk to my father often.
Ils **finissaient** tous les jours à cinq heures.	They used to finish every day at five.
Nous **répondions** toujours à ses lettres.	We would always answer his letters.

3. **States or Conditions** The imperfect describes states or conditions that existed in the past.

Il **était** fatigué.	He was tired.
Ils **avaient** beaucoup de travail.	They had a lot of work.
Nous **préférions** rester à la maison.	We preferred to stay home.
Il **faisait** nuit.	It was dark.
Elle **aimait** son frère.	She loved her brother.

   The following verbs are often used to describe a physical or emotional state and are often used in the imperfect.

avoir	détester	désirer
penser	aimer	préférer
croire		

A few verbs vary in meaning or nuance when they are used in the imperfect and in the **passé composé.**

Elle **était** malade.	She *was* sick.
Elle **a été** malade.	She *got (or became)* sick.
Je **savais** la vérité.	I *knew* the truth.
J'**ai su** la vérité.	I *found out* the truth.
Ils **devaient** étudier.	They *were supposed* to study.
Ils **ont dû** étudier.	They *must have* studied.
Il **voulait** s'amuser.	He *wanted (intended)* to have a good time. *(a state not translated into action)*
J'**ai voulu** rentrer, mais j'ai manqué l'autobus.	I *wanted* to go home, but I missed the bus. *(An attempt is made whether successful or not.)*
Nous **pouvions** faire le voyage.	We *could* take the trip. *(It was possible for us to take the trip.)*
Mais nous **n'avons pas pu** réserver des places dans l'avion.	But we *were not able* to make reservations. *(We attempted but did not succeed.)*

Certain expressions of time often indicate that the verb in question is describing a habitual event and should be in the imperfect. Below is a partial list of such expressions.

souvent	fréquemment
d'habitude	toujours
habituellement	tous les jours

B. Idiomatic Uses of the Imperfect

1. **After *Si*** The imperfect is used after **si** to express a wish concerning the present or the future.

Si j'avais plus d'argent!	If only I had more money!
S'ils venaient avec moi!	If only they were to come with me!
Si elle me croyait!	If only she believed me!

The imperfect after **si** also is used to propose a course of action.

Si nous allions ensemble?	Shall we go together?
Si je vous **aidais?**	Why don't I help you?
Si vous preniez le train?	Why don't you take the train?

2. **With *Depuis*** The imperfect used with **depuis** expresses the English concept *had been ...-ing*. This construction is the past tense equivalent of **depuis** + present tense. **Depuis** + imperfect links two actions in the

past, indicating that one action began before the other but was still going on when the second action took place.

J'**attendais depuis une heure** quand vous êtes venu.	I had been waiting for an hour when you came.
Ils **vivaient** en France **depuis un an** quand la guerre a éclaté.	They had been living in France for a year when the war broke out.
Elle **était** déjà ici **depuis dix minutes** quand le cours a commencé.	She had already been here for ten minutes when class began.

3. *Venir de* in the Imperfect *Venir de* + infinitive, used in the imperfect, is the equivalent of the English idea *had just* + past participle.

Il **venait de partir.**	He had just left.
Je **venais de le voir.**	I had just seen it.
Vous **veniez d'apprendre** les nouvelles.	You had just learned the news.

Exercices d'application

A. Choisissez la justification de l'emploi de l'imparfait dans chaque exemple.

a. Decor / Simultaneous action   c. State or condition
b. Habitual event   d. Idiomatic usage

C'*était* (1) le printemps de ma dernière année à l'université. A cette époque-là je *voulais* (2) recevoir de bonnes notes et je *pensais* (3) que je *faisais* (4) toujours bien mon travail. Tous les soirs, pendant que le reste de ma famille *regardait* (5) la télé, je me *mettais* (6) devant ma table de travail, j'*ouvrais* (7) mes bouquins et j'*étudiais* (8). J'*avais* (9) beaucoup de devoirs et je *lisais* (10) si souvent que j'*étais* (11) toujours fatigué. Même le week-end quand il *faisait* beau (12) et tous mes copains *allaient* (13) s'amuser au café ou au terrain de jeu, je *restais* (14) à la maison pour étudier. Cette situation *durait* (15) depuis deux mois et personne ne *pouvait* (16) comprendre pourquoi j'*avais* (17) cette passion pour le travail. Moi aussi, je *commençais* (18) à comprendre qu'une vie si bizarre ne *valait* pas (19) la peine. Je *croyais* (20) que, à la longue, j'*allais* (21) manquer beaucoup de choses intéressantes et qu'un jour j'*allais* (22) dire: «Si seulement je *travaillais* (23) moins et m'*amusais* (24) davantage!»

B. Répondez aux questions suivantes en employant l'imparfait.

1. Regardiez-vous beaucoup la télévision quand vous étiez jeune?
2. Y avait-il trois chaînes à la télévision quand vous étiez jeune?
3. Vous couchiez-vous de bonne heure d'habitude quand vous étiez adolescent?
4. Alliez-vous toujours en classe le semestre dernier?
5. Gagniez-vous beaucoup d'argent quand vous travailliez?

6. Interrompiez-vous fréquemment le professeur quand il parlait?
7. Rentrais-tu très tôt quand tu t'amusais bien?
8. Lisiez-vous le journal tous les jours?
9. Faisiez-vous beaucoup de bêtises quand vous étiez à l'école?

3. The Pluperfect (*Plus-que-parfait*)

A. Formation of the Pluperfect The pluperfect is formed with the imperfect tense of the auxiliary **avoir** or **être** and the past participle of the main verb.

parler	répondre
j'**avais parlé**	j'**avais répondu**
tu **avais parlé**	tu **avais répondu**
il / elle / on **avait parlé**	il / elle / on **avait répondu**
nous **avions parlé**	nous **avions répondu**
vous **aviez parlé**	vous **aviez répondu**
ils / elles **avaient parlé**	ils / elles **avaient répondu**

aller	s'amuser
j'**étais allé(e)**	je m'**étais amusé(e)**
tu **étais allé(e)**	tu t'**étais amusé(e)**
il / elle / on **était allé(e)**	il / elle / on s'**était amusé(e)**
nous **étions allé(e)s**	nous **nous étions amusé(e)s**
vous **étiez allé(e)(s)**	vous **vous étiez amusé(e)(s)**
ils / elles étaient **allé(e)s**	ils / elles s'**étaient amusé(e)s**

B. Use of the Pluperfect The pluperfect expresses an action in the past that had taken place and had been completed before some other event. The action of a verb in the pluperfect is more remote in the past than other events described. The pluperfect expresses the English concept *had* + past participle.

Remote past	Recent past	
Il **avait** déjà **trouvé** un poste	quand il **s'est marié.**	He had already gotten a job when he got married.
Nous **étions** déjà **partis**	quand vous **êtes arrivé.**	We had already left when you arrived.
J'**avais** déjà **terminé** mes études	quand j'**avais** vingt ans.	I had already finished school when I was twenty years old.
Elles **étaient** déjà **sorties**	à trois heures.	They had already gone out at three o'clock.

The pluperfect is also used after **si** to express a wish or regret about the past.

Si (seulement) j'**avais étudié**! If only I had studied!
Si vous m'**aviez compris**! If only you had understood me!
Si l'examen **avait été** plus facile! If only the test had been easier!

⚠ RAPPEL ⚠ RAPPEL ⚠ RAPPEL

The pluperfect always carries the meaning of *had* + past participle; therefore, it should not be confused with any of the other tenses in the past. Contrast the following examples.

J'avais parlé *I had spoken*

J'ai parlé I spoke, have spoken, did speak
Je parlais I spoke, was speaking, used to speak
Je parlais depuis... I had been speaking
Je venais de parler I had just spoken

In English we sometimes do not say *had* + past participle when this would most accurately express what we mean. But if one action clearly must have been completed prior to the other event or events that you are relating or describing, you must use the pluperfect in French for that prior action.

When I finished (had finished) high school, I went to college. Quand j'**avais terminé** le lycée, je suis allé à l'université.
Since the chef prepared (had prepared) the dinner, the meal was elegant. Puisque le chef **avait préparé** le dîner, le repas était élégant.

Because of this usage linking prior completed actions to the events of a time frame in the past, the pluperfect in French will normally be used in conjunction with another past tense, as in the above examples.

Exercices d'application

A. Complétez chaque phrase par la forme convenable du plus-que-parfait de l'infinitif entre parenthèses.

1. Si seulement je (*regarder*) ce film!
2. J'ai déclaré que cette émission (*plaire*) à tout le monde.
3. Mes copains (*s'imaginer*) qu'ils allaient gagner beaucoup d'argent l'été dernier.
4. Vous (*arriver*) quand le téléphone a sonné.
5. Le Président a annoncé à la télé qu'il (*prendre*) une décision.
6. Alain a découvert qu'il (*perdre*) son portefeuille.

*As-tu consulté
ton «Télé 7 Jours»?*

7. Nous *(sortir)* quand elle est arrivée.
8. Elles *(se lever)* déjà à six heures.

B. Répondez affirmativement ou négativement selon les indications.
Utilisez le plus-que-parfait.

1. Aviez-vous pris une décision quand vous êtes allé chercher une
   nouvelle voiture? (oui)
2. La speakerine avait-elle annoncé les programmes du soir à trois
   heures? (non)
3. Les spectacles d'opéra avaient-ils eu lieu quand vous étiez à Paris?
   (non)
4. Vous étiez-vous aperçu de votre erreur quand vous avez rendu
   votre devoir? (oui)
5. Avais-tu été malade avant ton voyage? (non)

6. Est-ce que j'étais déjà entrée dans la classe à ce moment-là? (oui)
7. Waldo était-il déjà tombé dans son propre piège quand son ennemi allemand est arrivé? (oui)
8. Les deux hommes avaient-ils souvent fait le récit de leurs aventures avant la fin de la guerre? (oui)
9. N'avions-nous pas changé de chaîne trop vite? (non)
10. Est-ce que l'émission avait déjà commencé pendant que je faisais la cuisine? (non)

4. Choosing Past Tenses

⚠ RAPPEL ⚠ RAPPEL ⚠ RAPPEL

1. When narrating events that took place in the past, the three tenses that are most often used are the **passé composé,** the imperfect, and the pluperfect. As you have seen, each one of these tenses has a particular use; so for each verb, you must decide which tense is appropriate.
2. The use of the pluperfect is quite specific and rather limited. It expresses the idea *had* + past participle and expresses actions that must have been completed prior to the other events or descriptions in the time frame of the narration. The events or descriptions within the time frame of the narration will be in either the **passé composé** or the imperfect.
3. As you have seen, English structures may sometimes be helpful in choosing between the **passé composé** and the imperfect. However, often either the **passé composé** or the imperfect is used to express an English simple past, depending on the context in which the English simple past is used.

Je **suis allé** à l'école hier.	I went to school yesterday.
J'**allais** souvent à la plage.	I often went to the beach.
Avant de s'arrêter, il **a** beaucoup **fumé.**	Before quitting, he smoked a lot.
A cette époque-là il **fumait** beaucoup.	At that time he smoked a lot.

4. When choosing between the **passé composé** and the imperfect, it is necessary to understand what you are actually communicating by your choice of tense (completed action or description).

Choice of Past Tenses

Time Frame of Narration

Remote Past	Imperfect			Passé Composé
Pluperfect				
Prior Completed Action	Habitual Action	Decor	State	Completed Action
Philippe avait déjà raté le bac, et...	il s'ennuyait, parce qu'...	il travaillait pour son père, et...	il n'avait pas d'argent quand...	un jour il a décidé de trouver un autre poste.
Il avait passé un an dans une grande compagnie, où...	il restait souvent tard au bureau, et...	il réfléchissait à son avenir parce qu'...	il voulait réussir;	il a même fait beaucoup de voyages.
Après deux ans, il en avait eu assez, car...	il rentrait tard tous les soirs, et...	ce poste le fatiguait et...	il était très découragé, alors...	il a quitté cette entreprise et est retourné chez son père.
J'étais déjà parti de l'école, et...	comme d'habitude je conduisais la voiture;	il pleuvait, et...	je pensais à mes cours, quand...	tout à coup, j'ai eu un accident.
Vendredi après-midi ma mère était allée à la banque où elle avait touché un chèque, car...	elle faisait toujours le marché le samedi matin;	elle cherchait des steaks, mais...	elle n'aimait pas les prix, donc...	elle a refusé d'en acheter.

Contrast in the examples below the uses of the **passé composé** and imperfect.

Imperfect	Passé Composé
Je **travaillais** à Paris au début de la guerre. *(decor)*	J'**ai travaillé** à Paris. *(isolated action)*
Il **pleuvait** à New-York. *(decor)*	Hier, il **a plu.** *(specified beginning or end)*
Elle **voyait** souvent son ami. *(habitual action)*	Elle **a vu** son ami trois fois hier. *(series of actions)*
Pendant sa jeunesse, il **buvait, fumait** et n'**étudiait** pas. *(habitual action)*	Il **a** trop **bu** et **fumé** et il **est parti** à minuit. *(series of actions)*
Nous **étions** malades. *(state or condition)*	Nous **avons été** malades. *(change in state or condition)*
Ils **pouvaient** danser. *(state or condition)*	Après avoir trop bu, ils n'**ont** pas **pu** danser. *(change in state or condition)*
J'**aimais** aller aux concerts de jazz. *(state or condition)*	J'**ai** beaucoup **aimé** le concert. *(reaction to an event)*

It may help you develop your understanding of the different mental images that will be evoked by your choice of either the imperfect or **passé composé** if you visualize your time frame as a TV program that you have watched. The succession of actions or events that advanced the plot of your program will be expressed in the **passé composé**. However, scenes that were purely descriptive, in which no further action took place, will be expressed by the imperfect. Such descriptive scenes were those in which the camera held a scene, panned around the set, or went in for a close-up.

Read the following account of an accident as if you were going to film it for TV.

Il pleuvait et la route était glissante (*program opens with the camera panning the scene of rain coming down on a slick road*). Un camion est apparu et a tourné le coin (*action of a truck coming into view and turning the corner*). Le camion approchait du carrefour (*the camera holds the scene of the truck continuing along the highway toward the intersection*), quand soudain une voiture a passé le feu rouge (*a car appears on camera and runs through the red light*). Le camion a frappé la voiture au milieu du carrefour (*the action of collision*) et la force de la collision était énorme (*the camera holds the scene of the effects of the impact*).

Un homme a couru à la voiture et a regardé dedans (*a man comes on camera and looks in the car*). Il a regardé le chauffeur pendant quelques secondes (*the man looks at the driver and then he starts trying to help him*), et alors il a essayé plusieurs fois de le ressusciter (*the camera shows the repeated attempts to revive the driver*). Le chauffeur

saignait beaucoup (*a close-up of the bleeding driver*); l'homme n'a plus voulu le toucher (*the man moves back, afraid to touch the injured driver*); il ne savait pas quoi faire (*the camera zooms back on the scene of the bewildered man standing over the driver*). Enfin le chauffeur a ouvert ses yeux, s'est levé et a fait un effort pour marcher (*the camera focuses on the driver getting up and taking a step*), mais il n'a pas pu (*the driver falls*); il ne pouvait rien faire (*a close-up of the immobile driver*). Le pauvre chauffeur faisait souvent cette même route (*a flashback of trips over the same road in the past*), mais ce dernier trajet a été un désastre (*a closing shot of the driver on the ground, the police and ambulance arriving*).

Exercice d'application

Choisissez la justification de l'emploi de l'imparfait ou du passé composé.

Passé Composé

a. Isolated action
b. Specified beginning or end
c. Series of actions
d. Reaction to an event or situation / Change in a state or condition

Imparfait

e. Decor / Simultaneous action
f. Habitual action
g. State or condition
h. Idiomatic use

La télévision *marchait* (1) quand je *suis entré* (2) dans la pièce. Parce que je ne *voulais* (3) pas rater mon programme, je me *suis assis* (4) immédiatement devant le poste. C'*était* (5) un film de Jean Renoir. Il *a duré* (6) deux heures et quand il *s'est terminé* (7), j'*ai fermé* (8) le poste. Voilà ce que j'*ai fait* (9) hier soir.

Mon frère m'*a demandé* (10) de raconter ce qui *est arrivé* (11) pendant le feuilleton. Normalement il *regardait* (12) cette émission tous les jours sans exception. Mais ce jour-là, il *est sorti* (13) à l'heure où le programme *commençait* (14). Il ne *savait* (15) pas que je n'*étais* (16) pas à la maison pendant que cette émission *passait* (17) à la télé. Je n'*ai* pas *pu* (18) faire le récit des aventures de son héros préféré. Il *a eu* (19) un grand chagrin!

Quel manque de chance! Robert *regardait* (20) le plus grand match de football de l'année. Tout *allait* (21) bien. Soudain, un bruit bizarre *est sorti* (22) du récepteur—le poste *était* (23) en panne. D'habitude, Robert *téléphonait* (24) à l'atelier de réparation quand cette sorte de catastrophe *arrivait* (25). Mais aujourd'hui, quand il *a voulu* (26) appeler au secours il *s'est fâché* (27), car c'*était* (28) dimanche. Tout à coup, Robert *a eu* (29) une idée: «Si j'*allais* (30) chez mon très bon ami Henri qui a une si belle télé en couleurs?»

Exercices d'ensemble

A. Complétez chaque phrase par la forme convenable des verbes entre parenthèses.

1. (adorait / a adoré) Sa petite fille _____ regarder cette émission tous les jours à cinq heures.
2. (a été / était) Gérard a demandé si le poste _____ branché.
3. (a déjà raté / avait déjà raté) Jerry _____ son jeu favori quand il a découvert sa bêtise.
4. (ne regardais pas / n'ai pas regardé) En général, je _____ la publicité quand elle paraissait à la télé.
5. (louaient / ont loué) Je pense que les deux amis _____ un appartement ensemble hier.
6. (était / a été) Quand Jeanne a vu qu'il n'y avait pas de poste de télévision dans l'appartement, elle _____ surprise.
7. (avait déjà émerveillé / a déjà émerveillé) Cet homme _____ plusieurs fois la foule quand il a eu son accident.
8. (voyais / as vus) Tu vas me décrire les programmes que tu _____ la veille.
9. (a plu / pleuvait) Hier, il _____ et j'ai décidé de rester à la maison.
10. (ont vu / avaient vu) Les Français ont apprécié ce feuilleton après qu'ils l'_____ .

B. Complétez chaque phrase par la forme convenable de l'infinitif entre parenthèses.

1. Tout à coup, Jerry (*changer*) de chaîne.
2. La semaine dernière, j'ai essayé de gagner un peu d'argent, mais je (*ne pas réussir*).
3. Parce que je (*être*) malade, j'ai regardé le film à la télé.
4. Quand nous avons regardé ce feuilleton nous (*avoir*) une drôle d'émotion.
5. Michel a presque raté «Dallas» parce qu'il est arrivé en retard et l'émission (*commencer*) dix minutes plus tôt.
6. Quand j'étais jeune, je (*passer*) beaucoup de temps à écouter des disques.

7. Mes parents *(accueillir)* mes copains plusieurs fois.
8. Vous avez raté le match de football. Si seulement vous *(venir)* plus tôt!
9. Nous *(aller)* au concert quand notre voiture est tombée en panne.
10. Ce garçon *(s'entendre)* toujours bien avec sa famille.
11. Quand le marchand a expliqué le problème, les jeunes filles *(se rendre compte)* de leur erreur.
12. Quand j'ai vu l'examen, je *(penser)* que je n'avais pas assez étudié.

Activités d'expansion

A. *Interviews.* Posez les questions suivantes à des camarades de classe.

Le Marché

1. Es-tu allé(e) au marché cette semaine?
2. De quoi avais-tu besoin?
3. Y avait-il beaucoup de gens dans le supermarché?
4. Qu'est-ce que tu as acheté?
5. As-tu oublié d'acheter quelque chose?

La Famille

1. Où es-tu né(e)?
2. Est-ce que ta famille a vécu dans plusieurs villes?
3. Est-ce que tes parents étaient plutôt indulgents ou sévères?
4. Est-ce que tu avais beaucoup de copains quand tu étais jeune?
5. Est-ce que tes frères ou tes sœurs jouaient souvent avec toi?

L'Ecole

1. As-tu souvent changé d'école quand tu étais jeune?
2. Pourquoi es-tu venu(e) à cette université?
3. Manquais-tu souvent les cours quand tu étais à l'école secondaire?
4. Qu'est-ce que tu aimais faire après l'école?
5. Quels cours as-tu choisis cette année?

B. Mettez les verbes entre parenthèses au temps passé qui convient (passé composé, imparfait, plus-que-parfait). Faites attention à l'accord du participe passé et à la position des adverbes.

1. Le Marché

Quand je *(être)* jeune, je *(aller)* souvent au marché avec mes parents, surtout le samedi matin. Au marché il y *(avoir)* un vieux marchand qui *(sembler)* attendre mon arrivée. Il me *(saluer)* toujours avec un beau sourire et me *(donner)* très souvent le plus beau des fruits qu'il *(avoir)*. Mes parents *(ne pas vouloir)* qu'il m'offre un fruit chaque fois qu'on *(aller)* au marché et il *(avoir)* l'air de comprendre cela.

Un certain samedi, nous *(aller)* chercher un de mes petits amis qui *(vouloir)* nous accompagner au marché. Quand nous *(arriver)* chez lui, il *(ne pas être)* pas prêt. Nous l'*(attendre)* longtemps. Mes parents *(se fâcher)* un peu parce qu'il *(ne pas être)* prêt. Enfin, nous *(partir)* pour le marché. Quelle joie! Mon petit ami *(aller)* faire la connaissance du vieux marchand. Je *(être)* si content!

En arrivant au marché, mon petit ami et moi, nous *(descendre)* de la voiture et nous *(courir)* jusqu'à l'endroit où *(se trouver)* d'habitude le vieux marchand. Il *(être)* là comme toujours et je le *(présenter)* à mon petit ami. Il nous *(offrir)* deux belles pommes rouges et nous les *(accepter)*. Il nous *(poser)* beaucoup de questions au sujet de notre école. Je *(voir)* dès le début que mon petit ami *(s'entendre)* bien avec lui et je *(être)* fier de cela. Nous *(causer)* beaucoup avant l'arrivée de mes parents qui *(regarder)* déjà les produits des autres marchands. Mais comme d'habitude, ils *(ne pas pouvoir)* résister aux beaux fruits et légumes de mon vieil ami et ils *(faire)* des achats.

2. Cendrillon

La petite Cendrillon *(vivre)* dans une grande maison avec sa belle-mère et deux demi-sœurs qui *(être)* très laides. Ces demoiselles *(être)* en train de préparer leurs costumes de bal, car elles *(recevoir)*, la veille, une belle invitation au château du prince. Cendrillon *(désirer)* aller au bal, elle aussi, mais elle *(savoir)* qu'elle *(ne pas pouvoir)* et elle *(être)* triste. Tout à coup, une fée *(se présenter)* devant elle et *(dire)* à Cendrillon d'aller au bal. La fée *(offrir)* à la jeune fille une robe magnifique et une belle voiture avec des chevaux et un cocher. Mais la fée *(donner)* un dernier conseil à Cendrillon. Elle *(devoir)* rentrer avant minuit. Le soir du bal *(arriver)* et Cendrillon *(partir)* au chateau où elle *(danser)* avec le prince. La beauté de la jeune fille *(émerveiller)* tout le monde et surtout le prince. Mais Cendrillon *(ne pas oublier)* les conseils de la fée et quand l'heure de minuit *(sonner)*, elle *(quitter)* le palais. Et comme la fée *(promettre)*, la robe, la voiture et les chevaux *(disparaître)*. Heureusement, Cendrillon *(laisser)* un de ses souliers de cristal au palais, et un jour le prince *(pouvoir)* retrouver la jolie jeune fille qui *(devenir)* sa princesse.

3. Une Emission à la télé

Imaginez ma grande surprise quand je *(allumer)* mon poste de télévision l'autre soir. Je *(voir)* sur le petit écran des créatures qui *(ne pas être)* humaines, mais elles *(parler)*, elles *(chanter)*, elles *(danser)*. Il y *(avoir)* surtout une grenouille qui *(s'appeler)* Kermit et une truie, Miss Piggy, qui *(essayer)* déjà plusieurs fois de gagner l'attention de Kermit et qui *(faire)* encore un autre effort. Je ne sais pas si elle *(réussir)*, mais je *(prendre)* la décision de regarder cette émission la semaine prochaine.

C. *Interview. Le semestre dernier.* Posez les questions suivantes à un(e) camarade de classe.

1. Est-ce que tu étais surchargé(e) de travail?
2. Combien de cours as-tu suivis? Quels cours?
3. Sortais-tu souvent? Où allais-tu?
4. Avais-tu beaucoup de travaux écrits? Dans quelles matières?
5. Avais-tu déjà suivi un cours avec les mêmes professeurs?
6. Avais-tu fait de nouveaux amis?
7. Avais-tu reçu de bonnes notes?
8. Etudiais-tu souvent à la bibliothèque?
9. Avais-tu déjà choisi une spécialité avant ce semestre-ci?
10. Avais-tu fréquenté une autre université avant de venir ici?

D. Utilisez le schéma suivant pour composer des phrases originales. Mettez le premier verbe à l'imparfait pour décrire un décor et le deuxième au passé composé pour indiquer une action.

Je Mon (ma) camarade de chambre Mes copains Mon père Ma mère Mes parents Ma famille Mon prof	aller venir finir faire regarder essayer rentrer s'amuser boire se dépêcher être s'ennuyer passer jouer entrer sortir avoir	quand soudain... le jour où... au moment où...

E. Voici quatre décors: (1) Quand j'avais dix ans... (2) Quand j'étais à l'école secondaire... (3) Le semestre dernier... (4) L'été passé...

Choisissez un de ces décors et composez une petite histoire avec des phrases originales qui commencent par chacune des expressions suivantes:

D'habitude	A dix heures
Tous les jours	Vite
Souvent	Ensuite
Un jour	Puis
Ce jour-là	Finalement
Soudain	

F. *Situations orales*

1. Un membre de la classe annonce quelque chose qu'il (elle) a fait en se servant du passé composé. Les autres étudiants doivent lui poser des questions sur la situation qu'il a annoncée mais ils doivent alterner les questions à l'imparfait et au passé composé.

   Exemple: *Ce matin je suis allé(e) à mon cours de maths.*
   Est-ce que le cours était à huit heures?
   Est-ce que le prof a beaucoup parlé?

2. Un voyage imaginaire. Un(e) étudiant(e) va imaginer un voyage à un endroit célèbre du monde. Il (elle) va annoncer à la classe: «J'ai fait un voyage.» Les autres étudiants vont lui poser des questions sur son voyage imaginaire. Ils doivent essayer de deviner l'endroit qu'il a visité.

3. Vous êtes en France et vous avez eu un problème (un accident, votre passeport volé, etc.). Vous allez au commissariat et vous expliquez ce qui vous est arrivé. Un(e) autre étudiant(e) va jouer le rôle du gendarme qui écoute votre histoire et vous pose des questions convenables.

G. *Situations écrites*

1. Racontez un événement important ou dramatique dans votre vie en vous servant de tous les temps passés convenables.
2. Racontez l'intrigue d'un film ou d'une émission que vous avez regardée à la télé.
3. Il y a eu un jour un accident, et...
4. Ecrivez une composition qui raconte ce que vous avez fait pendant les vacances, ou l'été dernier, ou la semaine passée.

On peut consulter des affiches pour savoir ce qu'on passe au cinéma. (sur un boulevard à Paris)

Lecture:

Etes-vous amateur de films?

Aimez-vous le cinéma? C'est un divertissement pas cher où l'amateur° s'amuse aussi bien que le cinéphile.° Et c'est très pratique, n'est-ce pas, si on a un rendez-vous et surtout si on amène° quelqu'un à la première d'un film où on peut rencontrer des acteurs, des actrices et des metteurs en scène° célèbres? Y a-t-il quelque chose de plus chic? Quelle sorte de film vous donne le plus grand plaisir? Est-ce la superproduction avec beaucoup de vedettes?° Préférez-vous le documentaire, le film policier° ou même le western?° A votre avis, les films étrangers en version originale° (avec des sous-titres,° bien sûr) sont-ils meilleurs que les films en version doublée?° Si vous habitez une grande ville ou une petite ville universitaire, vous avez sûrement un assez grand choix de films. Y a-t-il parfois chez vous la possibilité d'assister à un festival où on donne des films classiques ou récents, mais jamais de navets?° Etes-vous amateur de cinéma? Il y a peut-être aussi à votre disposition des ciné-clubs° où on peut étudier des films qui valent° vraiment la peine,° sans payer très cher.

En France on trouve beaucoup de salles de cinéma,° surtout à Paris. Mais, attention! Il ne faut pas confondre° salle de cinéma et salle de théâtre.° Si vous désirez aller au théâtre pour voir une pièce,° il faut souvent téléphoner au guichet° pour réserver des places.° Le cinéma n'est pas si compliqué. Qu'est-ce qu'il faut faire, par exemple, si l'affiche° du Cinéma Rex annonce qu'on passe° un bon film d'épouvante° en ce moment? D'abord, invitez-vous quelqu'un à vous accompagner? Bien sûr! Il ne faut jamais voir tout seul un film comme *Frankenstein*. Ensuite, est-il nécessaire d'acheter des billets° d'avance? Non, mais il faut quelquefois faire la queue° devant le guichet. La caissière° vous vend vos billets et vous entrez. En France, une ouvreuse° vous accompagne jusqu'à votre place. (N'oubliez pas le pourboire!°) Et voilà! Le spectacle° commence. Mais, qu'est-ce qui se passe? Ce n'est pas le grand° film annoncé? Pas encore. Il y a d'abord un court métrage°—un dessin animé,° un documentaire ou les actualités°—et après, le long métrage.° A l'entracte° on peut aller au bar° acheter des bonbons, une glace° ou même une bière. Il y a aussi quelques petits films publicitaires pour encourager les clients à acheter des refraîchissements° qu'on vend dans la salle. La publicité terminée, la séance° recommence et vous retrouvez le héros, l'héroïne et le traître.° Y a-t-il souvent de ces personnages° dans un film d'épouvante? Toujours, même si on varie l'intrigue,° l'interprétation,° le décor° et les personnages.

Mais il y a tant d'autres genres de film. Est-ce que vous désirez des précisions° supplémentaires° sur un film? Voulez-vous savoir pourquoi Gérard Depardieu a joué son dernier rôle ou pourquoi le metteur en scène, Truffaut, a tourné° tel ou tel° film? Prenez un abonnement° à une revue° de cinéma. Il y a de très bons magazines et aussi de très mauvais!

Le grand écran° séduit° les gens depuis déjà longtemps. Que pensez-vous du cinéma?

Vocabulaire

NOMS

abonnement *m* subscription
actualités *f pl* newsreel
affiche *f* playbill
amateur *m* fan
bar *m* snackbar
billet *m* ticket
caissière *f* ticket seller
ciné-club *m* movie club
cinéphile *m, f* movie buff
court métrage *m* short feature
décor *m* set, scenery
dessin animé *m* cartoon
écran *m* screen
entracte *m* intermission
film d'épouvante *m* horror movie
film policier *m* detective movie
glace *f* ice cream
guichet *m* ticket window
interprétation *f* acting
intrigue *f* plot
long métrage *m* full-length film
metteur en scène *m* director
navet *m* "bomb"
ouvreuse *f* usherette

personnage *m* character
pièce *f* play
place *f* seat
pourboire *m* tip
précision *f* detail
rafraîchissement *m* refreshment
revue *f* magazine
salle de cinéma *f* movie house
salle de théâtre *f* theater
séance *f* showing, performance
sous-titre *m* subtitle
spectacle *m* show
traître *m* villain
vedette *f* male or female star
western *m* cowboy movie

VERBES

amener to bring along
confondre to confuse
faire la queue to stand in line
passer to show
séduire to attract
tourner to make
valoir la peine to be worth the trouble

ADJECTIFS / LOCUTIONS ADJECTIVES

doublé dubbed
en version originale in the original language
grand main
supplémentaire further
tel ou tel this or that

A. Choisissez dans la liste à droite une définition pour chaque expression de la liste à gauche.

1. un film en version originale
2. le guichet
3. le pourboire
4. une vedette
5. une salle de cinéma
6. un film d'épouvante
7. un film en version doublée
8. l'intrigue
9. une affiche
10. l'écran

a. un acteur ou une actrice célèbre
b. l'histoire racontée dans un film
c. un film présenté dans la langue du pays où l'on a tourné le film
d. le lieu où l'on projette des films
e. le lieu où l'on achète un billet
f. la publicité pour un film
g. un film d'horreur
h. la somme d'argent donnée à une personne qui rend un service
i. le tableau blanc où l'on projette les films
j. un film présenté dans la langue du pays où passe le film

B. Complétez chaque phrase par un terme de la liste suivante.

les actualités le court métrage l'entracte
la caissière le dessin animé un navet
un cinéphile l'écran l'ouvreuse

1. _____ doit beaucoup à l'inspiration de Walt Disney.
2. On peut fumer une cigarette ou prendre quelque chose à boire pendant _____ .
3. C'est _____ qui vend les billets.
4. _____ montrent les nouvelles de la semaine.
5. D'habitude, j'aime beaucoup _____ qui précède le grand film.
6. Un mauvais film est _____ .
7. Changeons de place, je ne peux pas voir _____ .
8. On donne un pourboire à _____ .
9. Il aime beaucoup voir les films étrangers. C'est _____ .

C. *Le Cinéma en France.* Complétez les phrases suivantes.

1. Des gens qui se réunissent pour voir et discuter des films sont souvent membres d'...
   a. un festival
   b. une vedette
   c. un ciné-club
   d. une première

2. Pour entrer au cinéma, on doit souvent...
   a. réserver des places
   b. faire la queue
   c. aller à un festival
   d. être membre d'un ciné-club
3. Quand on montre un ensemble de films classiques d'un certain metteur en scène, il s'agit d'...
   a. un festival
   b. une première
   c. un rendez-vous
   d. un spectacle
4. A l'intérieur de la salle de cinéma en France, vous allez...
   a. trouver vous-mêmes vos places
   b. acheter vos billets chez la caissière
   c. faire la queue
   d. donner un pourboire à l'ouvreuse
5. Un acteur ou une actrice célèbre s'appelle...
   a. une caissière
   b. un cinéphile
   c. un metteur en scène
   d. une vedette

D. *Le Cinéma aux Etats-Unis.* Demandez à un(e) camarade de classe:

1. s'il (si elle) est amateur de cinéma.
2. si l'on passe beaucoup de films étrangers en version originale ici.
3. s'il y a des festivals de films sur le campus.
4. si les Américains préfèrent les films policiers ou les westerns.
5. si les ciné-clubs sont à la mode aux Etats-Unis.
6. s'il faut réserver des places pour aller au cinéma.
7. s'il y a des affiches devant les cinémas américains.
8. s'il y a des ouvreuses dans les cinémas américains.
9. si on montre toujours un dessin animé au cinéma.
10. s'il y a des actualités et de la publicité au cinéma ici.
11. s'il (si elle) boit de la bière au cinéma.
12. s'il (si elle) a un abonnement à une revue de cinéma.

Structures

⚠ RAPPEL   ⚠ RAPPEL   ⚠ RAPPEL

1. As you have seen in Chapters 3 and 4, questions seeking a *yes* or *no* answer are formed by using one of the basic question patterns to make a declarative sentence interrogative.

2. Questions that seek to gain some specific information will contain an interrogative expression (adverb, pronoun, or adjective) whose only function in the sentence is to elicit the desired information (*why, who, which,* etc.).

3. The key to forming questions in French is to realize that the interrogative expression itself does not form the question; it only elicits the information. You must still use one of the basic question patterns (normally **est-ce que** or inversion) to form the question. Such questions are actually composed of two separate slots, each of which must be manipulated independently.

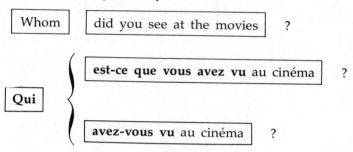

$$\boxed{\text{Whom}}\quad \boxed{\text{did you see at the movies}}\quad ?$$

$$\boxed{\text{Qui}}\;\left\{\begin{array}{l}\boxed{\textbf{est-ce que vous avez vu } \text{au cinéma}}\quad ? \\[2ex] \boxed{\textbf{avez-vous vu } \text{au cinéma}}\quad ?\end{array}\right.$$

1. Interrogative Adverbs

Interrogative adverbs are used to request information about time, location, manner, number, or cause. Commonly used interrogative adverbs are listed below.

- Time

   quand when
   à quelle heure when, at what time

   Quand est-ce que ce film passe?
   Quand commence le grand film?
   A quelle heure êtes-vous arrivé au cinéma?
   A quelle heure finit la première séance?

- Location

   où where

   Où est-ce que Truffaut a tourné ce film?
   Où joue ce nouveau film d'épouvante?

- Manner

   comment how

   Comment est-ce que Jean a trouvé le film?
   Comment s'appelle cet acteur?

- Number

> **combien**   how much
> **combien de**   how many

> > **Combien** avez-vous payé les billets?
> > **Combien** coûte une bière?
> > **Combien de** billets a-t-il pris?
> > **Combien de** places y a-t-il dans la salle?

- Cause

> **pourquoi**   why

> > **Pourquoi** Jean est-il rentré?
> > **Pourquoi** est-ce que ces billets coûtent si cher?

With the interrogatives **quand, à quelle heure, où, comment,** and **combien,** you may invert the noun subject and its verb to form the question if the verb is in a simple tense and has no object. The noun subject will be the last element in the question.

> > **A quelle heure** commence **le long métrage**?
> > **Où** passe **ce nouveau film**?

This type of inversion cannot be made with the expressions **combien de** or **pourquoi,** since normal sentence structure will prevent the noun subject from being the last element in the question.

> > **Combien de** places est-ce que Jean prend?

Exercices d'application

A. Formulez la question logique qui correspond à la partie indiquée en italique dans chaque phrase.

1. La première séance de ce film commence *à 19 heures.*
2. Jean est parti *parce qu'il ne trouvait pas ce film intéressant.*
3. Je vais attendre *au parking.*
4. On donne les meilleurs films *pendant le week-end.*
5. J'ai payé *45 francs* les billets pour cette première.
6. Il va venir *en voiture.*
7. J'ai vu *deux* films la semaine dernière.
8. Le bar se trouve *au rez-de-chausée.*
9. Nous sommes allés au cinéma *vendredi dernier.*
10. Elle a trouvé ce film *vraiment bizarre.*

B. Formez des questions en faisant toutes les transformations nécessaires.

1. Où / se trouver / le parking
2. Pourquoi / vous / aller / voir / ce film / hier soir
3. A quelle heure / Paul et Marie / vouloir / partir
4. Combien de / bières / je / devoir / demander

5. Comment / vous / trouver / les rafraîchissements
6. Combien / il / payer / les places / samedi dernier
7. Quand / elles / s'amuser
8. Où / on / mettre / les sous-titres

C. Répondez aux questions suivantes.

1. A quelle heure êtes-vous arrivé(e) à l'école ce matin?
2. Combien de cours suivez-vous?
3. Où habite votre famille?
4. Quand allez-vous partir du campus?
5. Où prenez-vous un pot quelquefois?
6. Combien avez-vous payé vos livres de français ce semestre?
7. Pourquoi avez-vous choisi cette université?
8. Combien d'enfants y a-t-il dans votre famille?

2. Interrogative Pronouns

A. **Questions about People** To ask questions about people, use the interrogative pronoun **qui**. The distinction between *who/whom* in English does not exist in French, since **qui** is used for both *who* (subject) and *whom* (object).

1. *Qui* **as Subject** As the subject of a question, **qui** both elicits the information and forms the question. **Qui** is the first word in the question and is followed by the verb in the third-person singular. There is no change in word order.*

> **Qui** vient avec vous?
> **Qui** a tourné ce film?
> **Qui** est Catherine Deneuve?

2. *Qui* **as Object** When **qui** is the direct object of the sentence, it is still the first word, but you must use either **est-ce que** or the appropriate type of inversion to form the question.†

> **Qui est-ce que** Jean emmène au cinéma?
> **Qui ont-ils** vu au cinéma?

3. *Qui* **as Object of a Preposition** When **qui** is the object of a preposition, the preposition normally becomes the first word in the question. **Qui**

---

*There is an alternate subject form, **qui est-ce qui**, that is used in the same way, but **qui** is normally preferred for its simplicity.
> **Qui est-ce qui** a tourné ce film?

†Beware of the incorrect but common English pattern *Who are you taking to the movies?* that leads you mistakenly to believe that *who* is the subject rather than *you*. When expressing such a sentence in French, you must realize that **vous** is the subject and **qui** is the object.
> **Qui est-ce que** vous amenez au cinéma?

immediately follows the preposition. Either **est-ce que** or the appropriate inversion of subject and verb must be used to form the question.*

> **Avec qui est-ce que** vos amis sont venus?
> **De qui s'agit-il** dans ce film?

Exercice d'application

Formulez la question logique qui correspond à la partie indiquée en italique dans chaque phrase.

1. Nous allons retrouver *nos amis* au parking.
2. *Le metteur en scène* a critiqué l'interprétation.
3. Elle a rendu la monnaie à *Pierre*.
4. *Tout le monde* s'amuse à ce film.
5. Marie va partir avec *Paul*.
6. Il a amené *Catherine*.
7. Je vais acheter les billets pour *Roger et Hélène*.
8. Il faut donner un pourboire à *l'ouvreuse*.
9. Nous avons invité *toute la bande*.
10. *Chantal* prend la voiture.

B. **Questions about Things, Actions, and Situations** Asking questions in French about things, actions, or situations requires using a different interrogative word in each case. This may be confusing for the English speaker, since the same interrogative, *what,* is used in English as both subject and object.

1. *Qu'est-ce qui* **("What" as Subject)** When *what* is the subject of a question, the interrogative pronoun **qu'est-ce qui** is used without exception. It both asks for the information and forms the question; neither **est-ce que** nor inversion is required.

> **Qu'est-ce qui** arrive au début du film?
> **Qu'est-ce qui** vous amuse dans ce film?

2. *Que* **("What" as Object)** When *what* is the direct object, **que** is used to elicit the information, but it does not form the question. You must use either **est-ce que** or the appropriate type of inversion after **que.** The form **qu'est-ce que (que + est-ce que)** is preferred in everyday speech.

> **Qu'est-ce qu'il y a** à l'affiche? **Qu'y a-t-il** à l'affiche?
> **Qu'est-ce que** vous faites ce soir? **Que faites-vous** ce soir?

3. *Quoi* **("What" as Object of a Preposition)** When *what* is the object of a preposition, the interrogative used is **quoi.** The preposition is normally the first word in the question. **Quoi** immediately follows the preposition and precedes either **est-ce que** or inversion.

---

*Once again, pay special attention to the incorrect English pattern *Who are you going to the movies with?* In English, people often end a sentence with a preposition, but this is never done in French.

> **Avec quoi est-ce que** nous allons payer les billets?
> **De quoi s'agit-il** dans ce film?

4. Asking for a Definition

Qu'est-ce que c'est?	What is it?
Qu'est-ce que c'est que ça (cela)?	What is that?
Qu'est-ce que c'est que l'affiche?	What is the playbill?
Qu'est-ce que c'est qu'un navet?	What is a bomb?

Exercices d'application

A. Complétez les questions suivantes par la forme interrogative convenable.

1. _____ la bande fait pour s'amuser le week-end?
2. _____ se passe dans ce film?
3. _____ Jean-Louis a pris au bar?
4. _____ y avait-il comme grand film?
5. De _____ s'agit-il dans ce documentaire?
6. _____ le festival a offert comme film?
7. _____ rend les actualités intéressantes?
8. A _____ ce film fait-il allusion?
9. _____ on passe au Rex ce week-end?
10. Avec _____ payez-vous les billets?

B. Formulez la question logique qui correspond à la partie indiquée en italique dans chaque phrase.

1. Il attend *la première*.
2. Elles se souviennent du *rendez-vous*.
3. *Ce documentaire* est formidable.
4. Les Martin nous ont envoyé *les billets*.
5. Les étrangers apprécient *les sous-titres*.
6. *Les aventures* constituent l'intérêt de cette histoire.
7. *Le nombre de places* est limité.
8. Truffaut tourne *un nouveau film* maintenant.
9. Ils offrent *des rafraîchissements*.
10. On parle *du ciné-club*.

Exercices d'ensemble

A. Formulez des questions originales en employant les adverbes suivants.

1. Où
2. Pourquoi
3. Comment
4. Combien
5. A quelle heure
6. Combien de
7. Quand

Quelle affiche regardez-vous?

B. Complétez chaque question par le pronom interrogatif qui correspond à l'expression entre parenthèses.

1. (ma mère) _____ avez-vous accompagné ce soir?
2. (aller au cinéma) _____ vous avez fait hier?
3. (un ami) A _____ parliez-vous au bar?
4. (un meurtre) _____ arrive dans ce film?
5. (un chèque) Avec _____ payez-vous les billets?
6. (Jane Fonda) _____ joue ce rôle?
7. (M. Martin) _____ Jean a vu?
8. (une glace) _____ Marie achète?
9. (de la guerre) De _____ s'agit-il dans ce livre?
10. (l'argent) _____ a provoqué cette dispute?
11. (de la politique) De _____ vous avez parlé au café?
12. (rien) _____ Robert voulait?

C. Répondez aux questions suivantes.

1. Comment venez-vous à l'université?
2. Qui est votre meilleur ami?
3. Qu'est-ce que vous avez acheté récemment?
4. Avec qui allez-vous au cinéma?
5. De quoi avez-vous besoin au supermarché?

6. Qu'est-ce qui vous rend triste?
7. Qui est-ce que vous avez vu le week-end dernier?
8. Quand arrive-t-on pour le cours de français?
9. Qu'est-ce que vous lisez au bas de l'écran dans un film en version originale?
10. Qui a compris cette leçon?

D. Employez les expressions interrogatives de cette leçon pour poser une question logique à un(e) camarade de classe au sujet de...

1. sa famille
2. ses cours
3. ses distractions
4. le cours de français
5. ses copains

3. *Quel* and *Lequel*

A. *Quel* **Quel** has the English equivalents *what* and *which*. **Quel** is an adjective and must agree in gender and number with the noun it modifies, even if it is separated from that noun by other elements of the sentence.

	Singular	Plural
Masculine	*quel*	*quels*
Feminine	*quelle*	*quelles*

⚠ RAPPEL   ⚠ RAPPEL   ⚠ RAPPEL

One of the key problems in forming questions in French is to recognize when you must use the interrogative adjective **quel** as opposed to one of the interrogative pronouns.

Keep in mind that **quel** means *which* and is used when you want to single out one or more persons or things from a larger group.

Sometimes in English we use *what* as a modifier instead of *which: What time is it?* **Quel** should not be confused, however, with any of the interrogative forms meaning *what,* since as an adjective, it is always used in conjunction with a noun.

Below is an explanation of the types of sentence patterns in which **quel** and the noun it modifies are normally used.

1. *Quel + Etre + Noun* When **quel** precedes the verb **être,** the noun subject is inverted to form the question.

Quel est **le premier film** ce soir?
Quelle est **la langue** de la version originale?
Quels sont **les résultats** de cette investigation?
Quelles sont **les meilleures revues** de
cinéma?

2. *Quel* + **Noun Subject**   When the noun modified by **quel** is the subject of the sentence, **quel** both elicits the information and forms the question; normal declarative word order is used.

Quel acteur a joué le rôle principal?
Quels films passent en ce moment?

3. *Quel* + **Noun Object**   When the noun modified by **quel** is the direct object, **quel** only elicits the information; it does not form the question. The noun must be followed by either **est-ce que** or the appropriate type of inversion.

Quelles revues de cinéma **est-ce que** vous lisez?
Quelle interprétation a-t-il donnée à ce rôle?

4. **Preposition** + *Quel* + **Noun**   When the noun modified by **quel** is the object of a preposition, **quel** only elicits the information. The noun must be followed by either **est-ce que** or the appropriate type of inversion to form the question.

De quel film parliez-vous?
Pour quelle actrice a-t-il écrit ce rôle?
A quels films est-ce qu'il pense?

**Exercice
d'application**

Complétez les dialogues suivants par la forme convenable de **quel**.

1. —Je cherche des revues de cinéma.
   —_____ revues cherchez-vous?
2. —Je regarde l'affiche.
   —_____ affiche regardez-vous?
3. —On a parlé de plusieurs films.
   —De _____ films avez-vous parlé?
4. —Je me souviens surtout d'une certaine partie de ce film.
   —De _____ partie vous souvenez-vous?
5. —On présente beaucoup de festivals de film.
   —_____ festival de film aimez-vous?
6. —Nous avons parlé à des cinéphiles.
   —A _____ cinéphiles avez-vous parlé?
7. —Cette vedette ne joue pas bien.
   —_____ vedette ne joue pas bien?
8. —J'adore les dessins animés.
   —_____ dessins animés adorez-vous?

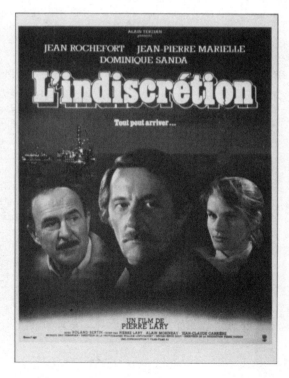

B. *Lequel*   **Lequel** has the English equivalent *which one.* **Lequel** is a pronoun that replaces **quel** and the noun it modifies and therefore must agree in gender and number with that noun. The following forms may refer to either persons or things.

	Singular	Plural
Masculine	*lequel*	*lesquels*
Feminine	*laquelle*	*lesquelles*

    Lequel is always used as the equivalent of *which one(s).* It never means *what,* so there should be no confusion with the other interrogative pronouns or with **quel.**

    Because it is a pronoun, **lequel** can be the subject or object of the verb or the object of a preposition.

1. *Lequel* **as Subject**   When **lequel** is the subject of the sentence, it elicits the information and forms the question.

> **Lequel** (de ces films) passe en ville?
> **Laquelle** (de ces actrices) est la plus belle?
> **Lesquels** (des metteurs en scène) ont gagné le prix de Cannes?
> **Lesquelles** (des revues) sont les meilleures?

2. *Lequel* **as Object**   When **lequel** is the direct object of the sentence, it only elicits the information. To ask the question, you must use either **est-ce que** or the appropriate form of inversion.

> **Lequel** (de ces films) est-ce que vous avez vu?
> **Laquelle** (de ces actrices) connaissez-vous?
> **Lesquels** (de ces acteurs) est-ce que vous préférez?
> **Lesquelles** (des revues) avez-vous lues?

3. *Lequel* **as Object of a Preposition**   When **lequel** is the object of a preposition, it elicits the information but does not form the question. It must be followed by either **est-ce que** or the appropriate type of inversion.

    When preceded by the prepositions **à** and **de, lequel** follows the same pattern of contraction as that of the definite article.

à	de
auquel	**du**quel
à laquelle	**de** laquelle
auxquels	**des**quels
auxquelles	**des**quelles

> **Duquel** (de ces films) parlez-vous?
> **Auxquels** (de ces acteurs) est-ce qu'elle a écrit?

but:

> **Avec lesquelles** (des étudiantes) sort-il?
> **Pour laquelle** (des séances) êtes-vous venu?

A. Complétez les dialogues suivants par la forme convenable de
lequel.

1. —Je viens de voir deux films.
   —_____ venez-vous de voir?
2. —J'ai reçu des billets pour deux premières qui ont lieu le même
   jour.
   —Alors, _____ allez-vous?
3. —Marie cherche des photos d'acteurs français.
   —_____ cherche-t-elle?
4. —Paul a parlé longtemps des acteurs canadiens.
   —_____ a-t-il parlé?
5. —Mon ami a écrit à un acteur.
   —_____ a-t-il écrit?
6. —Une vedette a envoyé sa photo à des jeunes filles dans mon
   lycée.
   —_____ a envoyé sa photo?
7. —Il y a deux guichets devant ce cinéma.
   —_____ achète-t-on les billets?
8. —On sert plusieurs boissons au bar.
   —_____ sert-on?
9. —Ils reçoivent deux revues différentes.
   —_____ est-ce qu'ils préfèrent?
10. —J'adore ces bonbons-là.
    —_____ adores-tu?

B. Employez la forme convenable de **lequel** pour formuler une
question logique comme réaction à chaque phrase.

1. Pierre va suivre cinq cours le semestre prochain.
2. Ma mère sert toujours le même dessert.
3. Je parlais à un de mes profs.
4. Nous cherchions nos copines.
5. On s'est bien amusé à cette soirée.
6. Elles aiment bien certains sports.
7. J'ai besoin d'un dictionnaire.
8. Il ne s'entend pas avec certaines personnes.
9. Nous avons bien indiqué nos sentiments.
10. Je viens d'acheter une nouvelle voiture de sport.

A. Complétez chaque question par le mot interrogatif qui correspond
à l'expression entre parenthèses.

1. (l'ouvreuse) _____ vend des rafraîchissements?
2. (dans la voiture de Jean) Dans _____ voiture allons-nous?
3. (rien) _____ vous savez de ce film?
4. (des films d'horreur) De _____ avez-vous peur?

5. (un bon décor) _____ manque à ce film?
6. (chez Pierre) Chez _____ dînent-elles?
7. (E. T.) _____ est le titre du nouveau film?
8. (son amie) _____ a-t-il amené?
9. (son premier mari) _____ l'actrice a vu à la première?
10. (le médecin et sa femme) _____ personnages préfériez-vous?
11. (aller à la première) _____ ils ont essayé de faire?

B. Formulez la question logique qui correspond à la partie indiquée en italique dans chaque phrase.

1. J'ai lu *un livre.*
2. Elles sont arrivées à *9 heures.*
3. Nous allons nous retrouver *devant l'affiche.*
4. Non, *je ne suis pas allé au festival.*
5. J'ai peur *quand le monstre arrive sur l'écran.*
6. On va rentrer *en voiture.*
7. *Le cinéma* est mon divertissement habituel.
8. Nous dînons dans *un de ces restaurants mentionnés dans le guide.*
9. Non, *Hélène et Marc n'ont pas pleuré.*
10. Elle a revu ce film *parce qu'elle l'adore.*
11. Un metteur en scène? *C'est un homme qui tourne des films.*
12. *C'est l'intrigue* qui est amusant.
13. *C'est Marie* qui s'amuse aux westerns.
14. On offre des films *en version doublée* en ville.
15. *Gérard Depardieu* est l'acteur que je préfère.

Activités d'expansion

A. Complétez le dialogue suivant. Employez les formules interrogatives presentées dans la leçon.

JEAN: _____ ?

NICOLE: Ce soir, je vais au cinéma.

JEAN: _____ ?

NICOLE: A la cinémathèque.*

JEAN: _____ ?

*Une cinémathèque présente, pour une somme modique, les chefs-d'oeuvre de tous les pays.

NICOLE: C'est *Le Dernier métro*.

JEAN: —————— ?

NICOLE: C'est un film de Truffaut.

JEAN: —————— ?

NICOLE: Catherine Deneuve et Gérard Depardieu.

JEAN: —————— ?

NICOLE: C'est l'histoire des aventures et des amours d'une troupe d'acteurs à Paris pendant l'occupation allemande.

JEAN: —————— ?

NICOLE: Non, ce n'est pas un film récent mais il est devenu un des classiques du cinéma français. —————— ?

JEAN: Oui, je veux le voir, bien sûr. Deneuve est une de mes actrices préférées. —————— ?

NICOLE: Je crois que la première séance est à huit heures.

JEAN: —————— ?

NICOLE: Oui, heureusement, il est en version originale.

JEAN: Alors, on se retrouve à huit heures moins le quart devant le guichet?

NICOLE: D'accord, à huit heures moins le quart devant le guichet.

B. Pour chacune des phrases suivantes, faites le plus grand nombre de questions possible.

Exemple: Marie a téléphoné.
   Pourquoi est-ce qu'elle a téléphoné?
   Quand est-ce qu'elle a téléphoné?
   A quelle heure est-ce qu'elle a téléphoné?
   Qu'est-ce qu'elle voulait?

1. J'ai perdu mon portefeuille.
2. J'ai besoin d'acheter une nouvelle voiture.
3. Jean-Luc a dit qu'il a vu un très bon film.
4. Les Dumont? Ils partent en vacances bientôt.
5. A propos, mon ami espagnol vient avec nous.

C. Utilisez chaque groupe de mots pour formuler une question. Employez des formules interrogatives.

Exemple: jouer / rôle principal
   Qui joue le rôle principal?

1. présenter / cinéma / en ville
2. payer / billets
3. se passer / film
4. film / vouloir / voir
5. aller / cinéma
6. amener / cinéma
7. prendre / cinéma
8. faire / après / cinéma
9. adorer / comme vedette
10. penser de / film

D. Posez les questions suivantes à un(e) camarade de classe.

1. Est-ce que tu as vu un film récemment?
2. Quel genre de film est-ce?
3. Quel est le titre du film?
4. Est-ce que le film est en noir et blanc ou en couleurs?
5. Est-ce que c'est un bon film ou un navet?
6. Qui est la vedette du film?
7. Qui sont les acteurs ou actrices de ce film?
8. Est-ce que tu sais le nom du metteur en scène du film?
9. Est-ce que la musique de ce film est agréable?
10. De quoi s'agit-il dans le film?

E. *Situations orales*

1. Vous êtes à Paris et on vous invite à aller voir un film. Quelles questions posez-vous pour savoir si vous voulez voir ce film?
2. Vous êtes à Nice et vous avez envie d'aller voir un film. Vous vous rappelez que le film *La Cage aux folles* est à l'affiche et joue au Cinéma Rex. Vous téléphonez au cinéma pour avoir des renseignements. Quelles questions posez-vous?
3. Choisissez un(e) de vos camarades de classe qui va penser à un film. Tous les autres étudiants vont lui poser des questions pour deviner le titre du film.

F. *Situations écrites*

1. Vous avez vu récemment un film que vous avez beaucoup aimé. Votre ami(e) ne l'a pas vu mais il (elle) veut tout savoir à propos de ce film. Ecrivez un dialogue entre vous deux pour expliquer tout au sujet du film.
2. Racontez l'intrigue d'un film que vous avez vu récemment.
3. Faites une liste des grandes questions de votre vie à l'avenir. Vous pouvez peut-être comparer votre liste aux listes de vos camarades de classe.

Chapitre 7

une chambre à la cité universitaire

Lecture:

Étudier à la française et à l'américaine

Pour les étudiants en année terminale au lycée, il n'y a pas un seul phénomène qui soit° plus important que le bac. Pourquoi? Quoi qu'°on veuille° faire comme études universitaires en France, il faut d'abord réussir au bac. Ce n'est pas comme en Amérique où il n'y a que très peu de gens qui ne puissent° pas trouver une université qui les accueille. En France, l'entrée à l'université dépend du bac.

Ce bac, de quoi s'agit-il? D'abord, tous les candidats en France passent° l'examen le même jour en juin. Les sujets varient selon° l'orientation des études qu'on fait depuis trois ans. Il y a, en tout, près de trente séries de bac actuellement. Tous ces jeunes de dix-huit ou dix-neuf ans travaillent très fort pendant les mois qui précèdent la date du baccalauréat. On bachote, c'est-à-dire, on assimile le plus grand nombre de faits° qu'on puisse apprendre par cœur.° On a toujours peur que les questions soient difficiles et on est rarement déçu° car les examinateurs° veulent qu'on réfléchisse et qu'on sache° répondre de façon analytique.° Ils veulent qu'on ait° ses idées précises d'afin qu'°on organise logiquement sa présentation.

Ensuite, le Ministère de l'Education nationale° choisit un groupe de professeurs comme correcteurs.° Ils reçoivent les copies° des candidats, vérifient les réponses et donnent une note° basée sur le système des vingt points. Si les candidats obtiennent une moyenne° d'entre douze et vingt, ils sont reçus.° S'ils ont une moyenne inférieure à huit, ils ratent le bac. Entre huit et douze on doit passer un examen oral pour être reçu. Les candidats qui échouent° sont tristes et surpris de ne pas voir leur nom sur la liste des élèves reçus au baccalauréat, et s'ils ne se rattrapent° pas, l'instruction universitaire leur est interdite.° Enfin, les autres candidats qui ont la chance d'être reçus (soixante pour cent, environ°) obtiennent ce diplôme d'études secondaires. Ils sont maintenant bacheliers° et peuvent entrer à l'université. Quelle vie les attend?

Il est vrai que, sur un niveau° pratique, quelques différences superficielles séparent l'université française de l'université américaine. Là-bas comme ici il faut s'inscrire° aux cours avant qu'°on puisse y assister.° En Amérique, pour établir° un programme d'études, on consulte un conseiller° académique qui participe à la sélection des cours. En France, cependant, avant de s'inscrire, les étudiants doivent vérifier eux-mêmes les matières° obligatoires pour leurs spécialisations.° Les inscriptions° ont lieu la première semaine de l'année scolaire° qui ne commence normalement qu'en octobre. Il faut que les étudiants français, comme vous, rem-

plissent° les formalités° afin de pouvoir régler° les frais d'inscription.°
Puisque° les études supérieures sont gratuites° en France, les frais
d'inscription ne coûtent que quelques centaines de francs—moins de
cent dollars américains. En Amérique, la somme est beaucoup plus con-
sidérable!

A l'université française, les étudiants suivent des cours où les professeurs font des conférences° et les assistants organisent des travaux
dirigés.° La présence est facultative° aux cours magistraux° qui ont lieu
dans de grands amphithéâtres° surchargés où il y a quelquefois plusieurs centaines de personnes. Mais dans les travaux dirigés, où les étudiants sont moins nombreux, la présence est, d'habitude, obligatoire et
l'instruction plus individualisée. En général, les étudiants français
sèchent° facilement les cours car ils peuvent souvent acheter à la li-
brairie° les polycopiés° des cours auxquels ils sont inscrits° et ensuite les
étudier eux-mêmes avant de se présenter à l'examen terminal.

En dehors de leurs cours, les étudiants français mènent une existence
assez différente de celle des étudiants américains. Ils préfèrent,
d'habitude, un style de vie qui leur permette un maximum de liberté.
Quoiqu'°il soit possible de louer une chambre dans une résidence à la
cité universitaire,° ils choisissent souvent de loger° en ville chez des gens
ou de partager un appartement avec d'autres étudiants. Ils prennent assez régulièrement leurs repas au Resto-U,° bien qu'°ils habitent loin du
campus, pour profiter des réductions offertes à tous les étudiants en
France. Si la qualité de la cuisine est souvent critiquée, on peut encore
manger un repas complet pour moins d'un dollar américain. Quoique
les étudiants français lisent beaucoup, on ne les trouve presque jamais à
la bibliothèque mais plutôt au café où ils bûchent° ou passent le temps à
discuter avec les copains.

Bien que les universités américaines aient subi° une grande quantité
de transformations et de modifications, il est douteux° que
l'enseignement supérieur chez nous ait jamais connu le choc° senti par
la France après la révolte des étudiants en 1968. Il n'est pas surprenant°
que cette révolte ait eu lieu. Si, par exemple, des étudiants devaient
interrompre leurs études avant d'avoir terminé le diplôme, encore qu'°ils
aient terminé plusieurs cours, aucun moyen° officiel n'existait pour re-
connaître° le travail qu'ils avaient fait. Aujourd'hui, pourvu qu'°ils aient
réussi au cours, les étudiants reçoivent une unité de valeur° (u.v.) qui
indique les progrès qu'ils ont faits vers un diplôme et qui fait partie de
leurs dossiers.° Aussi, avant 68, la réussite aux cours universitaires dé-
pendait uniquement des résultats obtenus à l'examen terminal. Une autre réforme provoquée par cette révolution a donné aux étudiants la
possibilité de choisir un système de contrôle continu des connaissances°
afin que le travail des étudiants soit noté sur plus d'une seule épreuve.°
Vous allez croire que ceci est étrange, mais les étudiants en France de-
mandaient un plus grand nombre d'examens!

Il y a un groupe important de Français qui ne pensent pas que ces
réformes soient allées assez loin. Pour ces gens, les grèves° et les mani-

festations° doivent continuer jusqu'à ce que° le système de l'université cesse d'être démodé.° Il semble donc que ces individus veuillent orienter l'instruction vers une formation° professionnelle qui corresponde plus étroitement au marché du travail.°

Vocabulaire

NOMS

amphithéâtre m   lecture hall
bachelier m   baccalaureate holder
choc m   shock
cité universitaire f   residence hall complex
conférence f   lecture
conseiller m   adviser
contrôle continu des connaissances m   periodic testing
copie f   exam copy
correcteur m   grader
cours magistral m   lecture by senior professor
dossier m   record
épreuve f   test
examinateur m   examiner
façon f   manner
fait m   fact
formalité f   form
formation f   education
frais d'inscription m pl   tuition, registration fees
grève f   strike
inscriptions f pl   registration
librairie f   bookstore

manifestation f   demonstration
marché du travail m   labor market
matière f   subject
Ministère de l'Education nationale   Department of Education
moyen m   means
moyenne f   average
niveau m   level
note f   grade
polycopié m   reproduced lecture notes
Resto-U m   university dining hall (slang)
spécialisation f   major field
travaux dirigés m pl   drill or discussion section
unité de valeur f   credit

VERBES

ait pres. subj. of **avoir**   have
apprendre par cœur   to memorize
assister à   to attend
bûcher   to cram (slang)
échouer   to fail
établir   to work out

s'inscrire   to enroll
loger   to lodge, to live
passer   to take
puissent pres. subj. of **pouvoir**   could
se rattraper   to make up
reconnaître   to acknowledge
régler   to settle
remplir   to fill out
sache pres. subj. of **savoir**   to know how
sécher   to cut
soit pres. subj. of **être**   is
subir   to undergo
veuille pres. subj. of **vouloir**   wish

CONJONCTIONS

afin que   in order to, that
avant que   before
bien que   although
encore que   although
jusqu'à ce que   until
pourvu que   provided
puisque   since
quoique   although

ADJECTIFS		EXPRESSIONS DIVERSES
analytique analytical	**gratuit** free	**afin de** in order to, that
déçu disappointed	**inscrit** enrolled	**avant de** before
démodé old-fashioned	**interdit** inaccessible	**environ** approximately
douteux doubtful	**reçu** successful	**quoi que** whatever
facultatif optional	**scolaire** academic	**selon** according to
	surprenant surprising	

Exercices de vocabulaire

A. Choisissez dans la liste à droite un synonyme pour chaque expression indiquée en italique.

1. Il va *passer* l'examen.
2. Elle va *être reçue à* l'examen.
3. Il va l'*apprendre par cœur.*
4. Elle va *rater* l'examen.
5. Il va *étudier fort pour le bac.*
6. Elle va *se rattraper.*

a. bachoter
b. se présenter une autre fois
c. mettre en mémoire
d. subir
e. réussir à
f. échouer à

B. Choisissez une substitution possible pour la partie indiquée en italique dans chaque phrase.

1. Après la révolte des étudiants en 1968, on a demandé un plus grand nombre *d'épreuves.*
   a. de cours
   b. de règles
   c. de grèves
   d. d'examens
2. En général, les étudiants français *sèchent* facilement leurs cours.
   a. manquent (à)
   b. assistent (à)
   c. donnent
   d. réussissent (à)
3. Les étudiants français choisissent souvent de *loger* en ville au lieu de louer une chambre dans une résidence à la cité universitaire.
   a. former
   b. habiter
   c. remplir
   d. dépendre
4. Les étudiants français *bûchent* souvent à la fin d'un cours.
   a. rigolent
   b. s'amusent
   c. écrivent
   d. lisent attentivement
5. Il n'est pas *surprenant* que Marc ait été reçu au bac.
   a. certain
   b. étonnant
   c. évident
   d. sûr
6. *Aucun moyen* n'existe pour changer la situation.
   a. Aucune raison
   b. Aucun désir
   c. Aucune excuse
   d. Aucune façon
7. Beaucoup d'étudiants cherchent une *formation* plus pratique.
   a. une préparation
   b. une inscription
   c. une manifestation
   d. une spécialisation

8. Il faut *régler* les frais d'inscription.
   a. établir   c. remplir
   b. former   d. payer
9. En France, les étudiants reçoivent une instruction *qu'il n'est pas nécessaire de payer.*
   a. générale   c. moyenne
   b. démodée   d. gratuite
10. A l'université française, il y a quelquefois des *grèves.*
   a. arrêts de travail   c. formalités
   b. conférences   d. épreuves

C. Complétez chaque phrase par un terme de la liste suivante. Faites tous les changements nécessaires.

assister	moyenne
conférence	reconnaître
dossier	spécialisation
s'inscrire	suivre
manifestation	

1. Il faut que les étudiants _____ aux cours s'ils veulent avoir de bonnes notes.
2. Il a séché le cours et il n'a pas entendu la _____ du professeur.
3. Hervé va _____ et régler ses frais d'inscription le même jour.
4. Marie-France _____ un cours de philosophie cette année.
5. A la fin de l'année scolaire, le directeur _____ le fait que les élèves étaient bien préparés.
6. Quelquefois, quand les étudiants ne sont pas contents, il y a des _____ contre les autorités universitaires.
7. Tous les étudiants veulent obtenir une bonne _____ dans leurs cours à l'université.
8. Toutes vos notes font partie de votre _____ .
9. Quelle est la _____ de Michèle?—C'est la biologie.

D. Contrastez les aspects suivants de la vie universitaire en France et aux Etats-Unis.

1. l'entrée à l'université
2. les inscriptions
3. l'année scolaire
4. les frais d'inscription
5. le nombre d'étudiants dans les cours
6. la présence aux cours
7. la façon d'étudier
8. le logement
9. les restaurants universitaires
10. les examens
11. les réformes

Structures

1. Formation of the Present Subjunctive

The subjunctive in French is a mood used in certain specific constructions to imply that a statement is open to doubt or is the subjective opinion of the speaker. If you keep this basic purpose of the subjunctive in mind, the rules governing its use will seem logical.

The subjunctive in English is not emphasized today, though some of our common speech patterns may involve the use of the subjunctive.

I wish John *were* here.
I'm looking for a car *that might get* better gas mileage.
I recommend *that he go* to the doctor.

Modern French makes more extensive use of the subjunctive. It is an important construction that you will hear often and need to know how to use.

There are four tenses of the subjunctive mood: the present, the past, the imperfect, and the pluperfect subjunctive. The two latter tenses are literary tenses that have limited use in modern French.* There is no future tense of the subjunctive. An action in the future will be expressed by the present subjunctive.

A. Regular Subjunctive Forms The formation of the present subjunctive is the same for all regular conjugations (**-er, -ir, -re**). To form the present subjunctive, drop the **-ent** ending of the **ils** form of the present indicative and add the appropriate endings: **-e, -es, -e, -ions, -iez, -ent.**

parler (ils parl**ent**)	**finir** (ils finiss**ent**)	**répondre** (ils répond**ent**)
que je parl**e**	que je finiss**e**	que je répond**e**
que tu parl**es**	que tu finiss**es**	que tu répond**es**
qu'il / elle / on parl**e**	qu'il / elle / on finiss**e**	qu'il / elle / on répond**e**
que nous parl**ions**	que nous finiss**ions**	que nous répond**ions**
que vous parl**iez**	que vous finiss**iez**	que vous répond**iez**
qu'ils / elles parl**ent**	qu'ils / elles finiss**ent**	qu'ils / elles répond**ent**

Most irregular verbs in **-ir** and **-re** (**lire, écrire, dormir, partir, mettre, etc.**) follow a regular pattern in the present subjunctive.

*For a discussion of the imperfect and pluperfect subjunctive, see Appendix A, 3, p. 270.

Complétez chaque phrase par la forme convenable du subjonctif du verbe indiqué dans la phrase précédente. Les phrases modèles sont à la forme **ils** de l'indicatif pour vous aider à former le subjonctif.

1. Ils *réussissent* au bac. Nos parents sont contents que nous _____ au bac.
2. Ils *se rattrapent*. Je veux que tu te _____ au bac.
3. Ils *lisent* leurs noms sur la liste. Nous sommes désolés que vous ne _____ pas votre nom sur la liste.
4. Ils *échouent* à l'examen. Ils ont peur que j' _____ à l'examen.
5. Ils *écrivent* de façon analytique. On préfère que les candidats _____ de façon analytique.
6. Ils *finissent* leurs études en juin. Croyez-vous qu'elle _____ ses études en juin?
7. Ils *s'entendent* avec leurs profs. Il vaut mieux que tu t' _____ avec tes profs.
8. Ils *obéissent* à leurs parents. Je ne pense pas qu'il _____ à ses parents.
9. Ils *dorment* tard le jour de l'examen. Il ne faut pas qu'on _____ tard le jour de l'examen.
10. Ils *étudient* fort pour le bac. On n'est pas surpris que nous _____ fort pour le bac.
11. Ils *partent* en vacances après l'année scolaire. Nous sommes heureux que tu _____ en vacances après l'année scolaire.

B. **Irregular Subjunctive Forms**   Certain irregular verbs have regular subjunctive stems but undergo spelling changes in the **nous** and **vous** forms that correspond to similar irregularities in the stem of the present indicative.

croire (ils croient)	**voir** (ils voient)	**prendre** (ils prennent)
que je croie	que je voie	que je prenne
que tu croies	que tu voies	que tu prennes
qu'il / elle / on croie	qu'il / elle / on voie	qu'il / elle / on prenne
que nous **croyions**	que nous **voyions**	que nous **prenions**
que vous **croyiez**	que vous **voyiez**	que vous **preniez**
qu'ils / elles croient	qu'ils / elles voient	qu'ils / elles prennent

tenir (ils tiennent)	**boire** (ils boivent)	**venir** (ils viennent)
que je tienne	que je boive	que je vienne
que tu tiennes	que tu boives	que tu viennes
qu'il / elle / on tienne	qu'il / elle / on boive	qu'il / elle / on vienne
que nous **tenions**	que nous **buvions**	que nous **venions**
que vous **teniez**	que vous **buviez**	que vous **veniez**
qu'ils / elles tiennent	qu'ils / elles boivent	qu'ils / elles viennent

devoir (ils doiv**ent**)

que je doiv**e**
que tu doiv**es**
qu'il / elle / on doiv**e**
que nous **devions**
que vous **deviez**
qu'ils / elles doiv**ent**

Stem-changing verbs undergo the same spelling changes in the present subjunctive as in the present indicative.*

A few verbs have totally irregular stems in the present subjunctive.

avoir

que j'**aie**
que tu **aies**
qu'il / elle / on **ait**
que nous **ayons**
que vous **ayez**
qu'ils / elles **aient**

être

que je **sois**
que tu **sois**
qu'il / elle / on **soit**
que nous **soyons**
que vous **soyez**
qu'ils / elles **soient**

vouloir

que je **veuille**
que tu **veuilles**
qu'il / elle / on **veuille**
que nous **voulions**
que vous **vouliez**
qu'ils / elles **veuillent**

pouvoir

que je **puisse**
que tu **puisses**
qu'il / elle / on **puisse**
que nous **puissions**
que vous **puissiez**
qu'ils / elles **puissent**

aller

que j'**aille**
que tu **ailles**
qu'il / elle / on **aille**
que nous **allions**
que vous **alliez**
qu'ils / elles **aillent**

savoir

que je **sache**
que tu **saches**
qu'il / elle / on **sache**
que nous **sachions**
que vous **sachiez**
qu'ils / elles **sachent**

faire

que je **fasse**
que tu **fasses**
qu'il / elle / on **fasse**
que nous **fassions**
que vous **fassiez**
qu'ils / elles **fassent**

Exercices d'application

A. Complétez chaque phrase par le subjonctif régulier du verbe dans la phrase précédente.

1. Nous achetons les provisions. Il faut que nous _____ les provisions.
2. Je bois du vin. Ils ne veulent pas que je _____ du vin.
3. Nous commençons en octobre. Je préfère que nous _____ en octobre.

*See Appendix B, 2, p. 306.

4. Vous ne voyez pas votre nom sur la liste. Il est triste que vous ne _____ pas votre nom sur la liste.
5. Il sait la réponse. Je doute qu'il _____ la réponse.
6. Nous venons demain. Ils désirent que nous _____ demain.
7. On ne vient pas en classe tous les jours. Le prof est fâché qu'on ne _____ pas en classe tous les jours.
8. Je prends l'autobus pour aller à l'école. Il est nécessaire que je _____ l'autobus pour aller à l'école.

B. Complétez chaque phrase par le subjonctif irrégulier du verbe de la phrase précédente.

1. Nous sommes reçus. Il est important que nous _____ reçus.
2. Tu sais la date de l'examen. Je suis heureux que tu _____ la date de l'examen.
3. Vous avez un programme surchargé. On est surpris que vous _____ un programme surchargé.
4. Je ne peux pas trouver de polycopiés. Il est regrettable que je ne _____ pas trouver de polycopiés.
5. Elles font des études supérieures. Je ne pense pas qu'elles _____ des études supérieures.
6. Il a tant de travail. Nous regrettons qu'il _____ tant de travail.
7. Je suis à l'université. Mes copains sont surpris que je _____ à l'université.
8. Il vont au café cet après-midi. Penses-tu qu'ils _____ au café cet après-midi?

2. Uses of the Subjunctive

The usual construction requiring the use of the subjunctive consists of a main clause containing a verbal expression that implies doubt or subjectivity followed by **que,** which introduces a subordinate clause with a change of subject.

Il **doute que je finisse** à l'heure.   He doubts that I'll finish on time.

It is always the subordinate verb that is in the subjunctive since there must be some expression in the main clause that requires a shift in the mood of that verb from the indicative (fact) to the subjunctive (doubt or subjectivity).

The two essential elements that call for the use of the subjunctive are implied doubt or subjectivity and change of subject. If either one of these elements is missing, the subjunctive will not be used.

- If you remove the element of doubt, the subjunctive is not required.

> **Il est certain que je vais finir** à l'heure.
>
> It is certain that I'll finish on time.

- If there is no change of subject, there is no need for a second clause and a subjunctive verb. In such cases, the main verb will be followed by an infinitive.

> Je **veux finir** à l'heure.   I want to finish on time.

 RAPPEL    RAPPEL    RAPPEL

The keys to using the subjunctive are as follows:

1. Learn the specific types of expressions that require the use of a subjunctive verb in a subordinate clause.
2. Check to see if the element of doubt or subjectivity is present in the main clause.
3. Verify that the subjects of the two clauses are different (subordinate clause with the verb in the subjunctive) or the same (conjugated verb followed by a dependent infinitive).

A. **Expressions of Doubt, Emotion, Will, and Thought** Expressions of doubt, emotion, will, and thought usually require the subjunctive in the subordinate clause when there is a change of subject and when the context implies doubt or subjectivity.

1. **Doubt** When used affirmatively or interrogatively, the expressions **douter** and **être douteux** require the subjunctive in a subordinate clause.

Je **doute qu'elle vienne** avec nous.	I doubt that she'll come with us.
Doutez-vous que je puisse réussir?	Do you doubt that I can succeed?
Il est douteux qu'il fasse des études supérieures.	It is doubtful that he'll have a higher education.
Est-il douteux qu'elles réussissent?	Is it doubtful that they'll succeed?

When used negatively or interrogatively, the expressions **être certain** and **être sûr** require the subjunctive in a subordinate clause.

Elle **n'est pas certaine que vous vous rattrapiez.**	She isn't certain that you'll make it up.
Sommes-nous certains qu'elle fasse de son mieux?	Are we certain that she's doing her best?

but:

Je **suis certain qu'il dit** la vérité.

I am certain that he tells the truth.

Nous **ne sommes pas sûrs qu'il parte.**

We are not sure that he's leaving.

Etes-vous sûr que je réponde bien?

Are you sure that I'm answering well?

but:

Elle **est sûre qu'il fait** son travail.

She is sure that he's doing his work.

Exercice d'application

Complétez chaque phrase par la forme convenable du verbe entre parenthèses.

1. Etes-vous sûr(e) qu'il *(savoir)* la réponse?
2. Je suis certaine que vous *(faire)* une faute.
3. Les étudiants doutent *(réussir)* à l'examen.
4. Nous ne sommes pas certains que cette dissertation *(être)* acceptable.
5. Le professeur doute que vous *(être)* surprise.
6. Doutez-vous que je *(dire)* la vérité?
7. Il est douteux que vous *(trouver)* un appartement près du campus.
8. Je doute *(pouvoir)* payer mes frais d'inscription.
9. Est-on certain que ce prof *(faire)* encore son cours ce semestre?
10. Est-il douteux maintenant que vous *(aller)* en France cet été?

2. **Emotion** Expressions of emotion are considered to be subjective statements and require the subjunctive after a change of subject, whether used affirmatively, negatively, or interrogatively.

être content	Je **suis content qu'il réussisse.**	I am happy that he is succeeding.
être heureux	Elle **est heureuse que nous venions.**	She is happy that we're coming.
être triste	Ils **sont tristes que vous partiez.**	They are sad that you're leaving.
être fâché	Nous ne **sommes pas fâchés qu'il aille** là.	We are not angry he's going there.
être désolé	Je **suis désolé que vous soyez** malade.	I am sorry that you are sick.
être surpris	Etes-vous surpris **que j'aie** ce problème?	Are you surprised that I have this problem?

avoir peur	Nous **avons peur qu'ils (ne) boivent** trop.*	We are afraid they drink too much.
regretter	Il **regrette que nous ne nous amusions pas.**	He's sorry we're not having a good time.

Note that after expressions of emotion, when there is no change of subject, an infinitive is used, preceded by **de.**

Je **suis content de réussir.**	I'm happy to succeed.
Elle **est heureuse de venir.**	She's happy to come.

Exercice d'application

Complétez chaque phrase par la forme convenable de l'infinitif entre parenthèses. Attention aux changements de sujet.

Exemples: (je / échouer) J'ai peur _____ à l'examen.
    J'ai peur d'échouer à l'examen.
    (tu / échouer) J'ai peur _____ à l'examen.
    J'ai peur que tu échoues à l'examen.

1. (nous / avoir) Elle est heureuse _____ une bonne note.
2. (je / être) Etes-vous surpris _____ reçu?
3. (elles / ne pas pouvoir) Nous sommes désolés _____ se présenter.
4. (elle / être) N'es-tu pas content _____ acceptée à l'Université de Paris?
5. (je / savoir) Je suis fâché _____ sa réponse.
6. (on / rater) On a toujours peur _____ le bac.
7. (il / avoir) J'ai peur _____ beaucoup de difficulté.
8. (elle / ne pas faire) Elle regrette _____ une belle carrière.
9. (on / ne pas admettre) Les élèves sont furieux _____ tout le monde à l'université.
10. (je / faire) Mon père n'est pas surpris _____ des études supérieures en France.

3. Will Expressions of will are considered to be statements of the speaker's personal desire or preference and require the subjunctive when there is a change of subject in the subordinate clause.

vouloir	Je **veux que vous finissiez** vos devoirs.	I want you to finish your homework.
désirer	Ils **désirent que j'aille** à l'université.	They want me to go to the university.

*After **avoir peur** (and other expressions denoting fear) you may encounter a **ne** before a subjunctive verb used in the affirmative. This is a stylistic device that has become optional in modern French. If the subjunctive verb is used negatively, both **ne** and **pas** (or another negative) are required as in any other negative construction.

préférer	Elle **préfère qu'il vienne** demain.	She prefers that he come tomorrow.
souhaiter	**Souhaitez-vous qu'elles boivent** du vin?	Do you wish them to drink wine?

The following verbs of ordering or forbidding are also expressions of will. However, in everyday conversation, these verbs are followed by a dependent infinitive introduced by **de** to express the order, and the person receiving the order is expressed through an indirect object.

demander to demand	Je **vous** demande **de partir**.
dire to tell	On dit **aux étudiants de s'inscrire**.
permettre to permit	Il permet **à son fils de prendre** la voiture.
conseiller to advise	Le prof **me conseille de passer** l'examen en octobre.
défendre to forbid	Ses parents **lui** défendent **d'aller** là.
empêcher to prevent	La question **vous** empêche **d'inventer** une réponse.

Il faut que nous nous détendions quelquefois. (le campus de Jussieu à Paris)

⚠ RAPPEL   ⚠ RAPPEL   ⚠ RAPPEL

To express in French a construction consisting of a verb of will followed by another verb form, you must determine if both verbs have the same subject. If the subjects are the same, the verb of will in French is followed by a dependent infinitive.

I want to finish.	Je **veux finir.**
He wishes to speak.	Il **désire parler.**
They prefer to stay here.	Elles **préfèrent rester** ici.

However, if the subject of the verb of will and the subject of the second verb are not the same, the action in the subordinate clause must be expressed with the subjunctive.

I want *him* to finish.	Je **veux qu'il finisse.**
He wants *us* to speak.	Il **veut que nous parlions.**

Exercices d'application

A. Choisissez la forme convenable du verbe.

1. (donner / que je donne) Je ne veux pas _____ de mauvaises réponses.
2. (que je réussis / que je réussisse) Ma famille souhaite _____ dans tous mes cours.
3. (que nous obtenions / obtenir) Nous voulons _____ nos diplômes.
4. (que ma sœur finisse / que je finisse) Je veux _____ l'école.
5. (faire / qu'ils fassent) Ils désirent _____ des études universitaires.

B. Formez des phrases complètes en faisant tous les changements nécessaires.

1. Le professeur / me / dire / passer l'examen
2. L'université / nous / demander / envoyer un dossier
3. Votre réussite / vous / permettre / commencer en novembre
4. Ses parents / lui / défendre / loger en ville
5. Le système / nous / empêcher / se rattraper

4. **Thought (Opinion)** The verbs **croire, penser,** and **espérer** require the subjunctive in a subordinate clause when used negatively or interrogatively. When used affirmatively, these verbs no longer imply doubt or subjectivity, and the subordinate verb will be in the indicative.

croire

Croyez-vous qu'elle soit malade?	Do you think she's sick?
Non, je **ne crois pas qu'elle soit** malade.	No, I don't think she's sick.

but:

Oui, je **crois qu'elle est** malade.	Yes, I think she's sick.

penser

Pensent-ils que vous fassiez vos études?	Do they think you do your school work?
Non, ils **ne pensent pas que je fasse** mes études.	No, they don't think I study.

but:

Oui, ils **pensent que je fais** mes études.	Yes, they think I study.

espérer

Espérez-vous qu'elle vienne?	Do you hope that she'll come?
Non, je n'**espère pas qu'elle vienne.**	No, I don't hope she'll come.

but:

Oui, j'**espère qu'elle vient.**	Yes, I hope she comes.

Exercice d'application

Complétez chaque phrase par la forme convenable du verbe entre parenthèses.

1. Espérez-vous que notre réponse *(être)* exacte?
2. Personnellement, je crois qu'il *(avoir)* raison.
3. Pensez-vous que la candidate *(faire)* de son mieux?
4. Son professeur ne pense pas qu'elle *(réussir)* cette fois-ci.
5. Ma sœur espère qu'il *(s'entendre)* bien avec la famille.
6. Je pense toujours que ces examens *(être)* barbares.
7. Ton cousin ne croit pas qu'on *(pouvoir)* aller à la soirée ce week-end.
8. J'espère que vous ne *(faire)* pas trop de bêtises!
9. Croyez-vous qu'on *(devoir)* se lever tôt demain?

B. Superlative Sentences When a superlative is followed by a subordinate clause, the subordinate verb will normally be in the subjunctive, since most superlatives are subjective statements of opinion.

C'est **le livre le plus intéressant que nous lisions.**	This is the most interesting book we're reading.

| Voilà **la plus belle jeune fille qui soit** à la soirée. | There is the prettiest girl who's at the party. |
| La Porsche est **la meilleure voiture que je connaisse.** | The Porsche is the best car I know. |

Remember that **personne, rien, le seul,** and **aucun** may be used as superlatives and require the subjunctive in a following subordinate clause.

Il **n'y a personne qui comprenne** cette situation.	There is no one who understands this situation.
Je **ne** vois **rien** ici **qui soit** intéressant.	I see nothing here that is interesting.
Ce **n'est pas le seul** problème **qu'il y ait.**	That's not the only problem there is.

The subjunctive is not used following a superlative that is a statement of fact rather than an expression of opinion.

| C'est **le plus jeune** des frères **qui est** acteur. | It's the youngest brother who's an actor. |
| C'est **le seul membre** de la famille **qui est** vivant. | That's the only member of the family who's alive. |

Exercice d'application

Choisissez la forme convenable du verbe.

1. (peux / puisse) C'est l'examen le plus difficile que je _____ imaginer.
2. (ne soit / n'est) Il n'y a personne qui _____ pas inquiet.
3. (soit / est) Voilà cinq garçons devant le lycée. C'est le plus grand qui _____ mon frère.
4. (fait / fasse) C'est le meilleur cours qu'il _____ ce semestre.
5. (soit / est) Le prof nous a dit que la note la plus basse de la classe _____ un quatre sur vingt.
6. (sache / sait) Cette étudiante rend toujours à son professeur le meilleur devoir qu'elle _____ faire.
7. (réussisse / réussit) Il n'y a aucun étudiant qui _____ tout le temps, n'est-ce pas?
8. (pouvez / puissiez) Un «C» en maths? Ce n'est pas la plus mauvaise note que vous _____ avoir.
9. (admet / admette) Les étudiants de français sont les seules personnes qu'on _____ au Cercle français.
10. (fasse / fait) Il n'y a rien qu'elle ne _____ pas bien.

**Exercices
d'ensemble**

A. Composez une phrase pour transformer et réunir les deux propositions indiquées.

Exemples: J'ai peur / elle vient
J'ai *peur qu'elle vienne.*
J'ai peur / je reviens
J'ai *peur de revenir.*

1. Elle veut / je suis à l'heure
2. Nous sommes désolés / vous ne pouvez pas venir
3. Nos amis demandent / nous les accompagnons
4. Tout le monde souhaite / il se rattrape
5. Est-elle sûre / je suis accepté?
6. Pensez-vous / il faut arriver avant la rentrée?
7. Le ministère préfère / nous enseignons ailleurs
8. Mon prof de français veut / je vais le voir
9. Nous ne sommes pas sûrs / il pleut aujourd'hui
10. Tu veux / tu l'apprends par cœur
11. Ma mère est triste / je veux quitter la France
12. J'ai peur / je ne suis pas reçu à l'examen
13. N'es-tu pas content / on vient chez toi?
14. Voulez-vous / je le fais?
15. Désirent-elles / elles partent?

B. Formez des phrases complètes en faisant tous les changements nécessaires.

1. Ce / être / la personne la plus aimable / que je / connaître
2. Le prof / demander / à tout le monde / rendre / ses devoirs
3. Il n'y a personne / qui / vouloir / échouer
4. Le professeur / conseiller / à un candidat / réussir / au bac
5. Ce / être / le meilleur appartement / que nous / pouvoir trouver
6. Nous / ne suivre / aucun cours / qui / être / offert le soir
7. Ce / être / la dernière fois / qu'il / vouloir aller à New-York
8. Le directeur / être / la seule personne / qui / prendre les décisions

3. The Past Subjunctive

A. **Formation of the Past Subjunctive** The past subjunctive follows the same pattern of formation as the **passé composé**. It is formed with the present subjunctive of the auxiliary **avoir** or **être** and the past participle of the main verb.

parler

que j'**aie parlé**
que tu **aies parlé**
qu'il / elle / on **ait parlé**
que nous **ayons parlé**
que vous **ayez parlé**
qu'ils / elles **aient parlé**

finir

que j'**aie fini**
que tu **aies fini**
qu'il / elle / on **ait fini**
que nous **ayons fini**
que vous **ayez fini**
qu'ils / elles **aient fini**

répondre

que j'**aie répondu**
que tu **aies répondu**
qu'il / elle / on **ait répondu**
que nous **ayons répondu**
que vous **ayez répondu**
qu'ils / elles **aient répondu**

partir

que je **sois parti(e)**
que tu **sois parti(e)**
qu'il / elle / on **soit parti(e)**
que vous **soyez parti(e)(s)**
qu'ils / elles **soient parti(e)s**

se lever

que je **me sois levé(e)**
que tu **te sois levé(e)**
qu'il / elle / on **se soit levé(e)**
que nous **nous soyons levé(e)s**
que vous **vous soyez levé(e)(s)**
qu'ils / elles **se soient levé(e)s**

Exercice d'application

Complétez chaque phrase par le subjonctif passé du verbe entre parenthèses.

1. Ils sont surpris que je *(aller)* à cette université.
2. C'est le seul semestre où tu *(étudier)*.
3. C'est dommage qu'il *(s'inscrire)* en retard.
4. C'est la meilleure décision que j' *(prendre)*.
5. On est content que vous *(être)* là.
6. Ce sont les cours les plus difficiles qu'elles *(suivre)*.
7. Nous regrettons qu'ils *(ne pas s'amuser)* le week-end dernier.
8. Il est douteux que tu *(avoir)* tellement peu de travail.
9. Il n'est pas surprenant que vous *(choisir)* ce professeur.
10. C'est la seule fois que je *(devenir)* si fâché.
11. Elle est partie avant que nous *(finir)*.
12. Bien qu'on *(écrire)* beaucoup de devoirs, le cours était intéressant.
13. Le prof est fâché qu'ils *(sécher)* trop de cours.
14. Nous sommes contents que vous *(lire)* ce livre.
15. Ce ne sont sûrement pas les seules formalités que tu *(remplir)*.

B. **Use of the Past Subjunctive** The past subjunctive is used in the same type of construction as the present subjunctive. There is a main clause containing an expression that implies doubt or subjectivity followed by a subordinate clause with a different subject.

The subordinate verb is in the past subjunctive when the action of that verb has taken place prior to the action of the main verb.

Je **doute qu'il ait fait** de son mieux hier.

I doubt he did his best yesterday.

Il **n'était pas sûr qu'elle soit venue.**

He wasn't sure she had come.

Nous **sommes contents que vous ayez réussi.**

We are happy you succeeded.

Elles **avaient peur qu'il** ne les **ait** pas **crues.**

They were afraid that he did not believe them.

Croyez-vous que j'aie échoué?

Do you think I failed?

Je **ne pense pas que vous soyez partie** à l'heure.

I don't think you left on time.

Note from the above examples that the tense of the main verb has no effect on the tense of the subjunctive verb. If the subordinate action has taken place prior to the main action, use the past subjunctive. In all other cases, the present subjunctive is used.

Exercice d'application

Choisissez la forme convenable du verbe.

1. (assiste / ait assisté) Je ne crois pas qu'il _____ aux cours à l'université l'année dernière.
2. (soit venue / vienne) J'ai peur qu'elle ne _____ pas demain.
3. (aient été / soient) Tu ne veux pas qu'ils _____ ici à présent?
4. (préparions / ayons préparé) Le professeur doute que nous _____ les exercices hier soir.
5. (paies / aies payé) On veut que tu _____ tes frais avant la fin des inscriptions.
6. (ait lieu / ait eu lieu) Croyez-vous que le cours _____ puisque le professeur était malade?
7. (participent / aient participé) Elle veut que ses invités _____ à la révolte des étudiants en 1968.
8. (soit allée / aille) Mon amie ne désire pas que le groupe _____ au Resto-U.
9. (ait été / soit) Je suis étonné que la présence aux cours _____ facultative à l'époque où elle était étudiante.
10. (ne prenions pas / n'ayons pas pris) Le président nous a reçus dans son bureau, mais il s'est fâché que nous _____ rendez-vous chez la secrétaire le jour précédent.

4. More Uses of the Subjunctive

A. The Subjunctive after Impersonal Expressions An impersonal expression is any verbal expression that exists only in the third-person singular form and has **il** or **ce** (meaning *it*) as its subject. Impersonal expressions normally require the subjunctive in a subordinate clause because such generalizations imply that the statement being made is open to doubt or is the subjective opinion of the speaker.

Below is a partial list of impersonal expressions that require the subjunctive.

Impersonal Expressions with *Etre*

il est nécessaire	it is necessary	**Il est nécessaire que vous fassiez** des études.
il est essentiel	it is essential	**Il est essentiel qu'il aille** en classe.
il est important	it is important	**Il est important que je choisisse** mes cours.
il est possible	it is possible	**Il est possible que vous** n'**ayez** pas **compris.**
c'est dommage	it's a pity	**C'est dommage qu'il** ne **réussisse** pas.
il est triste	it is sad	**Il est triste qu'elle ait échoué** à l'examen.
il est surprenant	it is surprising	**Il est surprenant que ce cours soit** mauvais.
ce n'est pas la peine	it's not worth the trouble	**Ce n'est pas la peine qu'il vienne** me voir.

Impersonal Verbs

il faut	it is necessary	**Il faut que vous vous inscriviez.**
il vaut mieux	it's better	**Il vaut mieux que nous assistions** aux cours.
il semble	it seems	**Il semble que les cours finissent** en juin.
il se peut	it's possible	**Il se peut que vous ayez** tort.

The following impersonal expressions require the indicative in the subordinate clause when used affirmatively.

il est certain	it's certain	**il est clair**	it's clear
il est sûr	it's sure	**il est vrai**	it's true
il est probable	it's probable	**il paraît**	it seems
il est évident	it's evident	**il me semble***	it seems to me

Il est certain que vous avez raison.
Il est vrai qu'il quitte l'université.
Il me semble que vous séchez trop de cours

If these expressions are used in the negative or interrogative, the subordinate clause is in the subjunctive.

Il n'est pas sûr que je réussisse à cet examen.
Il n'est pas probable qu'elles aillent à l'université.
Est-il clair qu'elle ait compris?

⚠ RAPPEL   ⚠ RAPPEL   ⚠ RAPPEL

In using impersonal expressions, if you are making a broad general statement rather than addressing a specific person, there is no need for a subordinate clause. In such cases, the impersonal expression is followed by an infinitive. The expressions involving **être** take the preposition **de** before the infinitive.

Il faut s'inscrire en août.
Il faut que vous vous inscriviez avant de partir en vacances.
Il vaut mieux assister à toutes les conférences.
Il vaut mieux qu'il assiste à un cours de maths.
Il est nécessaire de remplir des formalités.
Il est nécessaire, Monsieur, **que vous remplissiez** des formalités.
Il est important d'établir un bon programme.
Il est important qu'elles établissent un bon programme.

Exercice d'application

Complétez chaque phrase par la forme convenable du verbe entre parenthèses. Il faut que vous décidiez entre l'indicatif et le subjonctif.

1. Il est possible que les frais (*être*) plus élevés l'année prochaine.
2. Le professeur m'a dit qu'il est nécessaire que je (*faire*) mes devoirs tous les soirs.
3. Il est surprenant que ma sœur (*sécher*) tant de cours l'année dernière.

*Note that the expression **il semble** requires the subjunctive, while **il me semble** only requires the subjunctive when used negatively or interrogatively.

*Ma famille souhaite
que je réussisse
dans tous mes cours.*

4. Il est probable que l'université *(aller)* continuer à faire des progrès.
5. Vaut-il mieux que nous *(remplir)* ces formalités tout de suite?
6. Il n'était pas sûr que je *(pouvoir)* suivre le cours de Monsieur Jean l'an prochain.
7. Il est très important que vous *(s'inscrire)* de bonne heure demain matin.
8. Il semble qu'on *(établir)* récemment beaucoup de nouveaux programmes dans cette université.
9. Il n'est pas essentiel que nous *(envoyer)* bientôt nos dossiers.
10. Il me semble qu'il *(valoir)* mieux loger à la cité universitaire.

B. The Subjunctive after Certain Conjunctions The conjunctions listed below are followed by a subordinate clause with a verb in the subjunctive when there is a change of subject. If there is no change of subject, these conjunctions are followed by a dependent infinitive. Note that in such cases, the **que** is dropped, and some of the conjunctions take **de** to introduce the infinitive.

	Change of Subject	Single Subject
avant (que) before	Il me parle **avant que je (ne)* parte.**	Il me parle **avant de partir.**
sans (que) without	Il quitte l'école **sans que ses parents** le **sachent.**	Il quitte l'école **sans** le **dire.**
à moins (que) unless	Nous partons **à moins que la conférence (ne)* soit** bonne.	Nous partons **à moins de nous amuser.**
afin (que) so that	Je suis venu **afin que nous puissions** parler.	Je suis venu **afin de parler** au professeur.
pour (que) in order that	Vous venez **pour que nous** vous **donnions** des polycopiés.	Vous venez **pour chercher** des polycopiés.
de peur (que) for fear that	Il a étudié **de peur que ses parents (ne)* soient** mécontents.	Il a étudié **de peur d'échouer.**

The following conjunctions must always be followed by a verb in the subjunctive, even when there is no change of subject.

	Change of Subject	Single Subject
bien que although	Il y insiste **bien que vous** n'y **croyiez** pas.	Il y insiste **bien qu'il** n'y **croie** pas.
quoique although	Vous séchez des cours **quoique le professeur** ne **soit** pas content.	Vous séchez des cours **quoique vous receviez** de mauvaises notes.
pourvu que provided that	Je vais suivre ce cours **pourvu que la classe soit** peu nombreuse.	Je vais suivre ce cours **pourvu que j'aie** le temps.

*These expressions may be followed by the pleonastic **ne** before the subjunctive verb.

| jusqu'à ce que
until | **Nous** allons étudier
jusqu'à ce que
vous arriviez. | **Nous** allons étudier
jusqu'à ce que nous
comprenions ce
problème. |

 **RAPPEL**   ⚠ **RAPPEL**   ⚠ **RAPPEL**

The conjunctions in the sentences below are never followed by the subjunctive since they introduce a proposition that is factual rather than hypothetical.

Il m'a parlé **après que** vous **êtes partie.**	He spoke to me after you left.
Je vais travailler **pendant qu'**elle **est** à l'école.	I'm going to work while she's at school.
Nous vous croyons **parce que** vous **avez** raison.	We believe you because you are right.
Ils sont partis **aussitôt que** j'**avais fini.**	They left as soon as I had finished.
J'ai compris **dès que** le professeur me l'**a expliqué.**	I understood as soon as the professor explained it to me.

Exercice d'application

En utilisant l'expression entre parenthèses, combinez les deux phrases. Faites attention aux éléments qu'il faut ajouter ou transformer.

1. (afin) La librairie vend des polycopiés. Nous pouvons préparer les examens.
2. (avant) Je vérifie les cours obligatoires. Je vais chez mon conseiller.
3. (quoique) Jérôme n'a pas réussi en maths. Il assiste régulièrement aux cours.
4. (après) Vous recevez un diplôme. Vous avez complété un certain nombre de cours.
5. (à moins) Nous sommes habituellement en classe. Il y a une grève des étudiants.
6. (jusqu'à ce que) Les étudiants restent à la bibliothèque. Ils ont terminé leurs recherches.
7. (de crainte) Le professeur ne vient pas au campus. Il se trouve dans une manifestation.
8. (pour) Les écoles de médecine limitent le nombre d'étudiants. Tout le monde peut trouver une situation professionnelle.

9. (pour) Je vais prendre un appartement. Je n'habite pas loin du campus.

10. (avant) Madame Lemoine a fait sa conférence. Les travaux dirigés ont eu lieu.

C. **The Subjunctive after Indefinite Antecedents** When a subordinate clause refers to a concept (or antecedent) in the main clause that is indefinite, the subordinate verb will be in the subjunctive. The context of the sentence will indicate that the existence or nature of the antecedent is doubtful or open to question.

Je cherche **une voiture qui soit** économique.	I'm looking for a car that is economical.
Il veut trouver **une chambre qui ait** une belle vue.	He's looking for a room with a good view.
Nous voulons **une spécialisation qui nous permette** de réussir.	We're looking for a major that will permit us to succeed.
Elles cherchent **des amis qui fassent** aussi des études.	They're looking for friends that are also going to school.

When the context of the sentence indicates that the subordinate clause refers to a definite person or thing, the verb will be in the indicative.

J'ai acheté **une voiture qui est** très économique. *(You know the car exists.)*

Il a loué **une chambre qui a** une belle vue. *(He knows the room has a view.)*

Nous avons choisi **une spécialisation qui** nous **permet** de réussir. *(We know the major will help us succeed.)*

Elle a **des amis qui font** aussi des études. *(She has the friends already).*

If the antecedent is preceded by a definite article, that is normally a good indication that the subordinate verb should be in the indicative.

Voilà **la voiture qui est** si chère.
Nous voulons voir **la chambre qu'il a louée.**

Exercice d'application

Choisissez la forme convenable du verbe.

1. (plaît / plaise) J'espère trouver une chambre qui me _____ .
2. (sont / soient) Philippe a suivi des cours qui _____ plus pratiques.
3. (vende / vend) Nous cherchons une librairie qui _____ des polycopiés.
4. (sait / sache) Connaissez-vous quelqu'un qui _____ la date des inscriptions?

5. (produit / produise) Y a-t-il une révolte qui ne _____ pas de choc?
6. (est / soit) Je veux une spécialisation qui _____ utile.
7. (connaisse / connaît) Alain est un jeune homme que la bande _____ bien.
8. (ait changé / a changé) C'est la réforme qui _____ radicalement la vie universitaire.
9. (comprend / comprenne) Il nous faut un conseiller qui _____ notre situation.
10. (rende / rend) Voilà précisément le problème qui le _____ triste.

Exercices d'ensemble

A. Complétez le paragraphe suivant par les formes convenables des infinitifs entre parenthèses.

   Il faut que vous *(prendre)* une décision avant de *(partir)* à l'université. Allez-vous chercher une chambre qui *(être)* petite mais pratique à la cité universitaire ou un appartement que vous *(pouvoir)* partager avec d'autres? Bien qu'il y *(avoir)* des avantages à habiter une maison d'étudiants, il semble que ces résidences *(ne plus faire)* partie des éléments obligatoires d'une vie universitaire. Il est sûr que beaucoup de jeunes gens *(vouloir)* toujours connaître la vie commune des maisons d'étudiants. Mais il n'est pas surprenant que d'autres *(vouloir)* mener une vie indépendante en dehors des cours. Il est même probable que quelques individus *(être)* obligés de s'occuper d'une famille pendant qu'ils *(faire)* leurs études.

B. Commencez chaque phrase par l'expression entre parenthèses.

1. (Il est douteux) Il a terminé ses études universitaires.
2. (Il est triste) Elle a échoué à l'examen.
3. (Il vaut mieux) Nous sommes allés en France l'été dernier.
4. (Il se peut) On s'est bien amusé là.
5. (Est-il vrai) Ce professeur a quitté l'université?

une carte d'étudiant

6. (C'est dommage) Elle n'est pas revenue à l'université.
7. (Il me semble) Ils se sont présentés au concours l'année dernière.
8. (Est-il sûr) Vous avez obtenu le poste?
9. (Il est certain) On fera grève demain.
10. (Il n'est pas probable) Elles ont raté le semestre.

Activités d'expansion

A. Exprimez vos propres opinions en plaçant une des expressions suivantes devant chaque phrase. Faites tous les changements nécessaires.

Je suis sûr(e) que...   Je ne crois pas que...
Je suis certain(e) que...   Je ne pense pas que...
Je doute que...   Je ne suis pas sûr(e) que...
Je crois que...   Je ne suis pas certain(e)que ...
Je pense que...

Exemple: les examens / être / nécessaire
          Je ne crois pas que les examens soient nécessaires.

1. un examen / servir / à stimuler la curiosité intellectuelle
2. l'enfant américain / obéir / à ses parents
3. le président des Etats-Unis / pouvoir / changer le monde
4. les études universitaires / être / trop facile
5. le professeur / savoir / tout
6. tout le monde / avoir / besoin / faire des études universitaires
7. les étudiants / avoir peur / examens
8. le professeur / dormir / tard le samedi
9. mon meilleur ami / dire / toujours la vérité
10. les étudiants américains / boire / beaucoup / champagne

B. *Interview. La vie d'étudiant.* Posez les questions suivantes a un(e) camarade de classe.

1. Est-ce que tes professeurs te disent de finir tous tes projets avant la fin du semestre?
2. Est-ce que tes professeurs te demandent de faire beaucoup de devoirs?
3. Crois-tu que tes professeurs soient trop indulgents?
4. Crois-tu que les étudiants américains doivent apprendre beaucoup de choses par cœur?

5. Est-ce que tu penses qu'il faille réussir à des examens pour apprendre?
6. Au mois de septembre, avant le premier examen, est-ce que tu as peur que certains professeurs soient trop sévères?
7. Penses-tu qu'il y ait un bon rapport entre la plupart des étudiants et leurs professeurs?
8. Es-tu surpris(e) que bien des étudiants aient des difficultés d'argent?
9. Es-tu étonné(e) que ton professeur se divertisse pendant le week-end?
10. Est-ce que tu es heureux (heureuse) que nous ayons congé le samedi et le dimanche?
11. Quel est le cours le plus intéressant que tu suives?
12. Qui est le meilleur étudiant que tu connaisse?

C. Faites dix phrases basées sur le schéma suivant.

| Je | (ne) | être triste
être surpris(e)
être sûr(e)
être certain(e)
vouloir
désirer
souhaiter
préférer
croire
penser
espérer
se fâcher
être étonné(e)
avoir peur
regretter
être content(e) | (pas) | que mon ami(e)…
que mon père…
que ma mère…
que mon professeur de…
que mon (ma) camarade de chambre…
que mon mari…
que ma femme…
que mes amis…
que mes parents…
que ma voiture…
que mes cours…
que ma famille…
que la police… |

D. *Le cinéma.* Complétez les phrases suivantes en exprimant vos idées personnelles.

1. J'aime les films étrangers pourvu que…
2. Je ne crois pas que les films étrangers…
3. A mon avis, il est étonnant qu'à l'heure actuelle tant de films…
4. Pour voir les meilleurs films, il est essentiel…
5. Je pense que les films d'épouvante…
6. A mon avis, on ne doit pas permettre aux enfants…
7. Je doute que tous les acteurs…

8. Quelquefois, je vais voir des films dont je ne sais rien pourvu que…
9. Je préfère les films qui…
10. Quelquefois j'accompagne mes copains au cinéma bien que…
11. Je n'amène pas souvent mon ami(e) aux films étrangers de peur que…

E. Complétez les phrases suivantes en exprimant vos idées personnelles.

1. C'était dommage que je…
2. Il vaut mieux que nous…
3. Il est probable que vous…
4. Il paraît qu'il étudie jusqu'à ce qu'il…
5. Je préfère des amis qui…
6. J'y vais à moins que mon ami(e)…
7. Je cherche un professeur qui…
8. L'université existe afin que les étudiants…
9. Je vais partir aussitôt que l'accident…
10. Il se peut que je…
11. Je suis allé(e) parce qu'elle…
12. Il était triste que sa mère…
13. Il me semble que les étudiants…
14. Il est essentiel que je…
15. Nous allons au concert pourvu que vous…

F. *Situations orales*

1. Un(e) étudiant(e) français(e) vient passer l'année scolaire à votre université. Chaque membre de la classe doit inventer une activité qu'il est nécessaire (important, essentiel, bon, etc.) que l'étudiant(e) fasse pour suivre des cours chez vous et pour passer une bonne année scolaire.
2. Plusieurs membres de la classe donnent leur avis sur ce qu'il est nécessaire (important, essentiel, bon, etc.) qu'une personne ait (fasse, possède, soit, etc.) pour être heureux (heureuse) dans la vie. Les autres étudiants vont donner leurs réactions à ces opinions.
3. Ecrivez six phrases originales qui décrivent vos désirs concernant les gens et les situations que vous aimez ou que vous désirez changer dans votre vie. Partagez vos opinions avec vos camarades de classe.
4. Réformez votre université. Chaque étudiant doit exprimer son opinion sur une réforme à faire dans votre université. Les autres membres de la classe vont donner leurs opinions sur ses idées.

G. *Situations écrites*

1. Ecrivez une composition sur des réformes à faire dans votre université ou bien dans le gouvernement ou la société américaine en vous servant des expressions impersonnelles de la leçon.
2. Décrivez votre vie actuelle. Parlez de vos désirs, du bonheur, de la tristesse, de vos convictions, de vos opinions, etc.
3. Vous parlez à un de vos anciens copains de l'école secondaire. Il a choisi de ne pas aller à l'université et il vous dit qu'une formation universitaire n'est pas nécessaire pour bien réussir dans la vie et que vous perdez votre temps. Justifiez votre point de vue.

Chapitre 8

à Quebec (Canada)

Lecture:

La Francophonie, c'est un accent français dans le monde

Saviez-vous qu'il y a actuellement près de 200 millions de francophones° dans le monde? Il est intéressant de constater° qu'on parle français sur cinq continents sans compter les nombreuses îles de langue° française. C'est en Europe qu'on rencontre le plus grand nombre de gens pour qui le français est la première langue. Il y a, bien sûr, les plus de 55 millions qui habitent la métropole.° Ne manquons pas, cependant, de compter parmi ces francophones de nationalité française les Français de la périphérie.° On les trouve en Martinique, en Guadeloupe, en Guyane et à la Réunion—les quatre départements° d'outre-mer.° Les Martiniquais, comme citoyens français, peuvent voter dans les élections présidentielles et législatives aussi bien que quelqu'un dans un département de l'Hexagone.° Lorsqu'ils font des projets° de voyage, les Français de France rêvent souvent aux vacances à la Martinique, en Nouvelle-Calédonie ou en Polynésie française. Puisque dans ces îles il y a de belles plages° de sable° fin, des palmiers° majestueux et une douceur de vivre° incomparables, les touristes peuvent choisir leur paradis terrestre° dans l'Atlantique, le Pacifique ou les Caraïbes.°

La langue française n'est pourtant pas réservée aux Français, même en Europe. Si vous voyagez en Belgique, au Luxembourg ou en Suisse, vous pouvez entendre (à Bruxelles et à Genève, par exemple) des gens qui continuent à l'employer comme langue maternelle.° Mais la francophonie s'étend° beaucoup plus loin que cette partie de l'Europe de l'ouest. Pour comprendre l'histoire de l'expansion du français dans le monde, nous sommes obligés de remonter° au seizième siècle, à l'époque où la France a choisi de naviguer° du côté du Nouveau Monde. Ce sont des explorateurs guidés par Jacques Cartier qui ont réussi à établir la première colonie française outre-Atlantique. Les descendants de ces colons° forment une partie des six millions de Franco-Canadiens concentrés aujourd'hui surtout au Québec. C'est ici qu'on a conservé° la langue française comme on la parlait au dix-septième siècle. Les voyageurs peuvent donc s'offrir° le plaisir d'entendre l'accent authentique des anciennes provinces de France et aussi, s'ils aiment les sports d'hiver, d'assister aux divertissements du Carnaval en février ou mars. Ailleurs° au Nouveau Monde, on rencontre la présence d'un héritage linguistique français en Haïti, pays° qui a réussi à déclarer son indépendance de la patrie° française au début du dix-neuvième siècle. En se promenant° en voiture à travers la Nouvelle-Angleterre dans le Maine, le Vermont, le New Hampshire et les autres états voisins, on remarque de nombreuses églises et écoles fondées, il y a cent ans, par les immigrants franco-canadiens. La quantité de familles qui portent° un nom d'origine française explique la raison pour laquelle il est encore possible d'entendre parler un dialecte français, surtout dans les villes industrielles. Vers le sud° du pays, c'est surtout en Louisiane que l'héritage des colons français est évident. Il y a même des villages où la langue maternelle des gens est le français, mais c'est un français difficile à comprendre pour les étrangers qui ne sont pas habitués à l'entendre. Les danses et la musique folkloriques, aussi bien que le nom des villes, nous rappellent le rôle joué par la France dans l'histoire de cette région. Mais la plus célèbre des traditions françaises se trouve sûrement dans la grande fête° du mardi gras à la Nouvelle-Orléans—un lien° entre deux mondes, l'ancien et le nouveau.

L'époque où la France cherchait à élargir° son influence politique par la colonisation est aujourd'hui terminée. Il y a, cependant, bon nombre de pays, surtout au Tiers monde,° où la culture française contribue toujours de façon assez importante à la vie économique et intellectuelle des indigènes.° En Afrique du Nord, surtout en Algérie, au Maroc et en Tunisie, l'autorité française s'est établie à partir de la conquête° de la ville d'Alger en 1830. Même si l'arabe est la première langue du Maghreb,° c'est encore le français qu'on emploie pour la majorité des cours universitaires et dans les cercles diplomatiques. Au Proche-Orient,° la Syrie et le Liban ont aussi connu un régime français au vingtième siècle, avant d'obtenir leur autonomie. Au sud du Sahara, dans ce qu'on appelle l'Afrique Noire, il y a une quinzaine de nations où le français est une des langues officielles. Souvent des nations de francophones et d'anglophones° se touchent.° Les citoyens du Libéria ou de la Sierra Léone, par exemple, sont obligés d'apprendre une troisième langue, le français, pour communiquer avec les gens de la Guinée ou de la Côte d'Ivoire dont la deuxième langue est le français et la troisième, l'anglais. Il n'est pas rare de rencontrer dans les universités de France des étudiants africains venus pour apprendre une profession ou une technologie destinée° au développement socio-économique de leur pays.

Entre tous ces peuples—Américains du Nord ou du Sud, Africains du Maghreb ou des régions au sud du Sahara, habitants des îles de la mer des Antilles° ou du Pacifique—il existe, malgré les différences d'accent, de vocabulaire ou de syntaxe, une seule langue qui leur permet de partager l'héritage culturel français auquel ils ont contribué et dont ils peuvent être fiers.°

AMÉRIQUE
DU NORD

QUÉBEC

Québec
Montréal

NOUVELLE-ANGLETERRE

LOUISIANE

*L'Océan
Atlantique*

La Nouvelle -Orléans

HAÏTI

GUADELOUPE

Port-au-
Prince

MARTINIQUE

GUYANE FRANÇAISE

Cayenne

*L'Océan
Pacifique*

NOUVELLES-
HÉBRIDES

POLYNÉSIE FRANÇAISE

AMÉRIQUE
DU SUD

NOUVELLE-
CALÉDONIE

LE MONDE
FRANCOPHONE

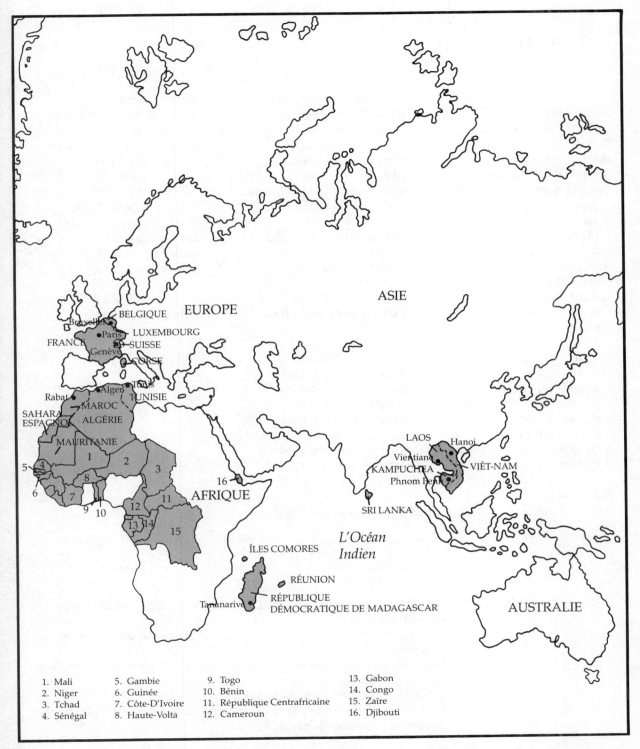

EUROPE

BELGIQUE
Bruxelles
LUXEMBOURG
Paris
FRANCE
SUISSE
Genève
CORSE
Tunis
Alger
TUNISIE
Rabat
MAROC
SAHARA
ESPAGNOL
ALGÉRIE
MAURITANIE
1
2
3
5
4
8
6
7
9
10
12
13 14
11
15
16
AFRIQUE

ASIE

LAOS
Hanoi
Vientiane
KAMPUCHEA
VIÊT-NAM
Phnom Penh
SRI LANKA

L'Océan
Indien

ÎLES COMORES
RÉUNION
Tananarive
RÉPUBLIQUE
DÉMOCRATIQUE DE MADAGASCAR

AUSTRALIE

1. Mali
2. Niger
3. Tchad
4. Sénégal
5. Gambie
6. Guinée
7. Côte-D'Ivoire
8. Haute-Volta
9. Togo
10. Bénin
11. République Centrafricaine
12. Cameroun
13. Gabon
14. Congo
15. Zaïre
16. Djibouti

Vocabulaire

NOMS

anglophone *m, f* English-speaking person
Caraïbes *m pl* Caribbean
colon *m* colonist
conquête *f* conquest
département *m* political division of France
douceur de vivre *f* pleasant life-style
fête *f* festival
francophone *m, f* French-speaking person
francophonie *f* French-speaking world
Hexagone *m* term for France
langue *f* language
lien *m* link
Maghreb *m* Arab term for North African countries
mer des Antilles *f* Caribbean Sea
métropole *f* geographical France

outre-mer *m* overseas
palmier *m* palm tree
paradis terrestre *m* paradise on earth
patrie *f* homeland
pays *m* country
périphérie *f* lands outside the mother country
plage *f* beach
Proche-Orient *m* Middle East
projet *m* plan
sable *m* sand
sud *m* south
Tiers monde *m* Third World

VERBES

conserver to preserve
constater to observe
élargir to broaden
s'étendre to extend
naviguer to sail
s'offrir to treat oneself
partager to share

porter to bear
se promener *(here)* to drive
remonter to go back to
se toucher to be contiguous

ADJECTIFS

destiné intended for
fier proud
indigène native
maternel native

ADVERBES

ailleurs elsewhere

Exercices de vocabulaire

A. Complétez chaque phrase par un terme de la liste suivante.

colons	Hexagone	outre-mer
départements	indigènes	patrie
francophones	nationalité	Tiers monde
francophonie		

1. Le Québec fait partie de la _____ parce que ses habitants parlent français.
2. On appelle parfois la France l'_____ à cause de sa forme polygonale.
3. Pour désigner l'ensemble des pays peu développés on emploie le terme _____ .
4. Un soldat accepte de mourir pour la _____ .
5. L'île de la Réunion est loin de la métropole, mais elle est considérée comme département d'_____ .

6. Un Guadeloupéen a la _____ française.
7. Tous les gens qui parlent français sont des _____ .
8. Il y a des pays du Tiers monde où la culture française joue un assez grand rôle dans la vie universitaire des étudiants _____ .
9. La France est divisée en _____ .
10. Les Français qui sont allés en Algérie en 1830 étaient des _____ .

B. Remplacez les expressions indiquées dans la phrase par des expressions approximatives. Utilisez la liste suivante et faites les transformations appropriées.

connaître	porter
conserver	se promener
constater	partager
s'étendre	remonter

1. Au Québec on essaie de *garder* les traditions franco-canadiennes.
2. En Afrique le Sahara *va* jusqu'à la limite de l'Afrique Noire.
3. La colonisation française du Nouveau Monde *commence* au seizième siècle.
4. Si on connaît le français, il est facile de *voyager* dans les pays de langue française.
5. Bien des pays *ont fait l'expérience* de régimes français.
6. Certains pays d'Afrique *possèdent* avec la France une culture française.
7. En regardant le nom des villes américaines, on *se rend compte* qu'il existe un héritage français aux Etats-Unis.
8. Il y a beaucoup de personnes en Louisiane et en Nouvelle-Angleterre qui *ont* un nom de famille d'origine française.

C. Indiquez si chaque phrase est vraie ou fausse. Si la phrase est fausse, corrigez-la.

1. Parmi les pays d'Europe, ce n'est qu'en France qu'on parle français comme langue maternelle.
2. La Syrie et le Liban sont des colonies françaises.
3. L'île d'Haïti est un département d'outre-mer de la France.
4. Il y a des endroits aux Etats-Unis où la langue maternelle des gens est le français.
5. L'influence de la France au Tiers monde n'existe plus.
6. Les habitants de la Guyane n'ont pas la nationalité française mais reçoivent la protection de la métropole.
7. Le Maghreb est le nom qu'on donne à la région du Maroc, de l'Algérie et de la Tunisie.
8. La Louisiane était la seule colonie française outre-Atlantique.
9. Il y a environ six millions de Canadiens dont la langue maternelle est le français.

Structures

1. Prepositions

A. **Verbs Followed by Prepositions** Some verbs require a preposition when they are followed by an infinitive. Other verbs require a preposition when they are followed by a noun object. Still others require a preposition before both the noun object and the dependent infinitive.

> J'ai décidé **de faire** un voyage.
> Je vais partir **de la Californie.**
> Je demande **à mon ami de** m'accompagner.

English usage often gives no clues as to when a French verb requires a preposition.

When a conjugated verb in French is followed by another verb in the same clause, the second verb will be in the infinitive form, regardless of whether or not the conjugated verb requires a preposition. In this type of construction, the infinitive sometimes has an English equivalent ending in *-ing*.

La langue française n'est pourtant pas réservée aux Français. (un café en Algérie)

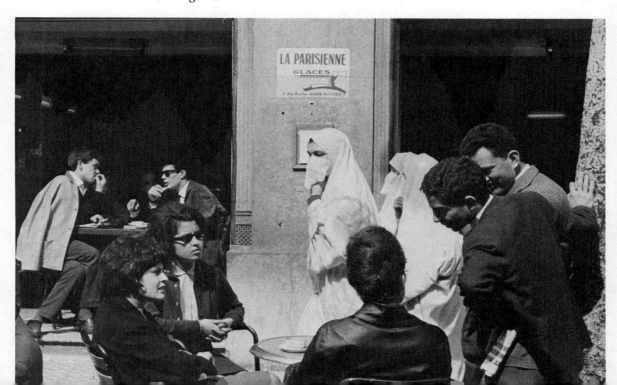

Je **veux travailler.**	I want to work.
Je **continue à travailler.**	I continue working.
J'**ai fini de travailler.**	I have finished working.

After the preposition **après,** use the past infinitive form, which is the infinitive of **avoir** or **être** followed by the past participle of the main verb.

Après avoir voyagé, ils sont retournés chez eux.	After having traveled, they returned home.
Après être allés en ville, ils sont rentrés.	After having gone downtown, they went home.

1. **To Introduce an Infinitive** The following verbs do not require a preposition when followed by an infinitive.

aimer	Anne **aime voyager.**	penser	Je **pense retourner** en mars.
aller	Nous **allons jouer.**		
croire	Ils **croient rêver.**	pouvoir	Nous **pouvons prendre** l'avion.
désirer	Elle **désire m'accompagner.**	préférer	Elles **préfèrent rester** ici.
devoir	Il **doit partir.**		
écouter	Michel **écoute parler** le guide.	regarder	Ils **regardent danser** Annie.
entendre	J'**entends chanter** les gens.	savoir	Je **sais danser** aussi.
		souhaiter	Il **souhaite assister** au concert.
espérer	Il **espère arriver** à l'heure.		
		vouloir	Je **veux aller** en ville.
faire*	Je **fais bâtir** une maison.		
falloir	Il **faut aller** au marché.		

The following verbs require the preposition **à** when they are followed by an infinitive.

aider à	Il **aide** les touristes **à s'amuser.**
s'amuser à	Il **s'amuse à parler** aux touristes.
apprendre à	Il **apprend à naviguer** un bateau.
commencer à	Nous **commençons à comprendre** le pays.
continuer à	Elles **continuent à rire.**
enseigner à	Le professeur **enseigne à parler** français.
s'habituer à	Je **m'habitue à étudier.**
hésiter à	J'**hésite à traverser** le Pacifique.
inviter à	On m'**invite à danser.**
se préparer à	Elles **se préparent à visiter** la France.

*The construction **faire** + infinitive means to have something done rather than to do something oneself.

Je répare la voiture.	I am repairing the car.
Je **fais réparer** la voiture.	I am having the car repaired.

réussir à	**J'ai réussi à prendre** un ticket.
tenir à*	Il **tient à voyager** en été.

The following verbs require the preposition **de** when followed by an infinitive.

accepter de	**J'ai accepté de venir.**
s'arrêter de	Il **s'arrête de parler.**
avoir peur de	Elle **a peur de voyager.**
choisir de	Nous **choisissons de partir.**
décider de	Il **a décidé de quitter** le pays.
essayer de	**J'essaie de gagner** de l'argent.
être obligé de	Je **suis obligé de dire** non.
finir de	Ils **ont fini de voyager.**
manquer de	Tu **as manqué de tomber.**
oublier de	Elle **a oublié d'assister** à la conférence.
refuser de	Nous **refusons de partir.**
regretter de	Il **regrette de s'en aller.**
risquer de	Ils **risquent d'être** en retard.
se souvenir de	Je **me souviens d'avoir vu** le guide.
venir de†	Elle **vient de visiter** la Martinique.

Exercices d'application

A. Complétez chaque phrase par la préposition convenable, si c'est nécessaire.

1. Frédéric s'amuse _____ rêver aux vacances.
2. Je ne risque pas _____ oublier l'anglais.
3. Les colons avaient peur _____ traverser la mer.
4. Le petit Bachir pense _____ retourner dans son pays.
5. Voulez-vous _____ voir des palmiers?
6. Mon professeur m'a invité _____ l'accompagner à Montréal.
7. Elle a oublié _____ assister à la fête.
8. Christophe Colomb voulait _____ faire un voyage outre-mer.
9. Vous apprenez _____ trouver ces pays sur la carte.
10. La Guadeloupe réussit _____ recevoir beaucoup de touristes.
11. Il fait _____ nettoyer ses vêtements.

B. Remplacez le verbe indiqué en italique par un autre verbe logique qui prend la même préposition. Ne changez rien à la structure originale de la phrase, même si vous changez le sens. Il y a souvent plusieurs réponses possibles.

1. Les jeunes Africains du Sénégal *aiment* parler français.
2. Les Québécois *essaient* de conserver leur langue.
3. La France *a refusé* d'abandonner sa colonie.

---

*The verb **tenir** without a preposition means *to hold.* **Tenir à** means *to insist.*
†Remember that **venir de** + infinitive means *to have just.*

4. Nous *apprenons* à écrire une deuxième langue.
5. Tu *sais* faire de beaux voyages.
6. Nous *choisissons* de déclarer notre indépendance.
7. Est-ce qu'on *se prépare* à aider les gens du Tiers monde?
8. Mon cousin *désire* obtenir la nationalité française.
9. Un bon Français *n'oublie* jamais de penser à sa patrie.
10. L'influence russe *commence* à s'étendre en Afrique.

2. **To Introduce a Noun Object** Most verbs in French do not require a preposition when they are followed by a noun object. Below are listed some of the verbs that require **à** or **de** when followed by a noun object.*

demander à	J'ai demandé à mon père s'il vient aussi.
dire à	Disons à nos amis qu'ils sont en retard.
s'habituer à	Je m'habitue au climat.
s'intéresser à	Elle s'intéresse à l'histoire.
jouer à	Aimez-vous jouer aux sports?
obéir à	Il faut obéir à ses parents.
penser à	Il pense à ses amis.
plaire à	Cette musique plaît aux Québécois.
réfléchir à	Je réfléchis aux problèmes.
répondre à	Le guide répond aux questions.
réussir à	Ils ont réussi à l'examen.
téléphoner à	Il téléphone à son père.
s'agir de	Il s'agit d'une colonie française.
avoir besoin de	Il a besoin d'argent.
avoir peur de	J'ai peur des serpents.
jouer de	Elle joue de la guitare.
se moquer de	Ils se moquent des touristes.
parler de	Je parlais de mon voyage.
partir de	Elles sont parties de la maison.
se passer de	Ils se passent de cigarettes actuellement.
penser de	Que pensez-vous des touristes?
rire de	Nous avons ri de notre bêtise.
sortir de	Je sortais de l'hôtel.
se souvenir de	Elle se souvient de ton pays.
venir de	Elle vient de Belgique.

*Aller, **arriver,** and **retourner** take the preposition **en** when used before a feminine country and **au** / **aux** before a masculine country.

la ville de Montréal
(Canada)

⚠ RAPPEL ⚠ RAPPEL ⚠ RAPPEL

Pay special attention to the following verbs that require a preposition before a noun direct object in English, but not in French.

demander	to ask *for*	J'ai **demandé mon argent.**
payer	to pay *for*	Il **a payé son ticket.**
chercher	to look *for*	Nous **cherchons notre train.**
écouter	to listen *to*	Ils **écoutent le guide.**
regarder	to look *at*	Je **regarde le monument.**
espérer	to hope *for*	Elle **espère une meilleure note.**
attendre	to wait *for*	Vous **attendez le groupe.**

Exercice d'application

Complétez chaque phrase par la préposition convenable, si c'est nécessaire.

1. Nous répondons _____ la personne qui nous parle.
2. As-tu regardé _____ la carte?
3. Les touristes sont partis _____ leur hôtel.

4. Les citoyens obéissent _____ leur président.
5. Il faut écouter attentivement _____ le guide.
6. Parlez distinctement si vous téléphonez _____ ces gens.
7. Il aime se moquer _____ (les) Français.
8. Les diplomates s'intéressent _____ la question.
9. Cherchez _____ un exercice facile.
10. Demandez _____ votre ami s'il parle allemand.

3. **To Introduce Both a Noun Object and an Infinitive** A few verbs in French require two prepositions, **à** to introduce a noun object referring to a person and **de** to introduce a dependent infinitive. Below is a partial list of these verbs.

demander **à** (*person*) **de**
  (*infinitive*)

Il **demande à son ami de sortir.**

dire **à** (*person*) **de** (*infinitive*)

Ils **disaient à leurs ennemis de partir.**

écrire **à** (*person*) **de** (*infinitive*)

Nous **avons écrit à Jean de venir.**

permettre **à** (*person*) **de** (*infinitive*)

Leur famille **permet aux enfants de voyager.**

Exercices d'ensemble

A. Complétez chaque phrase par la préposition convenable, si c'est nécessaire.

1. J'aime _____ voyager, mais je préfère _____ rester assez longtemps dans les pays étrangers.
2. La Tunisienne a dit _____ touristes _____ revenir un jour.
3. Nous réfléchissons _____ vos questions et nous allons _____ répondre _____ votre lettre.
4. Demandez _____ votre amie _____ expliquer pourquoi elle s'intéresse _____ la géographie du Maghreb.
5. Vous pensez _____ retourner bientôt dans votre pays, mais vous refusez _____ partir parce que vous voulez _____ terminer vos études.
6. Ma sœur téléphone _____ nos parents à la fin du mois parce qu'elle s'amuse _____ parler _____ ses voyages.
7. Les autorités permettent-elles _____ citoyens _____ sortir _____ notre pays sans passeport?
8. Si vous cherchez _____ un climat idéal, vous avez besoin _____ aller _____ la Nouvelle-Orléans en hiver et _____ Canada en été.

B. Formez des phrases complètes en faisant les transformations nécessaires. Ajoutez les prépositions convenables.

1. Il faut / payer / le ticket d'avion tout de suite / si on / s'intéresser / une réduction

2. Je commence / étudier / ces pays / car je / souhaiter / faire un voyage là-bas
3. Christine / écrire / ses amis en Floride / envoyer des fruits / ses parents
4. On pouvoir / jouer / bridge / si on / vouloir / s'amuser sur le bateau
5. Je / se préparer / s'habituer / climat / car je / espérer / habiter ici
6. Les langues étrangères / plaire / étudiants / parce qu'ils / aimer / connaître / des cultures différentes
7. Nous / devoir / inviter / nos amis / parler / leurs voyages
8. Je / savoir bien / danser / et je / attendre / le bal d'hiver / avec impatience

B. Other Uses of Prepositions

1. **It is + Adjective + Verb** A frequent problem for the English speaker is expressing the idea *it is* followed by an adjective that in turn introduces an infinitive (*It is difficult to solve this problem*).

   Do *not* rely on English structure to determine whether **c'est** or **il est** should be used to introduce the infinitive. Instead, look for the object of the infinitive in French. If the object of the infinitive is in its normal position, immediately after the infinitive, use **il est** and the preposition **de** to introduce the infinitive.

   > **Il est difficile de résoudre ce problème.**
   > **Il est impossible d'acheter nos billets.**

   If the object of the infinitive is in any other position, or if it is omitted, use **c'est** and the preposition **à** to introduce the infinitive.

   > **C'est un problème** (*object of résoudre*) **difficile à résoudre.**
   > **C'est difficile à résoudre.**

Exercice d'application

Complétez chaque phrase par **c'est... à** ou **il est... de**.

1. _____ un pays _____ voir.
2. _____ facile _____ parler cette langue.
3. _____ une destinée _____ désirer.
4. _____ une indépendance difficile _____ obtenir.
5. _____ agréable _____ s'offrir des vacances en Algérie.
6. _____ difficile _____ prononcer.

2. **Prepositional Phrases Describing a Noun** Prepositional phrases are frequently used in French to describe or qualify a noun.

- The preposition **à** denotes purpose, function, or nature.

   Une machine à laver a washing machine

   une glace à la vanille vanilla ice cream

un verre à vin a wine glass	**une maison à deux étages** a two-story house

- The preposition **de** denotes contents or composition.

une robe de coton a cotton dress	**un verre de vin** a glass of wine
un problème de maths a math problem	**une boîte de haricots** a can of beans

- The preposition **en** denotes substance.

une maison en brique   a brick house
une montre en or   a gold watch

3. **Referring to a Location**   When referring to a location, **à** is used in a general sense to mean *at,* **dans** is used to mean *in* (in the physical sense) or *inside of,* and **par** is used to mean *through.*

J'étudie **à** la bibliothèque.	Le laboratoire est **dans** ce bâtiment.
Elles sont **au** Resto-U maintenant.	Allez **dans** la salle de classe.

Ils regardent **par** la fenêtre.
Passez **par** la porte.

4. **With Expressions of Time**   To refer to a period of time, **à** is used with hours of the day and **en** is used with months, years, and all seasons except **au printemps.**

Le groupe est parti
{
à trois heures.
en mars.
en 1982.
en hiver.

To denote the duration of a period of time, **en** means within a specified time and **dans** denotes the end of a specified time.

Je travaille vite et je peux finir **en une heure.**
Le concert va se terminer **dans deux heures.**

The concept *for* is expressed by **pendant** when referring to actual duration and by **pour** when referring to intended duration.

Il a vécu à Paris **pendant** deux ans.
Je vais rester à Paris **pour** une semaine.
Elle allait à Paris **pour** une semaine mais elle est restée là **pendant** six mois.

5. **With Modes of Transportation**   To describe modes of transportation, the preposition **en** is used except when referring to train travel, when **par** is used.

$$\text{Ils ont voyagé} \begin{cases} \text{en voiture.} \\ \text{en avion.} \\ \text{en bateau.} \\ \text{par le train.} \end{cases}$$

6. **To Express Intention** The preposition **pour** introduces an infinitive to denote the intention of an action. In English, the idea of *in order to* is often omitted, but this idea must be expressed in French whenever the infinitive conveys intention.

> Je travaille **pour gagner de l'argent.**
> **Pour faire un gâteau,** il faut du sucre.

7. **The Preposition Chez** The preposition **chez** has a variety of meanings in French.

at someone's home or business	Nous allons dîner **chez Pierre.** Il est **chez le médecin.**
within a group	**Chez les Martiniquais,** le français est une langue commune.
within the nature of a person	C'est une attitude bien connue **chez le président.**
within the work of an author	**Chez Camus,** il y a beaucoup de descriptions du désert.

8. **With Geographical Locations** Most names of geographical locations that end in **e** in French are feminine and are preceded by **en** to mean *to, at,* or *in.*

en France	**en** Angleterre
en Provence	**en** Bourgogne
en Asie	**en** Australie
en Floride	**en** Californie

Names of geographical locations that end in any other letter in French are masculine and are preceded by **à** + definite article to mean *to, at,* or *in.*

au Portugal	**aux** Etats-Unis
au Poitou	**au** Québec
au Texas	**au** Colorado

There are a few exceptions to the above rules.

en Israël	**au** Mexique
en Iran	**au** Zaïre

It is possible to use **dans l'état de** with states of the United States.

> **dans l'état de Kansas**
> **dans l'état de Virginie**

With names of cities, the preposition **à** is always used to mean *to, at,* or *in*. No article is used unless the name of the city itself contains an article, such as **Le Havre**.

à Paris	**à la** Nouvelle-Orléans
à Chicago	**au** Caire

To express the concept of coming from or originating in, use **de** before feminine nouns and **de** + definite article before masculine nouns.

Ce sont les vins **de** France.
Je viens **des** Etats-Unis.

Exercices d'application

A. Complétez chaque phrase par la préposition convenable.

1. Normalement on boit du vin dans un verre _____ vin.
2. Il est deux heures et vous partez à trois heures; vous partez _____ une heure.
3. Vous prenez Air France pour vos vacances. Vous allez _____ avion.
4. Vous dînez à la maison des Lenoir. Vous dînez _____ les Lenoir.
5. Votre mère demande du thé avec son repas. Elle boit une tasse _____ thé.
6. Quand vous tapez une lettre, vous employez une machine _____ écrire.
7. J'adore le jambon. Je mange toujours une omelette _____ jambon.
8. Votre voyage a duré trois semaines. Vous étiez absent _____ trois semaines.

B. Formez des phrases complètes en faisant les transformations nécessaires. Ajoutez les prépositions convenables.

1. Il / y avoir / beaucoup d'étudiants / cet amphithéâtre
2. Il / falloir / réfléchir / répondre / cette question
3. Vous / mettre / un pull-over / laine / hiver
4. Vous / rencontrer / vos amis / café
5. Je / adorer / voyager / printemps
6. Puisque / elle / être pressé / elle / aller / terminer / cet exercice / cinq minutes
7. Ils / partager / un appartement / trois chambres
8. Aller / en groupe / concert / rock, nous / passer d'abord / Michel

C. Complétez chaque phrase par la préposition convenable.

1. Ma famille habite _____ Californie.
2. Pendant leur voyage, ils vont _____ Sénégal.

3. Restez-vous longtemps _____ Canada?
4. Ses parents sont _____ Israël.
5. Le château du prince était _____ Orléans.
6. Le bateau arrive _____ Havre.
7. Vous voyagez souvent _____ Europe!
8. Monsieur Sadat habitait _____ Caire.

Exercices d'ensemble

A. Répondez aux questions en utilisant un nom géographique.

1. Dans quel état ou dans quelle province habitez-vous?
2. Où se trouve le bureau officiel de Monsieur Mitterrand?
3. Où pouvez-vous aller pour entendre parler français en Amérique?
4. Dans quelle province trouvez-vous les Normands?
5. Où est la ville de Dallas?
6. Savez-vous où sont les pays du Maghreb?
7. Pour voir la reine Elisabeth, il faut aller dans quel pays?
8. Quand vous êtes à Mexico, vous êtes dans quel pays?
9. Washington est la capitale de quel pays?
10. Où habitent les Chinois?

B. Complétez chaque phrase par les prépositions convenables.

1. Quelquefois, quand je suis _____ la cafétéria, je prends un sandwich _____ fromage et _____ jambon, un verre _____ thé glacé, une salade _____ tomates et une glace _____ la vanille.
2. Aujourd'hui, il fait chaud. Je suis content d'être assis près de la fenêtre _____ la salle de classe. Nous écoutons le professeur _____ une heure _____ apprendre à parler correctement.
3. La dernière élection présidentielle _____ France a eu lieu _____ 1981, _____ printemps. _____ les Français, il y a eu beaucoup d'émotion, des expressions _____ joie et _____ tristesse.
4. _____ avoir une bonne idée de l'immensité de l'Afrique, il faut traverser le continent _____ voiture, mais c'est difficile _____ faire.
5. _____ Zaïre, Mohammed Ali a beaucoup d'amis parce qu'il est allé _____ leur pays _____ participer à un match _____ boxe très célèbre.

2. The Present Participle

To form the present participle in French, drop the **-ons** ending from the **nous** form of the present indicative and add the ending **-ant**.

| parler | (nous parlǿnš) | **parlant** | speaking |
| finir | (nous finissǿnš) | **finissant** | finishing |

répondre	(nous répond**ons**)	**répondant**	answering
partir	(nous part**ons**)	**partant**	leaving
voir	(nous voy**ons**)	**voyant**	seeing

Only **avoir, être,** and **savoir** have present participles that are irregular.

avoir	ayant
être	étant
savoir	sachant

The present participle is used in the following ways.

- As an Adjective

    When used as an adjective, the present participle must agree in gender and number with the noun it modifies.

    une histoire **plaisante**
    des trajets **amusants**

- After the Preposition **En**

    Used after the preposition **en,** the present participle has the English equivalents *by, while, upon* + verb + *-ing.*

En voyageant, j'ai beaucoup appris.	By traveling, I learned a lot.
En visitant le Maroc, nous avons vu le Sahara.	While visiting Morocco, we saw the Sahara.
En arrivant à la Nouvelle-Orléans, il a cherché un taxi.	Upon arriving in New Orleans, he looked for a taxi.

Une habitante des Caraïbes porte un chapeau traditionnel. (Saint-Barthélemy)

1. Remember, every preposition in French except *en* and *après* is followed by the infinitive, not the present participle, even though the English equivalent may involve the use of a form ending in -*ing*.
2. Common speech patterns in French tend to avoid using the present participle, except after the preposition **en**. You can eliminate many errors by remembering that, other than in the progressive tenses, the English -*ing* construction can either be expressed in French by an infinitive or avoided completely by reworking the idea into a dependent clause.

Voyager par le train est agréable.	Traveling by train is pleasant.
J'ai envie de **voyager.**	I feel like traveling.
L'homme **qui voyage** avec nous a déjà visité la Tunisie.	The man traveling with us has already visited Tunisia.

Exercice d'application

Complétez chaque phrase par le participe présent du verbe entre parenthèses.

1. En (*apprendre*) que ses amis étaient déjà partis, elle s'est fâchée.
2. Il a évité l'accident en (*être*) prudent.
3. Nous avons bavardé en (*faire*) notre travail.
4. En (*réussir*) au bac, elle a pu entrer à l'université.
5. Ils se sont amusés en (*se promener*).
6. En (*bachoter*), elle a beaucoup appris.
7. Ils ont commencé à pleurer en (*voir*) l'accident.

3. Relative Pronouns

Relative pronouns are used to join two thought groups by relating one clause to a word or concept in another clause.

The boy **who is coming with us** is Mary's brother.

The relative pronoun is often omitted in English but must always be used in French.

Le pays **que** nous avons visité est intéressant.	The country (that) we visited is interesting.

A single French form may have several possible English meanings. For example, **qui** can mean *who, whom, which, what,* or *that.* Choosing the correct relative pronoun in French depends on the pronoun's function in the sentence (subject, direct object, object of a preposition) and whether or not the verb following the relative pronoun requires a preposition.

A. **Subject of the Clause** It is easy to recognize when a relative pronoun is the subject of the clause it introduces since there will be no other subject in the clause. **Qui** as subject may refer to either persons or things.

> Le garçon **qui vient à la fête** est le frère de Marie.
> Ce pays **qui se trouve dans le Pacifique** est une colonie.

When there is no specific word or definite antecedent for the relative pronoun to refer to, an antecedent must be provided by adding **ce**.

> Il raconte **ce qui se passe au Maroc.**
> Ils indiquent **ce qui est intéressant en Belgique.**

The relative pronoun forms that include **ce** are often translated as *what* and refer to a situation or idea rather than to a specific object or person.

B. **Object of the Clause** When the clause introduced by a relative pronoun already has a subject, the relative pronoun will be the object of the verb of the clause it introduces. **Que** also refers to either persons or things.

> Le garçon **que vous avez invité** vient à la fête.
> Le pays **que nous visitons** est en Asie.

Again, if there is no definite antecedent for the relative pronoun, you must provide one by adding **ce**.

> Voilà **ce que vous avez demandé.**
> Je ne sais pas **ce qu'il veut.**

Exercice d'application

Complétez chaque phrase par le pronom relatif convenable.

1. Un francophone est une personne _____ parle français.
2. Il sait _____ se passe au Moyen-Orient.
3. Je dis toujours _____ je pense.
4. L'anglais est la langue _____ on parle dans l'Alberta.
5. Voilà des citoyens _____ sont fiers de leur pays.
6. L'Hexagone est un nom _____ on donne à la France.
7. Le guide demande _____ les touristes veulent faire.
8. C'est un Français _____ habite la Réunion.

C. Object of a Preposition In French, if the verb following the relative pronoun requires a preposition, this preposition will be incorporated into the body of the sentence in one of the following ways.

1. *Dont* **and** *Ce dont* The preposition **de** is absorbed into the forms **dont** and **ce dont** that refer to both persons and things.

Voici le livre **dont vous avez besoin.**	Here is the book that you need. (to need—**avoir besoin *de***)
Voilà le guide **dont je parlais.**	There's the guide that I was talking about. (to talk about—**parler *de***)

If there is no definite antecedent for **dont,** you must add **ce.**

Ce dont elle a peur n'est pas clair.	It's not clear what she's afraid of. (**avoir peur *de***)
Apportez **ce dont vous avez besoin** pour le voyage.	Bring what you need for the trip.

Dont is used to express *whose, of whom,* and *of which.* After **dont** meaning *whose,* the word order in French is always subject / verb / object. This may be the reverse of the English order.

Voilà le guide **dont le frère est français.**	That's the guide whose brother is French.
Voilà le touriste **dont vous avez réparé la voiture.**	There's the tourist whose car you repaired.

Ces femmes confectionnent des paniers. (le Sahara)

2. *Qui* **and** *Lequel*   If the verb following the relative pronoun requires any preposition other than **de,** this preposition must be placed before the appropriate relative pronoun. In such cases, **qui** is usually used for people and the appropriate form of **lequel (laquelle, lesquels, lesquelles)** to denote things.

> C'est Marie **avec qui il voyage.**
> Voilà mon ami **pour qui j'ai acheté le cadeau.**
> C'est l'école **dans laquelle on étudie les langues.**
> Allez chercher les chèques **avec lesquels nous allons payer les billets.**

When **lequel, lesquels, lesquelles** are preceded by the preposition **à,** the appropriate contractions must be made.

> Retournons au restaurant **auquel** nous sommes allés l'année dernière.

⚠ RAPPEL   ⚠ RAPPEL   ⚠ RAPPEL

Remember that, in spoken and written French, you may never place a preposition at the end of the sentence. In English you might hear *There's my friend I bought the present for* or *That's the school I went to.* In French you would have to say:

> Voilà mon amie **pour qui** j'ai acheté le cadeau.
> Voilà l'école **à laquelle** j'ai assisté.

Remember to include the relative pronoun that has been omitted in English and to place the preposition before the relative pronoun. Use **qui** for people and a form of **lequel** for things.

D. *Où*   If the antecedent is either a location or a period of time, the relative pronoun used in both cases is **où.** Note that the use of **où** referring to time periods is quite different from English usage.

C'est la ville **où j'ai grandi.**	That's the town where I grew up.
J'étais préoccupé le jour **où le groupe est parti.**	I was worried the day that the group left.
Il est venu au moment **où je partais.**	He came at the moment I was leaving.

Complétez chaque phrase par le pronom relatif convenable.

1. Voilà les vacances _____ j'ai besoin.
2. C'est la grande voiture dans _____ je suis monté.
3. C'est Robert _____ je vous ai parlé.
4. J'ai l'argent avec _____ je vais payer les hommes.
5. Elle a annoncé _____ elle a besoin.
6. Octobre est le mois _____ je suis né.
7. Voilà les gens à _____ on parlait.
8. Ce sont les vacances _____ nous nous souvenons avec plaisir.
9. C'est l'heure _____ on dîne dans ce pays.
10. Ayez pitié des gens _____ il se moque.

⚠ RAPPEL   ⚠ RAPPEL   ⚠ RAPPEL

The following steps will help in choosing the correct relative pronoun to use in French.

1. Identify the relative clause and remember that in French you must use a relative pronoun, even if it is omitted in the English equivalent.
2. Find the subject of the relative clause. If there is none, use **qui** or **ce qui** as the relative pronoun.
3. Verify whether or not the verb of the relative clause requires a preposition. If the verb requires **de,** use **dont** or **ce dont** as the relative pronoun. If the verb requires any other preposition, use **qui** for persons or a form of **lequel** for things (preceded by the preposition).
4. If the relative clause has a subject and the verb requires no preposition, use **que** or **ce que** as the relative pronoun or **où** if the antecedent is a location or a period of time.

A. Complétez chaque phrase par le pronom relatif convenable.

1. J'ai visité ce musée. Voilà le musée _____ j'ai visité.
2. Un mariage? Voilà _____ j'adore.
3. Les colons sont partis. Ce sont les colons _____ sont partis.
4. Je parle du dix-neuvième siècle. C'est l'époque _____ ils sont arrivés.
5. J'ai voyagé avec ces diplomates. Voilà les diplomates avec _____ j'ai voyagé.

6. Je me suis fâchée contre cette situation. C'est la situation contre _____ je me suis fâchée.
7. Cet homme a un frère qui est ministre. C'est l'homme _____ le frère est ministre.
8. Elle fait allusion à la conquête d'Alger. C'est la conquête d'Alger à _____ elle fait allusion.
9. J'ai parlé de la colonisation. Voilà _____ j'ai parlé.
10. Nous avons besoin d'un divertissement. C'est _____ nous avons besoin.

B. Transformez chaque phrase en employant le participe présent.

Exemple: Elle apprend quand elle voyage.
Elle apprend en voyageant.

1. Je chante quand je travaille.
2. C'est une vérité qu'on découvre quand on réfléchit au dix-septième siècle.
3. Quand on essaie, on comprend les autres gens.
4. On peut aider ces gens si on est sympathique.
5. J'ai rencontré des touristes quand je suis allée en ville.

Activités d'expansion

A. *Test de géographie.* Répondez aux questions suivantes.

1. Où se trouve le Kremlin?
2. Est-ce que le Nil est en Asie?
3. Où est-ce qu'on fabrique les voitures Toyota?
4. Où est-ce qu'il faut aller pour visiter les pyramides?
5. D'où vient le Coca-Cola?
6. D'où vient le roi Juan Carlos?
7. Où est-ce qu'on va pour visiter le Grand Canyon?
8. Où se trouvent les ruines des Aztèques?
9. Dans quel pays est-ce qu'on trouve les meilleurs hamburgers du monde?
10. Dans quel pays est-ce qu'on fabrique le champagne Moët?

B. Composez dix phrases basées sur le schéma suivant.

Exemple: J'aime voyager au Mexique.

Je
Mon camarade
Mon ami
Les Américains
Les Français
Mes copains
Ma famille
Mon professeur
	(ne)	aimer
		s'amuser
		espérer
		décider
		continuer
		penser
		essayer
		être obligé
		hésiter
		avoir peur
		vouloir
		devoir
			(pas)	à
				de
					regarder
					se souvenir
					arriver
					aller
					voir
					s'intéresser
					parler
					écrire
					se moquer
					téléphoner
					voyager
					penser
					écouter
						à
						au
						aux
						de
						du
						des
						en
							le
							la
							l'
							les
								Vermont
								jeune filles
								Amérique
								  du Sud
								Paris
								Etats-Unis
								Français
								français
								la Nouvelle-
								  Orléans
								Mexique
								musique
								  classique
								Belgique
								Maroc
								Floride
								Américains

à l'université de Guadeloupe

C. Combinez les deux phrases en une seule en vous servant d'un pronom relatif.

Exemples: Voilà le pays. Nous parlions de ce pays.
  Voilà le pays dont nous parlions.
  Richard pense retourner dans son pays. Il n'aime pas la Belgique.
  Richard, qui n'aime pas la Belgique, pense retourner dans son pays.

1. Voilà le pays. J'ai visité ce pays.
2. Voilà la plage. Cette plage est magnifique.
3. C'est l'île. Il s'agit de cette île.
4. L'avion vient d'arriver. Il est en retard.
5. C'est le guide. Elle travaille pour lui.
6. C'est la jeune fille. Marc sort avec cette jeune fille.
7. C'est le désert. Il parlait de ce désert.
8. C'est le papier. Il écrit sur ce papier.
9. L'avion vient d'arriver. J'attends cet avion.
10. Voilà les photos. Je pensais à ces photos.
11. Voilà le musée. Il a eu l'accident à côté de ce musée.
12. Voilà la question. Il a bien répondu à cette question.
13. Marc a déjà passé tous ses examens. Il a l'air content.
14. Les Québécois essaient de conserver leur langue. Ils sont fiers d'être francophones.
15. Voilà le guide. Le frère de ce guide est médecin.

D. Répondez aux questions suivantes en commençant chaque réponse par **voilà.**

1. Quel pays avez-vous visité?
2. De quel ami est-ce que vous parliez?
3. Qu'est-ce qui est difficile?
4. Quel guide est gentil?
5. Qu'est-ce qu'il a fait?
6. A quel endroit est-ce que la fête a eu lieu?
7. Qu'est-ce qui est drôle?
8. Avec quel groupe voyagez-vous?
9. De quoi avez-vous besoin?
10. De quelle ville s'agit-il?
11. Dans quel pays a-t-elle voyagé?
12. A quel homme est-ce qu'il a donné son billet?

E. Complétez les phrases suivantes.

1. Paris? C'est la ville où…
2. J'ai un ami qui…
3. C'est le livre que…
4. La Martinique est une île où…

5. Dites-moi ce que...
6. Ils leur expliquent ce dont...
7. Ce sont mes parents avec qui...
8. Voilà la voiture avec laquelle...
9. Voilà le garçon dont...

F. *Situations orales*

1. Formez plusieurs groupes de trois personnes. Chaque groupe va choisir un pays de langue française. Présentez en classe le portrait du pays en mentionnant, par exemple, le temps, les plages, les villes, les montagnes, les gens, les divertissements, etc.
2. Divisez la classe en deux équipes. Le professeur va poser la question suivante: «Dans quel pays êtes-vous si vous vous trouvez à *(nom de ville)*?» L'équipe qui donne la première bonne réponse reçoit un point. Le jeu se termine quand une équipe a vingt et un points.

G. *Situations écrites*

1. Ecrivez une lettre à un(e) ami(e). Dans cette lettre proposez l'itinéraire d'un voyage idéal autour du monde.
2. Choisissez le pays de langue française où vous voudriez passer vos vacances et expliquez pourquoi.
3. Ecrivez une composition qui explique un exemple de l'influence de la France et du français au Nouveau Monde.

Chapitre
9

Ces deux jeunes filles suivent le trajet qu'elles veulent faire sur un plan de la ville. (Paris)

Lecture:

Un Long Voyage et de courts trajets

L'Avion

(A bord d'°un avion de la compagnie Air France à destination de° Paris on entend une voix de femme au haut-parleur°: «Mesdames et Messieurs. Nous allons bientôt atterrir° à Roissy-Charles-de-Gaulle. Veuillez attacher° vos ceintures° et éteindre° vos cigarettes.»)

ELLEN: Marie-France, réveille-toi! L'hôtesse° vient d'annoncer notre arrivée° à Paris.

MARIE-FRANCE: Ne t'inquiète pas. Je l'ai entendue. Mais nous avons tout notre temps.

ELLEN: Toi, tu es française. Tu connais l'aéroport, les portes° qu'il faut prendre, où il faut aller pour réclamer et enregistrer° ses valises. Moi, je n'en sais rien.

MARIE-FRANCE: Ecoute-moi. Toi et moi, nous pouvons aller régler tout cela ensemble au moment d'atterrir. Il n'y a pas de problèmes. Tu vas voir.

ELLEN: Je voudrais acheter mon billet pour Marseille en même temps.

MARIE-FRANCE: D'accord. Il faut aller au comptoir d'Air Inter pour en parler à l'agent. Dis-lui que tu as l'intention de descendre à Aix-en-Provence et indique la date que tu as prévue° pour ton départ de Paris.

ELLEN: Air Inter? Je ne connais pas. Est-ce que c'est une ligne importante?

MARIE-FRANCE: Ce sont les lignes qui assurent le service aérien à l'intérieur de la France.

ELLEN: Est-ce que ce sont de petits avions?

MARIE-FRANCE: Mais non. Ce sont, en général, des avions à réaction° très modernes.

ELLEN: Chut! On va en reparler plus tard. Je vois déjà les pistes° de Roissy et les avions qui décollent.° Nous arrivons juste à l'heure prévue.

(Une heure plus tard devant le comptoir Air France)

ELLEN: Bonjour, Monsieur. Je voudrais un billet pour Aix-en-Provence, le 15 juillet, s'il vous plaît.

AGENT: Très bien, Mademoiselle. Un instant, je vais vérifier s'il y a encore des places. Un aller simple° ou un aller et retour?°

ELLEN: Aller simple, s'il vous plaît. L'aéroport est-il bien loin de la ville?

AGENT: C'est un vol en direct° sur Marseille-Marignanne, et vous avez une pe- tite demi-heure de route à faire pour aller à Aix.

ELLEN: Cela me paraît raisonnable. Je vais prendre mon billet aujourd'hui si vous voulez bien me le préparer.

AGENT: A votre service, Mademoiselle.

Le Métro et l'autobus

L'un des meilleurs moyens de se déplacer° à l'intérieur de la ville de Paris c'est de prendre le métro. Il y a des gens qui hésitent à s'en servir tout seuls. Mais le système est si simple!

D'abord, vous trouvez une bouche de métro.° Vous y descendez et vous cherchez le guichet ou le distributeur° automatique où vous achetez vos billets. Si vous demandez un carnet° de tickets, ceux-ci vous coûtent moins cher. Puis, vous suivez le trajet° que vous voulez faire sur des plans affichés° partout. Vous attendez que les portillons° s'ouvrent et, après avoir validé° votre ticket, vous passez aux quais.° Dans quel- ques minutes une des rames° rapides de la R.A.T.P.° se présente devant vous sur la voie.° Vous montez en voiture,° et votre petit voyage com- mence. En suivant le plan dans chaque voiture, vous pouvez déterminer à quel arrêt° il vous faut descendre. Quelquefois, surtout aux heures de pointe,° il faut faire un effort pour sortir du train et ne pas manquer votre station. C'est à celle-ci que vous changez peut-être de ligne et faites une correspondance° pour votre destination dans Paris ou dans la région parisienne en prenant le R.E.R.°

On peut se servir de ses tickets de métro pour prendre l'autobus. Mais attention! Vous montez par l'avant° où vous oblitérez° votre ticket en l'introduisant° dans la machine près du machiniste.° Celui-ci peut vous en vendre un, si vous n'en avez pas, mais le ticket va coûter un peu plus cher. Pour descendre à votre arrêt, faites signe° en appuyant° sur le bouton° spécial. Et n'oubliez pas de descendre par le milieu° ou par l'arrière.°

Mais surtout ne vous inquiétez pas. Paris est une ville où on s'amuse même quand on se perd!°

Le Chemin de fer°

(Il est 20h30 dans un train en provenance de° Paris, Gare° de Lyon, à destination de Montpellier.)

MICHEL: Regarde tout ce monde! Nous avons bien fait de réserver nos places. As- tu vérifié l'horaire° pour savoir l'heure de l'arrivée?

Symbols in the stations
Symboles dans les gares

Inquiry office
Bureau de
renseignements

Seat Reservation
office
Guichet
de réservation
des places

Currency exchange
office
Change
des monnaies

Ticket office
Guichet de vente
de billets

Luggage
registration office
Enregistrement
des bagages

Withdrawal of
registered luggage
Délivrance des
bagages
enregistrés

Left luggage
office
Consigne des
bagages

Automatic left
luggage lockers
Consigne
automatique

Custom
Douane

Luggage trolley
Chariot
porte-bagages

Porters
Porteurs

Waiting room
Salle d'attente

Lost property
office
Bureau des
objets trouvés

Railway station
restaurant
Restaurant de gare

Exit
Sortie

Subway under the
tracks or the street
Passage inférieur
sous des voies
ou sous des rues

OLIVIER: Encore mieux. J'ai demandé un indicateur° officiel de la S.N.C.F.° au bureau de renseignements.° L'arrivée du rapide° est prévue pour 7h04. C'est un trajet assez long. Heureusement que nous avons loué des couchettes.° Je préfère ne pas passer la nuit assis.

MICHEL: Ou debout comme ces gens dans le couloir° qui n'ont pas trouvé de compartiment non-réservé.

OLIVIER: Parmi les voyageurs, il doit y en avoir plusieurs qui vont descendre à Lyon. Les gens sans place en trouvent souvent une après l'arrêt de Lyon.

(L'heure: 6h30)

MICHEL: Nous y arrivons bientôt. Je vais descendre ma valise et la sortir dans le couloir. Veux-tu que je descende la tienne aussi?

OLIVIER: Volontiers. Mettons les nôtres à côté de celles des autres passagers qui vont descendre en même temps que nous.

MICHEL: Bon! Voilà le train qui ralentit.°

(Les haut-parleurs: «Attention, attention! Le train arrive en gare de Montpellier. Arrêt de deux minutes.»)

MICHEL: De quel côté faut-il descendre?

OLIVIER: Celui-ci. Allez, dépêche-toi ou tu vas te trouver à Perpignan! Tu sais bien que les trains français ne s'arrêtent pas plus d'une seconde.

Vocabulaire

NOMS

aller et retour m round-trip ticket
aller simple m one-way ticket
arrêt m stop
arrière m rear
arrivée f arrival
avant m front
avion à réaction m jet
bouche de métro f subway entrance
bouton m button

bureau de renseignements m information window
carnet m booklet
ceinture f seat belt
chemin de fer m railroad
comptoir m ticket counter
correspondance f transfer
couchette f bunk
couloir m corridor
distributeur m ticket dispenser
gare f station

haut-parleur m loudspeaker
heures de pointe f pl rush hour
horaire m schedule
hôtesse f flight attendant
indicateur m train schedule
machiniste m driver
milieu m middle
piste f runway
plan m map

porte *f* gate
portillon *m* automatic gate
quai *m* platform
rame *f* subway train
rapide *m* express train
R.A.T.P. *f* (**Régie Autonome des Transports Parisiens**) Paris Bus and Subway Agency
R.E.R. *m* (**Réseau Exprès Régional**) Suburban Rapid-Transit Line
S.N.C.F. *f* (**Société Nationale des Chemins de Fer**) French National Railroad

trajet *m* trip
voie *f* track
voiture *f* railway car
vol *m* flight

VERBES
afficher to post
appuyer to press
attacher to fasten
atterrir to land
décoller to take off
se déplacer to get around
enregistrer to check
éteindre to extinguish
faire signe to signal
introduire to insert

oblitérer to cancel, to punch
se perdre to get lost
prévoir to plan
ralentir to slow down
valider to validate

EXPRESSIONS DIVERSES
à bord de on board
à destination de heading for
en direct nonstop
en provenance de arriving from

Exercices de vocabulaire

A. Complétez chaque phrase par l'expression convenable.

1. Si vous attendez une rame, vous voyagez...
   a. en avion
   b. en automobile
   c. dans le métro
   d. en autobus
2. Un train en provenance de Paris...
   a. ne s'arrête pas à Paris
   b. arrive à Paris
   c. arrive de Paris
   d. est à destination de Paris
3. Un avion qui est en train de partir est un avion qui...
   a. décolle
   b. descend
   c. atterrit
   d. ralentit
4. Si vous voulez faire plusieurs voyages dans le métro et si vous n'avez pas de tickets, il faut demander...
   a. une place
   b. un carnet
   c. un guichet
   d. un quai
5. Un avion, arrivant à l'aéroport, atterrit sur...
   a. le quai
   b. la voie
   c. l'arrêt
   d. la piste
6. Avant le départ de l'avion, l'hôtesse demande aux passagers d'attacher...
   a. leurs cigarettes
   b. leurs ceintures
   c. leurs couchettes
   d. leurs correspondances
7. Quand on voyage par le train, si on ne réserve pas sa place, on risque de...
   a. passer la nuit debout
   b. louer des couchettes
   c. passer la nuit assis
   d. bien dormir
8. Si on veut descendre en avion de Paris à Marseille, on se présente au comptoir et on demande _____ pour Marseille.
   a. un trajet
   b. un aller simple
   c. un couloir
   d. un aller et retour

B. Classez les mots suivants selon leur rapport avec (1) l'avion, (2) le métro ou (3) le chemin de fer.

l'aéroport	décoller	la piste
atterrir	le distributeur	le rapide
la ceinture	la gare	une rame
les couchettes	l'hôtesse	une station

C. Indiquez si chaque phrase est vraie ou fausse. Si la phrase est fausse, corrigez-la.

1. A bord d'un avion on demande aux passagers d'éteindre leurs cigarettes.
2. Air Inter est une compagnie internationale.
3. Il y a toujours des places dans le métro aux heures de pointe.
4. Le Concorde est un avion à réaction.
5. Dans le métro il n'est pas dangereux de passer aux quais en traversant la voie.
6. Aux heures de pointe si on ne fait pas attention, on risque de manquer sa station.
7. Dans le métro si on ne fait pas de correspondance, on ne change pas de ligne.
8. Si la ligne de métro que vous voulez utiliser est fermée, vous pouvez prendre l'autobus avec un ticket de métro.
9. A bord de l'avion on annonce au haut-parleur que l'avion en provenance de Paris arrive en Gare de Marseille.
10. En France les trains s'arrêtent une quinzaine de minutes pour permettre aux voyageurs de descendre à leur aise.

D. Complétez chaque phrase par le terme convenable.

annoncer	enregistrer	manquer
appuyer	éteindre	prévoir
se déplacer	louer	

1. Avant le départ du vol il faut _____ les cigarettes.
2. Si on change d'avion pendant son voyage, il vaut mieux _____ ses valises.
3. Une compagnie aérienne peut _____ les arrivées et les départs de ses avions à plusieurs endroits de l'aéroport.
4. Le voyageur s'inquiète parce qu'il a peur de (d') _____ son vol.
5. Pour acheter quelque chose dans un distributeur il faut d'abord introduire une pièce de monnaie dans la machine; ensuite, il faut _____ sur un bouton pour indiquer son choix.
6. Si on est touriste à l'étranger et si on ne veut pas se servir des moyens de transport en commun, on peut toujours _____ une voiture.

7. Dans une grande ville, le touriste a quelquefois de la difficulté à
_____ en voiture.
8. Il n'est pas toujours possible de (d') _____ le retard d'un
avion.

Structures

1. Object Pronouns

⚠ RAPPEL   ⚠ RAPPEL   ⚠ RAPPEL

Study the following examples in which the English pronoun *it* is
used. Note that in French, a different pronoun is necessary in each case.

Je **le** vois.	I see it.
J'**y** réponds.	I answer it.
J'**en** ai besoin.	I need it.
J'écris avec **cela.**	I write with it.

To choose which object pronoun to use in French, you must know
what preposition, if any, the verb requires when introducing a following
noun object. If you concentrate first on the preposition, you can choose
correctly every time.

A. Choosing Object Pronouns

1. **Direct Object Pronouns** If a verb requires no preposition and the noun
object directly follows the verb, the noun object is replaced by the appropriate direct object pronoun: **me, te, le, la, nous, vous, les.**

Je cherche **mon frère.**	Je **le** cherche.
Je vois **la belle cathédrale.**	Je **la** vois.
Il écrit **ses lettres.**	Il **les** écrit.

**Exercice
d'application**

Complétez chaque phrase par la forme convenable du pronom.

1. Nous faisons *le voyage.* Nous _____ faisons.
2. Ils aiment *leurs amis.* Ils _____ aiment.

3. Je prends *la voiture*. Je _____ prends.
4. Elle visite *le pays*. Elle _____ visite.
5. Nous descendons *nos valises*. Nous _____ descendons.

2. **Indirect Object Pronouns** If the noun object is introduced by the preposition **à** and is a person, the preposition and its object are replaced by the appropriate indirect object pronoun: **me, te, lui, nous, vous, leur.** Note that **lui** and **leur** replace both masculine and feminine nouns.

Il écrit **à sa mère.**	Il **lui** écrit.
Elles parlent **aux touristes.**	Elles **leur** parlent.

3. **Y** If the object of the preposition **à** is a thing, the preposition and its object are replaced by **y. Y** also replaces a preposition of location and its object (**dans** le sac, **sous** la table, **devant** la porte, etc.).

Je réponds **à votre lettre.**	J'**y** réponds.
Nous dînons **dans l'avion.**	Nous **y** dînons.

Exercice d'application

Complétez chaque phrase par le pronom convenable.

1. Je vais *à la bibliothèque*. J' _____ vais.
2. Nous téléphonons *à l'agent*. Nous _____ téléphonons.
3. Elle envoie des cartes *à ses amies*. Elle _____ envoie des cartes.
4. Ils s'habituent *au climat*. Ils s'_____ habituent.
5. Il est *devant le comptoir*. Il _____ est.
6. J'écris *à ma sœur*. Je _____ écris.
7. Elle ne répond pas *au téléphone*. Elle n'_____ répond pas.
8. Nous donnons des billets *aux enfants*. Nous _____ donnons des billets.

4. *En* The pronoun **en** replaces the preposition **de** and its object when the object is a thing. When the noun object is introduced by a number or another expression of quantity (**beaucoup de, plusieurs, assez de,** etc.), **en** replaces the preposition, if any, and the noun, but the expression of quantity will remain in the sentence.

Elle parle **de son voyage.**	Elle **en** parle.
Il envoie **beaucoup de cartes.**	Il **en** envoie **beaucoup.**
Nous avons fait **deux voyages.**	Nous **en** avons fait **deux.**

NE PAS FUMER

LORSQUE LE SIGNAL 'NE PAS FUMER' EST ETEINT, VOUS POUVEZ FUMER TANT QUE VOUS OCCUPEZ UN SIEGE DANS UNE DES PARTIES DE LA CABINE OU LES FUMEURS SONT ADMIS TOUTEFOIS, DES QUE LE SIGNAL 'NE PAS FUMER' S'ALLUME, VEUILLEZ CESSER DE FUMER.

5. **Disjunctive Pronouns** When the noun object of **de** is a person, the preposition retains its original position in the sentence, and the person is replaced by the appropriate disjunctive pronoun: **moi, toi, nous, vous, lui / elle, eux / elles.** Note that third-person forms (**lui / elle** and **eux / elles**) show a gender distinction.

Nous parlons de **Marie.**   Nous parlons d'**elle.**
J'ai besoin de **mes amis.**   J'ai besoin d'**eux.**

Exercice d'application

Complétez chaque phrase par le pronom convenable.

1. Il a peur *des avions.* Il _____ a peur.
2. Je me souviens *de ce pilote.* Je me souviens de _____ .
3. Nous avons besoin *d'argent.* Nous _____ avons besoin.
4. Ils apportent trop *de valises.* Ils _____ apportent trop.
5. Je parle *de mon voyage.* J' _____ parle.
6. Je parle *de mon amie.* Je parle d' _____ .
7. Elle a demandé une *place réservée.* Elle _____ a demandé une.

6. **Prepositions with Object Pronouns** If the noun object is a person and is introduced by any preposition other than **à** or **de,** the preposition retains its original position in the sentence, and the person is replaced by the appropriate disjunctive pronoun.

Nous partons **avec nos amis.**   Nous partons **avec eux.**
Elle achète un cadeau **pour son père.**   Elle achète un cadeau **pour lui.**

If the noun object is a thing introduced by any preposition other than **à** or **de,** the preposition retains its original position in the sentence, and the noun is replaced by **cela. Ça** can be used as a substitute for **cela** in conversation.

Il va payer **avec un chèque.**   Il va payer **avec cela.**
Nous achetons des costumes **pour la fête.**   Nous achetons des costumes **pour cela.**

Exercice d'application

Complétez chaque phrase par le pronom convenable.

1. Il ne voyage pas sans *sa femme.* Il ne voyage pas sans _____ .
2. Trouvons un cadeau pour *le guide.* Trouvons un cadeau pour _____ .
3. Je ne pars pas sans *carte de crédit.* Je ne pars pas sans _____ .
4. Mettez-vous devant *les autres.* Mettez-vous devant _____ .
5. Je paie mon billet avec *cet argent.* Je paie mon billet avec _____ .

B. Position of Object Pronouns Object pronouns are placed either directly before a conjugated verb or directly before an infinitive, depending on which verb the object pronoun logically accompanies. Never separate these pronouns from the verb form on which they depend. Note the position of pronouns in negative and interrogative sentences.

Vous **lui** parlez.	Vous **lui** avez parlé.
Vous ne **lui** parlez pas.	Vous ne **lui** avez pas parlé.
Lui parlez-vous?	**Lui** avez-vous parlé?

Il voudrait **la** voir.
Il ne voudrait pas **la** voir.
Voudrait-il **la** voir?

When two object pronouns are used together, their order is as follows.

me				
te	le	lui		
nous	la	leur	y	en
vous	les			

Remember that, in compound tenses, the past participle of a verb using **avoir** as the auxiliary agrees with any direct object pronoun preceding the verb.

J'ai vu **mes amies.**   Je **les** ai vu**es.**

When **le** and **les** are used as object pronouns, there is no contraction with **de** or **à**.

J'ai envie **de le** voir.
J'hésite **à les** acheter.

Exercices d'application

A. Remplacez l'expression indiquée en italique par le pronom convenable.

1. Elle éteint *sa cigarette.*
2. Les touristes se déplacent *dans la ville.*
3. Tu parlais *à l'agent.*
4. On voyage avec *ce plan de la ville.*
5. Nous avons reservé *des couchettes.*
6. Il est debout *derrière l'hôtesse.*
7. Il ne faut pas s'inquiéter au sujet de *Marc.*
8. Je vais louer trois *places.*
9. La rame de métro sort *de la station.*
10. Le machiniste a arrêté *le bus.*

Qui a pris l'autobus?
Hélène et vous?
(le boulevard
Saint-Germain)

B. Remplacez chaque expression indiquée en italique par le pronom covenable.

1. Il faut descendre *à la gare* pour réclamer *ses bagages.*
2. A-t-elle annoncé *son arrivée?*
3. Les haut-parleurs ont annoncé *aux voyageurs le départ du train.*
4. J'ai raconté *à l'hôtesse* que j'avais manqué deux *trains.*
5. Il ne voulait pas ralentir *le rapide.*
6. Voudriez-vous indiquer *l'arrêt d'autobus au groupe?*

C. Répondez affirmativement aux questions en remplaçant les expressions indiquées en italique par des pronoms.

1. Marie demande-t-elle toujours *des tickets à son frère?*
2. Etes-vous allés *à la porte* avec *l'agent?*
3. Penses-tu que l'hôtesse t'ait dit *la vérité?*
4. Aime-t-il prendre *les lignes intérieures en France?*
5. As-tu donné deux *tickets au machiniste?*

C. Object Pronouns with the Imperative Object pronouns used with a negative imperative immediately precede the verb and follow their normal order of placement.

Ne **lui en** donnez pas.   Ne **les y** mettez pas.
Ne **me la** donnez pas.   N'**y en** mettez pas.

With an affirmative imperative, the object pronouns immediately follow the verb, are connected to it by hyphens, and are placed in the following order.

direct object   indirect object   **y**   **en**

Donnez-**lui-en.**   Mettez-**les-y.**
Donnez-**la-moi.**   Parlez-**lui-en.**

When **me** and **te** follow an affirmative imperative, they are replaced by **moi** and **toi.**

Donnez-**moi** le livre.
Donnez-**le-moi.**

Exercices d'application

A. Remplacez les mots indiqués en italique par un pronom.

1. Prenez *le rapide.*
2. Annoncez *leur arrivée.*
3. Descendez *du train.*
4. Passez *derrière le comptoir.*
5. Parlez *aux passagers.*
6. Oblitérez *vos billets.*
7. Louez deux *places.*
8. Demandez *des renseignements.*

B. Remplacez les mots indiqués en italique par un pronom.

1. Ne donnez pas *vos billets à l'hôtesse.* Donnez *vos billets à l'hôtesse.*
2. Ne mettez pas les valises *sur le lit* pour *le garçon.* Mettez les valises *sur le lit* pour *le garçon.*
3. Ne vendez pas *de carnets à vos amis.* Vendez *des carnets à vos amis.*
4. Ne mettez pas *les photos au mur.* Mettez *les photos au mur.*
5. Ne dites pas *à votre frère* de descendre *ses valises.* Dites *à votre frère* de descendre *ses valises.*

Exercices d'ensemble

A. Pour chacune des phrases suivantes formulez une réaction en employant l'impératif affirmatif ou négatif et les pronoms convenables. Utilisez l'expression **parce que** pour expliquer votre réaction.

Exemple: Je vais acheter une nouvelle voiture demain.
Oui, achetez-en une parce que votre voiture ne marche pas bien.
N'en achetez pas une parce que votre voiture marche toujours bien.

1. Je vais aller en France cet été.
2. Je vais prendre le train demain pour aller à Besançon.
3. Je vais vendre ma voiture.

4. Je vais téléphoner au Président.
5. Ce week-end je vais lire *Paris-Match*.
6. Je vais aller au concert des Rolling Stones demain soir.
7. Ce soir je vais écouter le disque que vous m'avez prêté.
8. Ce week-end je vais faire du ski.
9. En août je vais aller à la plage.
10. L'année prochaine, je vais étudier l'espagnol.

B. *Interview. Le train et l'autobus.* Posez les questions suivantes à des camarades de classe. Ils doivent répondre aux questions en employant des pronoms si possible.

1. Est-ce que tu as jamais pris le train?
2. Où es-tu allé(e)?
3. Est-ce que tu as réservé tes places?
4. Est-ce que tu as acheté ton billet d'avance où le jour du voyage?
5. Est-ce que tu as vérifié l'horaire pour savoir l'heure de ton arrivée?
6. Est-ce que tu prends souvent l'autobus?
7. Est-ce que tu as un bon système d'autobus dans ta ville?
8. Dans ta ville, est-il nécessaire d'acheter un billet pour prendre l'autobus?
9. Est-ce que tu as jamais manqué ton arrêt? Pourquoi?
10. Est-ce que tu descends de l'autobus toujours par l'arrière?

D. Uses of Disjunctive Pronouns

1. **As Compound Subject or Object** Compound subjects and objects can be composed of two or more disjunctive pronouns or a combination of nouns and pronouns. In such cases the noun precedes the pronoun.

> **Charles et moi,** nous allons au cinéma.
> Nous avons invité **Pierre et elle.**
> **Eux et elles** viennent aussi.
> **Vous et lui,** vous pourrez nous accompagner.

The subject pronoun is normally repeated when it is **nous** or **vous; ils** is often omitted.

2. **To Emphasize a Single Element of the Sentence** In French, emphasis cannot be placed on a single element of the sentence with voice inflection as is done in English, since each element of a sentence receives equal stress. Emphasis can be achieved by the addition of a disjunctive pronoun or by placing the element in a position of emphasis after **c'est** or **ce sont** followed by the appropriate disjunctive pronoun.

Moi, je ne l'ai pas vu.	*I* didn't see him.
Je ne l'ai pas vu, **lui.**	I didn't see *him.*
Ce n'est pas moi qui l'ai vu.	*I'm* not the one who saw him.
C'est lui que j'ai vu.	*He's* the one I saw.

A disjunctive pronoun stressing a subject can be placed either at the beginning or at the end of the sentence. A disjunctive pronoun used to stress an object is placed only at the end of the sentence.

Moi, je ne l'ai pas vu.   Elle l'a vu, **lui.**
Je ne l'ai pas vu, **moi.**   Nous les avons rencontrés, **eux.**

When using the construction **c'est / ce sont** followed by the disjunctive pronoun and a clause, be sure that the verb of the clause agrees with the same person as the disjunctive pronoun.

C'est **moi** qui **suis** en retard.
Ce sont **elles** qui **prennent** l'autobus.

3. **In Special Constructions** The subject pronouns cannot stand alone without a verb. A disjunctive pronoun can be used alone.

Qui est là?   **Moi.**
Qui a fait cela?   **Lui.**
Qui vient avec vous?   **Eux.**

When the impersonal subject pronoun **on** is used, **soi** is the corresponding pronoun used as the object of a preposition.

On est toujours bien chez **soi.**
On aime travailler pour **soi.**

The ending **-même(s)** added to any of the disjunctive pronouns reinforces the pronoun. In such cases, **-même** is the equivalent of the English *-self* as in *myself, himself, yourself,* etc., and agrees in number with the pronoun it accompanies.

J'y vais **moi-même.**
Nous travaillons pour **nous-mêmes.**

The disjunctive pronouns are used as direct objects following the negative expressions **ne...que** and **ne...ni...ni.**

Il n'aime **qu'elle.**
Je n'accompagne **qu'eux.**
Il **ne** comprend **ni elle ni moi.**
Je n'ai vu **ni lui ni eux.**

The disjunctive pronouns follow **que** in comparisons.

Il court **plus vite que moi.**
Elles voyagent **plus souvent que lui.**

After the following verbs, when the object of the preposition à refers to people, a disjunctive pronoun is used.

être à   Cette voiture est **à moi.**
faire attention à   Faites attention **à elles.**
s'habituer à   Nous nous habituons **à vous.**

penser à	Je pense **à lui.**
présenter à	Il la présente **à toi.**
tenir à	Il tient **à eux.**

However, even with the above verbs, when the object of the preposition **à** is a thing, the object pronoun **y** is used.

Je m'habitue **au climat.**	Je m'**y** habitue.
Ils pensent **au voyage.**	Ils **y** pensent.

 RAPPEL　　△ RAPPEL　　△ RAPPEL

Remember, the above examples involving **à** with a disjunctive pronoun are exceptions, and you should learn them as such.

In the majority of cases, a person as the object of the preposition **à** will be replaced by an indirect object pronoun, which will precede the verb.

Je **lui** donne le carnet.
Ils **leur** téléphone.

Exercices d'application

A. Remplacez les mots indiqués en italique par les pronoms convenables.

1. J'ai réservé deux couchettes pour *Charles* et *Louise*.
2. Je n'ai vu ni *le pilote* ni *les hôtesses*.
3. Vous ne pensez pas *au pauvre touriste*.
4. Je me perds moins vite que *ma femme et mes enfants*.
5. Cet indicateur est à *Jean-Pierre*.

B. Dans les phrases suivantes vous voulez insister sur les pronoms indiqués en italique. Employez la forme tonique (*disjunctive pronoun*) des pronoms convenables.

1. *Je* regarde la piste.
2. *Ils* arrivent aux heures de pointe.
3. Tu *l'*a vue.
4. *Il* ne s'inquiète pas.
5. *Nous* avons manqué le train.

C. Complétez les phrases suivantes par les pronoms convenables.

1. Tu n'as pas prévu ce retard du métro.
   C'est _____ qui n' _____ pas prévu ce retard du métro.
2. Nous allons du côté de Marseille.
   C'est _____ qui _____ du côté de Marseille.

3. —Qui a jeté son ticket?
   —C'est André?
   —Oui, c'est _____ .
4. —J'attends sur le quai.
   —Qui attend?
   —_____ .
5. —Je vais descendre les valises.
   —Qui va les descendre?
   —C'est _____ qui _____ les descendre.

**Exercices
d'ensemble**

A. Répondez aux questions en employant des pronoms pour
remplacer les expressions en italique.

1. Est-ce que c'est *l'agent* qui a dit *aux voyageurs* d'aller *au comptoir*
   chercher *leurs billets*?
2. Avez-vous acheté deux *carnets* pour *votre femme* et *vous-même*?
3. T'a-t-il dit de rester debout *dans le couloir* pour dire *aux étudiants*
   où descendre *du train*?
4. Est-ce que c'est la destination que vous avez prévue en achetant
   vos billets à Paris?
5. Qu'est-ce que vous me dites si vous voulez que je vous donne
   trois *tickets*?
6. Avez-vous donné *vos billets à l'agent*?
7. Est-ce que vous avez demandé *des renseignements* avant de partir
   de Paris?
8. Est-ce que c'est *ce monsieur-là* qui vous a vendu *les places*?
9. Est-ce que je descends *à l'arrêt prochain* pour *la correspondance*?
10. Est-ce que je donne un *pourboire à l'hôtesse*?

B. Répondez affirmativement aux questions suivantes en employant la
forme tonique du pronom.

Exemples: Qui a fait cela? Pierre?
           Oui, c'est lui. C'est lui qui a fait cela.
           Qui a fait cela? (vous)
           C'est moi. C'est moi qui l'ai fait.

1. Qui est à la porte? (vous)
2. Avec qui vont-ils? Marie et Jean?
3. Qui s'est perdu? Roger?
4. Qui avez-vous vu? Marc et Louise?
5. De qui a-t-elle besoin? De Chantal et de Lise?
6. A qui pense-t-elle? (vous)
7. Qui a vu Marc et Roger? (vous)
8. Qui avez-vous invité? Lisette et Nicole?
9. Pour qui avez-vous réservé une place? Pour Alexandre?
10. Qui a pris l'autobus? Hélène et vous?

2. Possessive Pronouns

The possessive pronouns in French are equivalent to the English pronouns *mine, yours, his, hers, its, ours, theirs.*

A possessive pronoun corresponds to the possessive adjective and replaces the possessive adjective and the noun it modifies. The possessive pronoun must agree with the noun replaced, *not* with the possessor.

Apportez votre livre et **mon livre.**
Apportez votre livre et **le mien.**

One Possessor	Single Possession	Plural Possessions
mine	*le mien (m)*	*les miens (m)*
	la mienne (f)	*les miennes (f)*
yours (tu)	*le tien (m)*	*les tiens (m)*
	la tienne (f)	*les tiennes (f)*
his / hers / its	*le sien (m)*	*les siens (m)*
	la sienne (f)	*les siennes (f)*

More than One Possessor	Single Possession	Plural Possessions
ours	*le nôtre (m)*	*les nôtres (m & f)*
	la nôtre (f)	
yours	*le vôtre (m)*	*les vôtres (m & f)*
	la vôtre (f)	
theirs	*le leur (m)*	*les leurs (m & f)*
	la leur (f)	

Je vais attacher ma ceinture et **la sienne.**
Tu peux prendre ma valise et **les tiennes.**
Jeanne a acheté son carnet et **le sien.**
Ils ont verifié vos billets et **les miens.**
Vous avez pris vos places et **les nôtres.**
Nous pouvons trouver notre train et **le leur.**
J'ai réclamé ma valise et **la vôtre.**
Voici votre compartiment et **le nôtre.**

The pronoun forms corresponding to the adjectives **notre** and **votre** have a circumflex accent over the **ô,** and, like **les leurs,** the plural forms show no gender distinction.

The prepositions **à** and **de** contract with the definite article of the possessive pronouns.

Je pense à mon voyage et **au sien.**
Nous avons besoin de notre voiture et **des leurs.**

Vous avez appuyé sur le bouton?
Non, je vais y appuyer maintenant. (On prend des billets de métro.)

⚠ RAPPEL ⚠ RAPPEL ⚠ RAPPEL

The choices involving **le sien** and **le leur** seem to pose a problem for the English speaker.

When expressing *his* or *hers*, there is only one person doing the possessing, so choose from among **le sien, les siens, la sienne, les siennes** the form that agrees with the object possessed, not the possessor.

Il achète son billet et **le sien.**	He's buying his ticket and hers.
Elle a enrégistré ses valises et **les siennes.**	She checked her bags and his.

When expressing *theirs*, there is always more than one possessor, but they may possess either a single thing or more than one thing.

A quelle heure part leur avion?
A quelle heure part **le leur?**
Mettez leurs valises dans leur compartiment.
Mettez **les leurs** dans leur compartiment.

Remplacez la partie indiquée en italique par le pronom possessif convenable.

1. Prenons *la voiture de Bill*.
2. Voilà *l'avion de tes parents*.
3. Je vais attendre dans *ton compartiment*.
4. Va chercher *les valises de Marie*.
5. Mon voyage était magnifique. Et *votre voyage*?
6. J'ai mes billets et *vos billets*.
7. J'attends avec impatience son arrivée et *ton arrivée*.
8. Non, c'est *l'horaire de ma voisine*.
9. Je cherche *ma couchette*.
10. Donnez aux enfants *leurs billets*.

3. Demonstrative Pronouns

The demonstrative pronouns in French are equivalent to the English pronouns *this one, that one, these,* and *those*. A demonstrative pronoun replaces a demonstrative adjective and the noun it modifies. It must agree in gender and number with the noun replaced.

> Apportez-moi ce livre.
> Apportez-moi **celui-là.**

	Singular	Plural
Masculine	*celui*	*ceux*
Feminine	*celle*	*celles*

A. Basic Uses of Demonstrative Pronouns The demonstrative pronoun cannot stand alone and must be followed by one of the following constructions.

1. -Ci or -là

Cette voiture-là est sale; prenons **celle-ci.**

That car is dirty; let's take this one.

Cet avion est dangereux; je préfère **celui-là.**

That plane is dangerous; I prefer that one.

Les couchettes de ce côté sont plus commodes que **celles-là.**

The bunks on this side are more convenient than those.

Ce trajet est plus facile que **ceux-là.**

This trip is easier than those.

The demonstrative pronoun followed by **-ci** can also mean *the latter;* followed by **-là** it can mean *the former.* **-Ci** refers to the last element mentioned (the latter or closest one), while **-là** refers to the first element mentioned (the former or the farthest one).

Nous allons prendre soit le bateau soit l'avion.
Moi, je préfère **celui-ci** car **celui-là** va trop lentement.
I prefer the latter, because the former goes too slowly.

2. A Relative Pronoun + Clause

De tous les trains, je préfère **celui qui est rapide.**	Of all the trains, I prefer the one that is fast.
Montrez-moi ma place et **celles que vous avez réservées.**	Show me my place and those you reserved.
Voilà **celle dont j'ai besoin.**	There's the one I need.

3. *De* + noun

Voilà ma valise et **celle de Jean.**	There's my suitcase and John's.
J'ai apporté mon horaire et **ceux de Paul et Hélène.**	I brought my schedule and Paul's and Helen's.

B. *Ceci* and *Cela*   The neuter demonstrative pronouns **ceci** and **cela** do not refer to a specific noun but to a concept or to an idea. **Ceci** announces an idea that is to follow, while **cela** refers to something that has already been stated.

Je vous dis **ceci**: ne prenez jamais le métro après 11 heures.
Vous avez manqué le train, et je vous ai dit que vous alliez faire **cela**.

Cela (ça) is used frequently to translate *this* or *that* as the subject of a verb other than **être**. With **être**, **ce** is used as the subject.

C'est un trajet difficile.
Ça fait une heure qu'on attend.

Exercice d'application

Complétez chaque phrase par le pronom convenable.

1. Gardez ma place et _____ de Marc.
2. Cette station est fermée; essayez _____ -là.
3. Je peux vous dire _____ : Je suis perdu!
4. Vous avez deux sortes de tickets. Voilà _____ dont j'ai besoin.
5. Ne me dites pas _____ ; je n'aime pas les histoires d'accidents.
6. Il y a des avions et des autobus; _____ sont généralement plus rapides que _____ .
7. _____ indique la porte et l'heure d'arrivée.
8. Ce quai est-il _____ que vous nous avez indiqué?
9. Normalement, les haut-parleurs annoncent les arrivées, mais _____ de cette gare ne marchent pas.
10. _____ est un train extrêmement confortable.

Le haut-parleur annonce un train. Est-ce mon train ou le tien? (la gare de Lyon à Paris)

Activités d'expansion

A. Répondez aux questions en choisissant le second élément mentionné. Remplacez-le par un pronom possessif dans votre réponse.

Exemple: Cette voiture est à vous ou à vos parents?
           C'est la leur.

1. Ce billet est à vous ou à votre sœur?
2. Est-ce que vous pensez à son départ ou à mon départ?
3. Pardon. Est-ce que cette place est à moi ou à elle?
4. Est-ce que ce sont nos valises ou celles de Jean et Marie?

5. Est-ce que ce plan du métro est à moi ou à vous?
6. Est-ce que vous avez besoin de ma voiture ou de celle de mes parents?
7. Est-ce qu'on annonce mon vol ou celui de Marie-France?

B. Charles parle avec Alice d'un voyage qu'il a fait à Paris l'été dernier. Complétez leur conversation par les pronoms convenables.

ALICE: Alors, tu es allé à Paris l'été dernier?

CHARLES: Oui, je (j') _____ suis allé. J'ai passé trois semaines à Paris et je me (m') _____ suis beaucoup amusé.

ALICE: Est-ce que tu as vu les musées de la ville?

CHARLES: Oh, oui, je _____ ai vus, bien sûr.

ALICE: Est-ce que tu as visité le Louvre?

CHARLES: Oui, je _____ ai visité, et c'était formidable. _____ es-tu jamais allée?

ALICE: Oui, plusieurs fois. C'est un très bon musée mais j'aime aussi _____ de Londres.

CHARLES: Est-ce qu'on _____ a donné un plan du Louvre quand tu as pris ton ticket?

ALICE: On _____ _____ a donné _____ et il était très utile parce que c'est le plus grand musée du monde.

CHARLES: Est-ce que tu as eu le temps d'envoyer des cartes postales à tes amis?

ALICE: Certainement! Je _____ _____ ai envoyé et à _____ aussi!

CHARLES: Alors, comme ça, tu ne _____ as pas oublié.

ALICE: Non, non! Je _____ _____ ai envoyé une.

CHARLES: C'est bizarre parce que j'ai reçu _____ de Lucy mais je n'ai pas reçu _____ .

ALICE: Oui, c'est drôle parce que je _____ ai mises à la poste la première semaine où je (j') _____ étais. Est-ce que tu vas _____ retourner l'été prochain?

CHARLES: Oui, je pense _____ faire et je vais _____ envoyer toute une série de cartes postales.

C. *Interview. Voyage en avion.* Posez les questions suivantes à un(e) camarade de classe.

1. As-tu déjà fait un voyage en avion?
2. Est-ce que tu as fait tes réservations bien d'avance?

3. Est-ce que l'aéroport était bien loin de ta ville?
4. Quelle était ta destination?
5. Est-ce que tu as pris un vol en direct ou est-ce qu'il a fallu faire une correspondance?
6. Sur quelle ligne aérienne as-tu voyagé?
7. As-tu enregistré tes valises? Pourquoi?
8. Est-ce que c'était un grand avion?
9. Est-ce qu'il y avait beaucoup de voyageurs?
10. Pourquoi as-tu fait ce voyage?

D. Composez au moins cinq phrases impératives avec des compléments qui sont des noms. Vos camarades de classe doivent répondre à ces ordres par une phrase qui a des compléments pronominaux.

Exemple: Vous: Donne ton livre à Roger.
Votre camarade: *Mais non, je ne vais pas le lui donner.*

E. *Situation orales*

1. Après un séjour en Suisse vous passez à la douane française. Le douanier voit votre montre suisse et votre appareil photographique et il veut vous faire payer des droits de douane. Essayez de lui expliquer que vous avez acheté ces objets aux Etats-Unis et qu'ils vous appartiennent depuis longtemps.
2. Vous attendez un(e) ami(e) à l'aéroport, mais il (elle) n'arrive pas à l'heure prévue. Vous allez au bureau de renseignements pour essayer de vous informer au sujet de son vol. Faites une liste de questions à poser à l'employé.

F. *Situations écrites*

1. Comparez l'autobus et le métro comme moyens de transport dans une très grande ville.
2. Décrivez un voyage d'avion réel ou imaginaire.

Chapitre

10

un pique-nique en autobus

Le Rêve et la réalité
des grandes vacances

(Les grandes vacances d'août reviendront bientôt. Sylvie et Dominique, deux copines, voudraient profiter° des vols-vacances° à la Martinique dont elles ont entendu parler.° Elles pourraient peut-être trouver un de ces voyages à prix forfaitaire° qui leur permettrait de réaliser ce projet. Sylvie ira donc à l'agence de voyage pour se renseigner.°)

M. LABE,
AGENT DE VOYAGE: Bonjour, Mademoiselle. Puis-je vous être utile?

SYLVIE: Je l'espère bien. Nous aimerions, ma copine et moi, faire un séjour° à la Martinique en août si nous pouvions trouver un voyage à forfait° particulièrement avantageux. Avec nos moyens limités, il nous faudrait des tarifs réduits.°

M. LABE: Entendu, Mademoiselle. Je ferai de mon mieux pour vous accommoder. On pourrait vous proposer de participer à un voyage organisé, par exemple. Cela vous permettrait de bénéficier° des prix les plus intéressants.°

SYLVIE: Oui, ce type de voyage nous conviendrait° peut-être mieux. Auriez-vous quelques dépliants° d'Air France à consulter?

M. LABE: Tenez, en voilà plusieurs. Permettez-moi de vous signaler° les rabais° d'un voyage aux Antilles où il fait si beau.

SYLVIE: Oui, oui. Ce sont surtout les réductions qui m'intéressent. Que pourriez-vous nous offrir?

M. LABE: Eh bien, voici ce qu'on appelle chez Air France les jet tours. Quand préféreriez-vous partir?

SYLVIE: Je voudrais partir le premier août et revenir vers la fin du mois si c'était possible.

M. LABE: D'accord. Une seconde, Mademoiselle, je vais vous calculer° le prix du voyage—séjour et billets d'avion compris...° Voilà, je pourrais vous offrir l'itinéraire suivant: Vous partiriez le premier août, de Lyon, aéroport de Bron, départ prévu à 10h15, vol numéro 59; vous arriveriez à Paris-Orly à 11h10. Il vous faudrait changer d'aéroport, bien sûr, puisque les vols internationaux partent de Charles-de-Gaulle. Là, vous prendriez le vol

630 d'Air France à 17h. Il y aurait une escale° d'une heure à Montréal, et puis vous arriveriez à la Martinique à 23h le même jour, heure locale. Il s'agit là de la formule jet tours qui comprend, en plus du° billet aller et retour, vingt jours à l'hôtel PLM avec petit déjeuner et plusieurs activités proposées sur place.° Tout cela vous coûterait, Mademoiselle, 13.000 francs pour deux personnes. Ce serait pour une chambre à deux lits qui ne donne pourtant pas sur la plage. Si vous en désirez une qui donne sur la mer, il y aurait un supplément à payer.

SYLVIE: Ça, alors! C'est assez cher! Mais, avec la hausse° des prix ces jours-ci, il fallait bien s'°y attendre.° Franchement, Monsieur, même si nous faisions des économies° d'ici° le mois d'août, nous ne pourrions pas nous offrir sans difficulté des vacances si chères. Nous devrions peut-être nous raviser.° Enfin, j'en parlerai avec ma copine et je vous téléphonerai dans la journée de demain pour vous annoncer notre décision. Au revoir et merci, Monsieur.

M. LABE: Au revoir, Mademoiselle. C'est moi qui vous remercie.

(De retour à° la maison, Sylvie raconte à Dominique ce qu'elle a appris chez l'agent de voyage. Elles décident que ce séjour de rêve serait, pour le moment, au-dessus de° leurs moyens. Elles sont assez déçues.)

DOMINIQUE: Ecoute, Sylvie. Nous pourrions peut-être trouver un séjour plus raisonnable.

SYLVIE: C'est bien ce qu'il faudrait faire, Dominique, mais ou irions-nous? Je voulais tant voir des plages et des palmiers.

DOMINIQUE: Mais, si nous restions plus près de chez nous, nous aurions l'embarras du choix.° Et la Côte,° dans la région de Fréjus? Il fera chaud le jour et frais le soir. Comme tu le sais, il y aura du soleil tous les jours, puisqu'il n'y pleut presque jamais en été.

SYLVIE: Même s'il y avait un vent de mistral° ou s'il faisait trop froid pour se baigner° un jour, on aurait toujours la possibilité de faire des excursions. Plus° j'y pense, plus° je trouve que tu as raison. Après que nous nous serons installées, nous pourrons faire des randonnées° en montagne. Une petite heure de voiture de la plage et nous voilà dans les Alpes-Maritimes.° Il faut tout de suite consulter le *Guide Michelin*° pour calculer le kilométrage de notre itinéraire.

DOMINIQUE: Quand tu auras trouvé ton guide, tu pourras aussi prendre des renseignements sur les hôtels à Fréjus. Je téléphonerai quand j'aurai le temps.

SYLVIE: Bon! Voilà l'hôtel François-Premier qui paraît confortable et raisonnable. Je te donne le numéro de téléphone: indicatif de zone° quatre-vingt-quatorze; cinquante et un, dix-huit, soixante-douze.

DOMINIQUE: Et pour quelles dates est-ce que je vais réserver?

SYLVIE: Eh bien, nous pourrons partir le matin du vendredi, deux août, pour au moins une vingtaine de jours. Ça nous donnera le temps d'aller souvent à la plage et de faire des excursions dans les environs.°

DOMINIQUE: On nous demandera sûrement de verser des arrhes.° Je dirai à l'hôtelier° de nous fournir° des précisions sur les tarifs spéciaux et les prix forfaitaires.

SYLVIE: De mon côté, je m'occuperai° en juillet de la mise au point° de ma voiture. Je demanderai au garagiste° de faire la vidange° et un graissage,° et je ferai vérifier la pression° des pneus,° la batterie et surtout les freins.° Le premier août, tout ce qu'il nous faudra c'est de faire le plein° et nous serons prêtes à partir.

DOMINIQUE: Dis donc! J'ai une centaine d'affaires à régler avant ce jour-là. Es-tu sûre que nous puissions faire ce voyage sans difficulté dans ta Deux Chevaux?°

SYLVIE: Ah, la pauvre voiture! Elle aussi a besoin de vacances. Et elle adore rouler° sur l'autoroute.°

DOMINIQUE: Tu verras, Sylvie, on s'amusera bien, surtout parce qu'on n'aura pas dépensé la fortune que le voyage aux Antilles aurait coûté. Ce sera pour une autre fois. Pour l'instant, tu auras toujours des plages et des palmiers!

Vocabulaire

NOMS

Alpes-Maritimes *f pl* region in southeastern France
autoroute *f* superhighway
Côte *f* Riviera
dépliant *m* folder
Deux Chevaux *f* small Citroën model
embarras du choix *m* large selection
environs *m pl* surrounding area
escale *f* stopover
frein *m* brake

garagiste *m, f* garage operator
Guide Michelin *m* well-known travel guide
hausse *f* rise
hôtelier *m* hotel owner
indicatif de zone *m* area code
mise au point *f* tune-up
mistral *m* strong, cold wind in Mediterranean area
pneu *m* tire
pression *f* pressure

rabais *m* bargain
randonnée *f* hike
séjour *m* stay
tarif *m* rate
vol-vacances *m* reduced airfare for a limited vacation period
voyage à forfait *m* vacation package deal

VERBES

s'attendre à to expect
se baigner to swim
bénéficier to benefit

calculer to calculate
convenir à to be suitable to
entendre parler de to hear about
faire des économies to save up
faire le graissage to lubricate
faire le plein to fill the tank
faire la vidange to change the oil
fournir to furnish
s'occuper de to take care of

profiter to take advantage
se raviser to change one's mind
se renseigner to obtain information
rouler to run
signaler to indicate
verser des arrhes to send a deposit

ADJECTIFS
compris included
forfaitaire all-inclusive
intéressant advantageous
réduit reduced

EXPRESSIONS DIVERSES
au-dessus de above
d'ici from now until
de retour à back at
en plus de in addition to
plus ... plus the more ... the more
sur place on the spot

Exercices de vocabulaire

A. Complétez chaque phrase par un terme de la liste suivante.

des arrhes une mise au point
des dépliants les moyens
des économies un séjour
l'embarras du choix un supplément
les environs un tarif

1. Quand il y a beaucoup de possibilités et qu'il faut choisir, on dit qu'on a _____ .
2. Si votre voiture marche mal, elle a peut-être besoin de (d') _____ .
3. Les hôtels demandent quelquefois aux clients de verser _____ quand ils réservent une chambre.
4. Si on veut avoir assez d'argent pour faire un long voyage, il faudra d'abord faire _____ .
5. Il connaît la ville de Genève mais il n'a jamais eu le temps de visiter _____ .
6. Pour voyager dans un train de luxe, il faut souvent payer _____ .
7. Pour obtenir des renseignements sur un pays où on voudrait passer ses vacances, il est utile de consulter _____ .
8. Les étudiants de français espèrent faire _____ en France.
9. Si on a une carte d'étudiant, on peut souvent obtenir _____ réduit.
10. Quelqu'un qui n'a pas beaucoup d'argent ne voyage pas souvent parce qu'il n'en a pas _____ .

B. Complétez le paragraphe suivant en utilisant des expressions de la lecture.

Avant de partir en voyage en voiture, il faut vérifier la
_____ de l'air dans les quatre _____ et le niveau de l'eau
dans la _____ . Pour ralentir ou arrêter la voiture, les
_____ doivent aussi être en bon état. Parce qu'on veut que la
voiture _____ bien, on l'amène périodiquement au garage pour
faire un _____ et une _____ de l'huile du moteur. On achète
de l'essence super, peut-être, et on fait _____ du réservoir. Mais
si on a l'intention de conserver de l'essence, il vaut mieux aller moins
vite quand on voyage sur l'_____ .

Ah, la pauvre voiture! Elle aussi a besoin de vacances.

Structures

1. Formation of the Future and Future Perfect

A. **Formation of the Future** To form the future, use the infinitive as the stem and add the appropriate endings: **-ai, -as, -a, -ons, -ez, -ont.** For **-re** verbs, drop the **-e** from the infinitive.

voyager	partir	prendre
je voyager**ai**	je partir**ai**	je prendr**ai**
tu voyager**as**	tu partir**as**	tu prendr**as**
il / elle / on voyager**a**	il / elle / on partir**a**	il / elle / on prendr**a**
nous voyager**ons**	nous partir**ons**	nous prendr**ons**
vous voyager**ez**	vous partir**ez**	vous prendr**ez**
ils / elles voyager**ont**	ils / elles partir**ont**	ils / elles prendr**ont**

There are a few verbs that have irregular future stems. Below is a list of the most important of these verbs.

avoir	**aur-**	recevoir	**recevr-**
être	**ser-**	savoir	**saur-**
aller	**ir-**	valoir	**vaudr-**
devoir	**devr-**	venir	**viendr-**
envoyer	**enverr-**	voir	**verr-**
faire	**fer-**	vouloir	**voudr-**
falloir	**faudr-**	pleuvoir	**pleuvr-**
pouvoir	**pourr-**		

Unless a verb has an irregular future stem, its future will be formed regularly, even if the verb is irregular in the present tense. Pay special attention to the fact that many stem-changing verbs show the stem change in the future.*

Exercices d'application

A. Complétez chaque phrase par le futur du verbe entre parenthèses.

1. Je (*finir*) mes études en juin.
2. Il (*aller*) à la côte avec nous.
3. Nous (*faire*) une excursion.
4. Elles (*avoir*) des vacances en août.
5. On nous (*fournir*) les détails.
6. Est-ce que vous (*vendre*) vos bouquins?

*For the future forms of stem-changing verbs, see Appendix B, 2, p. 306.

7. Elle *(être)* ici demain à trois heures.
8. Tu *(pouvoir)* faire le trajet en une heure.
9. Je *(vérifier)* le numéro du vol.
10. Ils *(devoir)* faire une escale à New-York.
11. *(Savoir)*-tu l'heure de son arrivée?
12. Vous *(voir)* des touristes à la plage?

B. Répondez aux questions suivantes.

1. Viendrez-vous en classe demain?
2. Prendrez-vous la voiture pour venir à l'école?
3. Est-ce qu'on servira des repas excellents au Resto-U ce soir?
4. Est-ce qu'il vous faudra passer des examens demain?
5. Est-ce que vos profs vous donneront beaucoup de devoirs le semestre prochain?

B. **Formation of the Future Perfect** The future perfect is formed with the future of the auxiliary **avoir** or **être** and the past participle of the main verb.

j'**aurai voyagé**	nous **serons parti(e)s**
il **aura pris**	elle **sera arrivée**
vous **aurez fait**	ils **seront allés**
elles **auront fini**	tu **te seras levé(e)**

All verbs form the future perfect in this way.

2. Use of the Future and Future Perfect

A. **Use of the Future** The simple future tense expresses an action that will take place at a future time. It is the equivalent of the English *will (shall)*....*

Je **partirai** en juillet.	I'll leave in July.
Ils **prendront** le train.	They will take the train.

In conversation, the present tense is sometimes used in response to a question in the future.

Quand est-ce que vous **partirez**?
Je **pars** demain.

---

*The future formed with **aller** + infinitive expresses an action that is more immediate and is equivalent to the English *to be going to* + infinitive.

Je **vais partir** tout de suite.	I am going to leave right now.
Ils **vont prendre** le train demain.	They are going to take the train tomorrow.

Although these two constructions are technically not interchangeable, the distinction between them is very fine, and in conversation a strict distinction is not always observed.

The verb **devoir** used in the future expresses the idea *will have to....* **Devoir** in the present tense is also used to express an action that is probable in the future.

Il **doit** arriver bientôt.   He must be arriving soon.

**Exercice
d'application**

Complétez chaque phrase par le futur du verbe entre parenthèses.

1. Je *(parler)* de cela un jour à mes copains.
2. Nous *(descendre)* sur la Côte le mois prochain.
3. Je *(vérifier)* tout cela quand j'aurai le temps.
4. Est-ce que vous *(faire)* un séjour en Grèce si vous allez en Europe?
5. Il y a beaucoup d'affaires que je *(régler)* cet après-midi.

B. Use of the Future Perfect The future perfect tense is used to express the idea that one action in the future will take place and be completed before another action in the future takes place. It expresses the English *will have* + past participle.

En juin, il **aura** déjà **fait** son
  voyage en France.
Nous **serons parties** à trois
  heures demain.

In June he will have already
  taken his trip to France.
We will have left by three
  o'clock tomorrow.

C. The Future After *Quand, Lorsque, Dès que, Aussitôt que, Après que* As noted in the chart of tense sequences below, after the expressions **quand, lorsque, aussitôt que, dès que,** and **après que,** you must use a future tense in French where English uses the present.

Quand il viendra, nous
  pourrons partir.

When he comes, we will be able
  to leave.

This principle may be easier to remember if you realize that French structure is actually more logical than English on this point, since *when* (**quand, lorsque**), *as soon as* (**dès que, aussitôt que**), and *after* (**après que**) all refer to actions that have not yet taken place.

		Subordinate Clause		Main Clause
Si	+	Present tense	+	Future Imperative Present
Quand **Lorsque** **Dès que** **Aussitôt que**	+	Future Future Perfect	+	Future Imperative
Après que	+	Future Perfect	+	Future Imperative

Si tu **arrives** à l'hôtel avant minuit, **téléphone**-moi.

S'il **fait** beau, nous **ferons** un voyage.

Quand (lorsque) tu **téléphoneras** à l'hôtel, tu **pourras** réserver une chambre.

Lorsque vous **serez** en France, **venez** me voir.

Dès que (aussitôt que) je **réglerai** mes affaires, je **partirai**.

Après que vous **aurez fait** le plein, vous **devrez** vérifier les freins.

 RAPPEL    RAPPEL    RAPPEL

Note that if you use the simple future in the subordinate clause you are implying that the actions of both clauses will take place in the same time frame.

The future perfect in the subordinate clause implies that the action of that clause must take place and be completed before the main action can take place.

This distinction is often up to the speaker, and both the simple future and future perfect are used following the conjunctions in question, except **après que**. After **après que** you must use the future perfect since this conjunction implies that the first action has definitely preceded the second.

Quand il { **partira**
{ **sera parti,** nous irons en vacances.

Dès que vous { **achèterez**
{ **aurez acheté** les billets, nous partirons.

but:

Après que j'**aurai consulté** un agent de voyage, nous prendrons une décision.

Exercice d'application

Complétez chaque phrase en mettant l'infinitif au temps verbal convenable.

1. Il roulera très vite s'il *(être)* sur l'autoroute.
2. Après que tu *(faire)* le plein, tu vérifieras l'huile.
3. Vends ta voiture lorsque tu *(arriver)* sur la Côte.
4. Si je *(se perdre)*, je consulterai la carte.
5. Fais des randonnées dans les montagnes dès que tu *(avoir)* le temps.
6. Si vous *(avoir)* un problème, vous pourrez téléphoner à un garagiste.

4

CE PASSEPORT EST DÉLIVRÉ
POUR TOUS PAYS
This passport is valid for all countries

LA VALIDITÉ DE CE
EST PROROGÉE J...
This passport is ren...

A l'exception de :
Except the following

Fait à :
Renewed at

Le :
On

IL EXPIRE LE :
It expires on

19 Mai 1983
Paris
20 Mai 1980

Fait à :
Issued at

Le :
On

TIMBRES FISCAUX
F
50,00

Signature et cachet
de l'autorité qui a délivré
le passeport.
Signature and seal of the
issuing passport authority.

Le Préfet de Police
et par délégation
Le Préfet, Secrétaire Général

PRÉFECTURE DE POLICE
Direction
Police Générale
2e Bureau

7. Après qu'elle (*faire*) des économies, elle achètera son billet.
8. Lorsque vous (*voir*) ce film, vous apprécierez davantage le livre.

**Exercices
d'ensemble**

A. Mettez les phrases suivantes au futur.

1. Je pars à huit heures si ma voiture est prête.
2. Il n'a pas peur quand il voit les gendarmes.
3. Elle demande les tarifs spéciaux après qu'elle arrive.
4. S'il y a des chambres, il vous téléphone tout de suite.
5. Il vous faut nous téléphoner quand vous savez la date où vous arrivez.

B. Mettez les verbes entre parenthèses aux temps convenables.

Je *(partir)* ce soir. Demain *(être)* le premier jour de mon congé et je *(aller)* chez mes cousins à Toulouse. Je *(prendre)* l'autoroute pour y aller, mais quand je *(rentrer)*, je *(revenir)* par les routes départementales. Il *(falloir)* faire beaucoup de déviations, mais je *(pouvoir)* ainsi mieux apprécier le paysage. Après que je *(terminer)* mon séjour, je *(devoir)* me remettre au travail.

C. Répondez aux questions suivantes.

1. Si vous voyagez en France, allez-vous louer une voiture?
2. Quand vous serez en vacances, ferez-vous un long voyage?
3. Qu'est-ce que vos copains feront ce week-end?
4. Après que vous aurez terminé vos études, chercherez-vous un travail?
5. Où irez-vous après vos cours aujourd'hui?
6. A quelle heure partirez-vous du campus?
7. Quand vous arriverez chez vous, que devrez-vous faire?
8. Après que vous aurez fait vos devoirs ce soir, regarderez-vous la télé ou sortirez-vous?

3. Numbers, Dates, and Time

A. Cardinal Numbers

0 zéro	11 onze	22 vingt-deux
1 un (une)	12 douze	30 trente
2 deux	13 treize	31 trente et un
3 trois	14 quatorze	40 quarante
4 quatre	15 quinze	41 quarante et un
5 cinq	16 seize	50 cinquante
6 six	17 dix-sept	51 cinquante et un
7 sept	18 dix-huit	60 soixante
8 huit	19 dix-neuf	61 soixante et un
9 neuf	20 vingt	70 soixante-dix
10 dix	21 vingt et un	71 soixante et onze

80 quatre-vingts	1.000 mille
81 quatre-vingt-un	1.005 mille cinq
90 quatre-vingt-dix	2.000 deux mille
91 quatre-vingt-onze	2.010 deux mille dix
100 cent	1.000.000 un million
101 cent un	1.000.000.000 un milliard
200 deux cents	
201 deux cent un	

1. Note that beginning with **deux cents,** there is an **s** on the number **cent,** unless it is followed by another number (**deux cents, deux cent cinq**). **Mille,** however, never varies except that it is often spelled **mil** when used to express a year.
2. For hundreds and thousands, there are no equivalents in French for the preceding *a* or *an* or the following *and* frequently used in English.

cent cinq	a hundred and five
mille cinquante	a thousand and fifty

B. **Ordinal Numbers** Most ordinal numbers are formed by adding **-ième** to the cardinal numbers. If the cardinal number ends in **e,** the **e** is dropped.

deux	**deuxième**
quinze	**quinzième**
dix-sept	**dix-septième**
trente	**trentième**
cinquante et un	**cinquante et unième**
cent trois	**cent troisième**
deux mille	**deux millième**

There are a few exceptions to the regular formation of ordinal numbers.

un (une)	**premier (première)**
cinq	**cinquième**
neuf	**neuvième**

1. With titles and dates in French, cardinal numbers are used where English uses ordinal numbers. The only exception is **premier.**

le premier novembre	**François Premier**
le huit février	**Louis Quatorze**
le vingt-trois juin	**Jean-Paul Deux**

2. When cardinal and ordinal numbers are used together, the cardinal number precedes the ordinal.

les deux premières pages
les quatre dernières semaines

C. **Collective Numbers** To express the idea of an approximate quantity (*about* + number), the ending **-aine** is added to the cardinal number. Any final **e** is dropped, and **x** becomes **z**. When followed by a noun, the collective numbers require the preposition **de**.

une **dizaine**	about 10
une **cinquantaine**	about 50
une **soixantaine**	about 60
une **centaine de** voitures	about 100 cars

The following form is irregular and masculine.

un millier   about a thousand

D. **Fractions** To express the concept *out of*, as in *five out of six*, use the preposition **sur**.

cinq sur six
trois sur quatre
deux sur trois

Fractions in French are formed by combining a cardinal number with an ordinal number, as in English.

2/5	**deux cinquièmes**
5/8	**cinq huitièmes**

A few fractions have special forms.

1/2	**la moitié, demi-, demi(e)**
1/3	**un tiers, le tiers**
3/4	**trois quarts, les trois quarts**

The term **la moitié** is the equivalent of the English noun *a half* or *the half* and is always feminine. *Half* used as an adjective is **demi**. Demi-preceding the noun it modifies is invariable. When it follows the noun, it agrees with it in gender.

J'ai vu **la moitié du film.**
La moitié de la classe est
  présente.

Il est **trois heures et demie.**
Ils ont commandé **une demi-
  bouteille de rouge.**

A. Ecrivez en toutes lettres *(in full)* les chiffres suivants.

1. 16	6. 65	11. 70	16. 19
2. 3	7. 75	12. 81	17. 1.000.000
3. 101	8. 300	13. 100	18. 1.000
4. 97	9. 21	14. 10.000	19. 92
5. 2001	10. 407	15. 0	20. 1.000.000.000

B. Employez un nombre collectif pour exprimer les concepts suivants.

1. à peu près quinze kilomètres
2. 1.000.000 francs
3. environ dix autoroutes
4. douze curiosités
5. mille personnes
6. quarante livres
7. $1,000,000,000
8. à peu près vingt étudiants

C. Ecrivez en toutes lettres les quantités indiquées.

1. Nous avons commandé une ½ bouteille de vin.
2. Le ⅓ de la route sera difficile.
3. ¾ et ¼ font un entier.
4. Vous aurez déjà fait la ½ de votre itinéraire.
5. Le prof nous a donné deux leçons et ½ à lire.

E. **Dates** Remember that the days of the week are masculine: **lundi,
mardi, mercredi, jeudi, vendredi, samedi, dimanche.**
Days of the week are normally used without any article.

Ils arriveront lundi.

If you use **le** before a day of the week, this construction implies *on* or
every.

Ils vont en ville **le samedi.**   They go downtown every Saturday.

When referring to periods of a week or two weeks in French, the
expressions most often used are **huit jours** and **quinze jours.**

Il partira dans **huit jours.**	He'll leave in a week.
J'ai acheté mes billets il y a **quinze jours.**	I bought my tickets two weeks ago.

The months of the year are: **janvier, février, mars, avril, mai, juin,
juillet, août, septembre, octobre, novembre, décembre.**
The seasons of the year are: **le printemps** *(m),* **l'été** *(m),* **l'automne**
(m), **l'hiver** *(m).*

The preposition **en** is used with a month or season to express *in*, except with **printemps,** which takes **au.**

> Nous allons visiter la France **en juin.**
> La rentrée aura lieu **en septembre.**
> Il fera chaud à Paris **en été.**
> Je préfère y aller **au printemps.**

There are two ways to express years in French.

1983	**dix-neuf cent quatre-vingt-trois**	1789	**dix-sept cent quatre-vingt-neuf**
	mil neuf cent quatre-vingt-trois		**mil sept cent quatre-vingt-neuf**

En is used with years and **au** with centuries to mean "in."

> **en 1983**   **au vingtième siècle**
> **en 1789**   **au dix-huitième siècle**

To ask the date in French, you will normally use the following pattern.

> **Quelle est la date** $\begin{cases} \text{aujourd'hui?} \\ \text{de son départ?} \end{cases}$

To give the date in French, you will normally use **c'est,** the definite article, and the cardinal number. (The only exception is the first of a month when **le premier** is used.) With the numbers **huit** and **onze,** there is no assimilation of **e.**

> C'est **le vingt mars** 1984.
> C'est **le onze novembre.**
> C'est **le premier mars** 1985.

The article **le** must be used before the date itself. When referring to both the date and the day of the week, **le** may be placed either before the day of the week or the date.

> Elle sera de retour **lundi le sept juin.**
> Elle sera de retour **le lundi sept juin.**

Exercice d'application

Complétez chaque phrase par l'expression convenable.

1. (en / au) J'ai fait la mise au point _____ mars.
2. (sept / huit) Elle aura passé _____ jours chez eux—toute la semaine.
3. (samedi / le samedi) Viens avec moi _____ prochain.
4. (un / le premier) Le jour de l'an, c'est _____ janvier.
5. (Un mille / Mil) _____ huit cent trente était une année révolutionnaire en France.

6. (au / dans le) Sa grand-mère est née _____ dix-neuvième siècle.

7. (vendredi / le vendredi) Ce semestre, je n'aurai pas de cours _____ .

8. (le douze / le douzième) Ce sera _____ novembre 1983.

9. (dans le / au) Tu feras cette excursion _____ printemps.

F. Time

1. Telling Time Time in French is indicated with the hour followed by **heure(s)** and the number of minutes.

1:10	**une heure dix**
3:05	**trois heures cinq**
5:20	**cinq heures vingt**

For time past the half-hour, the number of minutes is subtracted from the next hour.

6:35	**sept heures moins vingt-cinq**
8:50	**neuf heures moins dix**
10:40	**onze heures moins vingt**

The quarter- and half-hours, as well as noon and midnight, have special forms.

4:15	**quatre heures et quart**
2:30	**deux heures et demie**
9:45	**dix heures moins le quart**
12:30 P.M.	**midi et demi**
12:20 A.M.	**minuit vingt**

The concepts A.M. and P.M. are normally expressed by **du matin, de l'après-midi, du soir.**

2:15 A.M.	**deux heures et quart du matin**
3:10 P.M.	**trois heures dix de l'après-midi**
6:20 P.M.	**six heures vingt du soir**

In France, official time (train or airline schedules, store closings, times for concerts or public functions, openings or closings of public buildings, etc.) is frequently quoted on the 24-hour clock.

Fermé de 12h à 14h.
Le train partira à 20h38.
Ouvert de 9h15 à 19h45.
Le concert finira à 23h30.

To ask the time you will normally use one of the following patterns.

Quelle heure est-il?	What time is it?
A quelle heure...?	At what time...? (When...?)

Une visiteuse obtient des renseignements historiques sur Paris.

2. **Divisions of Time** With periods of the day, **le, la, l'** are used before the noun to express the idea of *in the* or *at*.

le matin	in the morning	**le soir**	in the evening
l'après-midi	in the afternoon	**la nuit**	at night

3. **Temps, Fois, Heure** The terms **temps, fois,** and **heure** can all be used as the equivalent of *time,* but there are differences in the use of the three expressions.

• **Temps** refers to time as a general or abstract concept.

Je n'ai pas **le temps** de voyager.	I don't have time to travel.
Le temps passe vite.	Time flies.
Prenez **le temps** de vous reposer.	Take the time to rest.

• **Fois** means time in the sense of an occasion or time in succession.

Je suis ici pour la première **fois.**	I'm here for the first time.
Il est venu me voir trois **fois.**	He visited me three times.
Combien de **fois** avez-vous visité la France?	How many times have you visited France?

- **Heure** implies a specific time of day.

C'est l'**heure** du dîner.	It's dinner time.
Il arrivera à une **heure** fixe.	He will arrive at a fixed time.
A quelle **heure** s'ouvre le guichet?	At what time does the ticket window open?

4. Divisions of Time Ending in -ée The divisions of time **jour, an, soir,** and **matin** have alternate forms ending in **-ée.**

le jour	la journée
l'an	l'année
le soir	la soirée
le matin	la matinée

These **-ée** forms are used to emphasize the duration of the time period. The type of sentence in which the **-ée** form is used often contains some reference to the activities taking place during the time span.

Dans **trois jours** nous serons en vacances.
J'ai passé **la journée** à régler mes affaires.

Il ira à Paris pour **deux ans.**
Pendant **les deux dernières années,** il a beaucoup voyagé.

Nos invités vont arriver **ce soir.**
Nous nous amuserons bien pendant **la soirée.**

Ce matin je consulterai le *Guide Michelin.*
Et moi, je prendrai **la matinée** pour aller au marché.

Choosing between these alternate forms can often be puzzling, but there are some general guidelines. If the period of time is immediately preceded by a cardinal number, you will normally use the short, masculine form. If the time period is preceded by concepts such as *all the, the whole, a part of,* or *most of,* you will normally use the **-ée** form.

Exercices d'ensemble

A. Répondez aux questions suivantes.

1. En quelle année êtes-vous né(e)?
2. Quelle est la date aujourd'hui?
3. En quelle saison rentrerez-vous à l'université?
4. Quel âge avez-vous?
5. A quelle heure commence votre premier cours? Votre dernier cours?
6. Quelle est la date de votre anniversaire?
7. Environ combien d'étudiants y a-t-il dans votre classe de français?
8. Si vous faites le quart d'un voyage aujourd'hui, combien en reste-t-il à faire demain pour arriver à destination?
9. Quand êtes-vous en classe?
10. Quand est-ce que l'année scolaire se termine?

B. Complétez chaque phrase par l'expression convenable.

1. (17h / cinq heures de l'après midi) L'indicateur officiel prévoit l'arrivée du train à _____ .
2. (douze heures / midi) Normalement vous déjeunerez à _____ .
3. (le lundi / lundi) Vous quitterez Paris _____ 5 juillet.
4. (Dans 1988 / En 1988) _____ il y aura d'autres élections.
5. (temps / fois) Combien de _____ viendra-t-il?
6. (les premiers ans / les premières années) Louis XIV n'a pas gouverné pendant _____ de son règne.
7. (le dernier jour / la dernière journée) Dimanche, c'est _____ de la semaine.
8. (l'heure / le temps) Pourriez-vous m'indiquer _____ s'il vous plaît, Monsieur?
9. (quart / le quart) Il est trois heures et _____ .
10. (minuit / midi) Demain je dormirai tard et je resterai au lit jusqu'à _____ .

4. Formation of the Conditional and Past Conditional

A. **Formation of the Conditional** To form the conditional, use the infinitive as the stem and add the appropriate endings: **-ais, -ais, -ait, -ions, -iez, -aient.** For **-re** verbs, drop the **-e** from the infinitive.

voyager	partir
je voyager**ais**	je partir**ais**
tu voyager**ais**	tu partir**ais**
il / elle / on voyager**ait**	il / elle / on partir**ait**
nous voyager**ions**	nous partir**ions**
vous voyager**iez**	vous partir**iez**
ils / elles voyager**aient**	ils / elles partir**aient**

prendre	
je prendr**ais**	nous prendr**ions**
tu prendr**ais**	vous prendr**iez**
il / elle / on prendr**ait**	ils / elles prendr**aient**

Note that the stem for the conditional is the same as for the future and the endings the same as for the imperfect.

The verbs that have irregular future stems use the same stems for the formation of the conditional.*

---

*For the conditional forms of stem-changing verbs, see Appendix B, 2, p. 306.

avoir	**aur-**	recevoir	**recevr-**
être	**ser-**	savoir	**saur-**
aller	**ir-**	valoir	**vaudr-**
devoir	**devr-**	venir	**viendr-**
envoyer	**enverr-**	voir	**verr-**
faire	**fer-**	vouloir	**voudr-**
falloir	**faudr-**	pleuvoir	**pleuvr-**
pouvoir	**pourr-**		

Exercices d'application

A. Complétez chaque phrase par le conditionnel du verbe entre parenthèses.

1. Ils *(finir)* à six heures si vous les aidiez.
2. Tu *(savoir)* les réponses si tu étudiais davantage.
3. Vous *(être)* à l'heure si vous partiez plus tôt.
4. Il *(faire)* l'excursion s'il avait de l'argent.
5. Je *(venir)* avec vous si j'avais le temps.
6. Elle *(avoir)* plus d'argent si elle faisait des économies.
7. *(Aller)*-vous en France si c'était possible?
8. *(Répondre)*-ils à toutes les questions s'ils lisaient les textes?
9. Nous *(pouvoir)* vous accompagner si la voiture n'était pas déjà bondée.
10. Elle *(voir)* le film s'il était à la télé.

B. Répondez aux questions suivantes.

1. Voudriez-vous aller en France?
2. Pourriez-vous me dire l'heure?
3. Faudrait-il parler français à Québec?
4. Devriez-vous étudier davantage?
5. Feriez-vous un voyage à la Martinique?

B. Formation of the Past Conditional The past conditional is formed with the conditional of the auxiliary **avoir** or **être** and the past participle of the main verb.

j'**aurais voyagé**	nous **serions parti(e)s**
il **aurait pris**	elle **serait arrivée**
vous **auriez fait**	ils **seraient allés**
elles **auraient fini**	tu **te serais levé(e)**

All verbs form the past conditional in this way.

Exercice d'application

Mettez les verbes des phrases suivantes au conditionnel passé.

1. Je me lèverais.
2. Il neigerait dans les montagnes.

3. Nous partirions à sept heures.
4. Elles viendraient demain.
5. Vous devriez partir plus tôt.
6. Ils feraient une excursion.
7. J'aurais beaucoup de travail.
8. Nous serions à l'heure.
9. Elles prendraient l'autobus.
10. Tu saurais faire du ski.

5. Use of the Conditional and Past Conditional

The conditional tense expresses an action that is hypothetical or subject to some condition before it can take place. It has the English equivalent *would*....

Je **voudrais** visiter la Bretagne. I would like to visit Brittany.
Ils **voyageraient** en voiture. They would travel by car.

⚠ RAPPEL   ⚠ RAPPEL   ⚠ RAPPEL

Be careful not to confuse the English *would* meaning *hypothetically* and the English *would* meaning *used to*.

J'**irais** en France l'été prochain si c'était possible. I would go to France next summer if possible.
J'**allais** à la plage tous les jours l'été dernier. I would go to the beach every day last summer.

In the first example, the action in question has not yet taken place and depends on other circumstances.

In the second example, you can recognize that *would* means *used to* because the context is in the past.

The past conditional tense expresses an action in the past that was dependent on certain conditions before it could take place. It expresses the English idea *would have* + past participle.

J'**aurais visité** la Bretagne. I would have visited Brittany.
Ils **seraient allés** en voiture. They would have gone by car.

The conditional tenses are used following the expression **au cas où** meaning *in case*.

Je viendrai de bonne heure **au cas où vous arriveriez** avant midi.
Je serais venu de bonne heure **au cas où vous seriez arrivés** avant midi.

Verbs such as **vouloir, pouvoir,** and **aimer** are usually used in the conditional to indicate a more polite tone for a request.

Voudriez-vous m'accompagner?   Would you like to go with me?
Pourrais-tu aider cet homme?   Could you help this man?
J'**aimerais** partir maintenant.   I'd like to leave now.

The past conditional of **devoir** is sometimes called the tense of regret.

> **je devrais**   I ought, I should
> **j'aurais dû**   I ought to have, I should have

Exercice d'application

Complétez chaque phrase en mettant l'infinitif au temps convenable: le contionnel ou le conditionnel passé.

1. Charles (*pouvoir*) téléphoner hier.
2. Mes copains ont dit qu'il (*neiger*) bientôt.
3. Voici des dépliants au cas où vous (*vouloir*) voyager en Haïti.
4. Dominique (*devoir*) consulter l'agent de voyage la semaine dernière.
5. Le président a déclaré que beaucoup de touristes (*se rendre*) en France en 1989.

6. Conditional Sentences

⚠ RAPPEL   ⚠ RAPPEL   ⚠ RAPPEL

The conditional tenses are often used as the main verbs in conditional (*if … then*) sequences. (If I had the time, I would love to visit Brittany.)

The English speaker must choose the correct tense to follow **si** (*if*) when the main verb is in the conditional or past conditional. (See chart below.)

The key to the tense sequences outlined below is that they never vary, though there may be several possible translations in English for the verb in the *if* clause.

> **si j'avais le temps**   { if I had the time
>   { if I were to have the time

Subordinate Clause		Main Clause
si + imperfect	+	conditional

Si j'**avais** le temps, j'**aimerais** visiter la Belgique.
S'ils **trouvaient** un hôtel, ils **iraient** sur la Côte d'Azur.

si + pluperfect* + past conditional

Si j'**avais eu** l'argent, je **serais allée** en France.
Si nous **étions arrivés** en juin, nous **aurions vu** le festival.

**Exercice
d'application**

Complétez chaque phrase par la forme du verbe convenable.

1. (allais / irais) J'_____ à la plage si j'avais le temps.
2. (devrait / aurait dû) L'hôtelier _____ nous dire que l'hôtel était complet avant notre arrivée.
3. (Aurais-tu connu / Connaîtrais-tu) _____ le mistral pendant ta jeunesse si tu n'avais pas vécu en Provence?
4. (aurait été / serait) Elle _____ plus heureuse si elle vivait dans un pays exotique.
5. (préférerais / aurais préféré) Il pleuvait ce jour-là, et je (j') _____ être ailleurs.
6. (Iriez-vous / Seriez-vous allée) Si vous aviez su que la pluie allait arriver, _____ dans les montagnes?
7. (apportions / apporterions) Si nous tenions à écouter la musique, nous _____ la radio.
8. (neigeait / neigerait) Souvent quand il pleuvait dans le sud, il _____ dans le nord.
9. (aurais eu / avais eu) Si j'_____ les moyens, j'aurais cherché une résidence dans un climat plus agréable.
10. (serions arrivés / étions arrivés) Si nous _____ plus tôt, nous aurions évité le mauvais temps.

**Exercices
d'ensemble**

A. Complétez chaque phrase par le présent du conditionnel ou le conditionnel passé du verbe entre parenthèses.

1. Si le temps n'était pas désagréable, je *(rester)* sur la plage.
2. Je *(devoir)* savoir qu'il *(faire)* frais quand j'ai entendu souffler le mistral.
3. Si j'avais eu les moyens, je *(aller)* du côté de Saint-Tropez.
4. Elle *(voir)* la bonne route si elle regardait la carte.
5. Je *(se renseigner)* si j'avais eu le temps.
6. Il *(falloir)* vérifier le temps si vous faisiez un voyage dans les Alpes.
7. Je *(vouloir)* savoir s'il avait déjà réglé ses affaires.
8. Nous *(pouvoir)* compter sur le beau temps si nous allions en été.
9. S'il avait fait du soleil vous *(ne pas trouver)* le temps si désagréable.
10. Tu *(partir)* volontiers pour les Alpes-Maritimes si tu aimais la montagne.

*Remember that the pluperfect is formed with the imperfect of **avoir** or **être** and a past participle.

B. Mettez les verbes entre parenthèses au temps convenable.

1. J'ai pris un manteau au cas où il (*pleuvoir*).
2. S'il avait fait assez froid, il (*neiger*) sur les Alpes.
3. Si je passais mes vacances à Londres, (*pouvoir*)-tu me loger pendant quelques jours?
4. S'il (*faire*) chaud à Paris, il ferait encore plus chaud à Rome.
5. Monsieur, (*vouloir*)-vous me laisser votre passeport, s'il vous plaît?

C. Répondez aux questions suivantes.

1. Si vous aviez l'argent, où iriez-vous?
2. Qu'est-ce que vous auriez fait de différent dans votre vie?
3. Si vous aviez su que les études étaient difficiles, auriez-vous continué votre éducation?
4. Quelle autre université auriez-vous choisie si vous n'étiez pas venu à celle-ci?
5. Quelles excursions aux environs feriez-vous si vous aviez le temps?
6. Quel objet de luxe acheteriez-vous si vous aviez les moyens?

Que feriez-vous l'été prochain si vous aviez le choix?

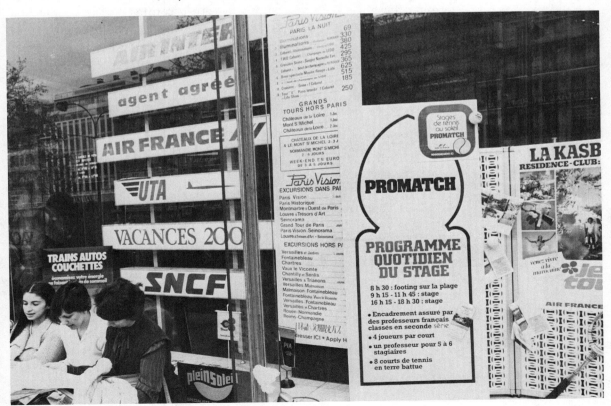

Contrast the following tense sequences involving the future and the conditional tenses.

si	+ present	+	future present imperative

si	+ imperfect + pluperfect	+	conditional past conditional

quand lorsque dès que aussitôt que	+	future future perfect	+	future imperative

après que	+ future perfect	+	future imperative

The key to manipulating these tense sequences is to concentrate on the tense of the main verb, which will be easily determined as an imperative, a present, a future, a conditional, or a past conditional. Then determine the tense of the subordinate verb according to the conjunction in question.

Activités d'expansion

A. Savez-vous les dates suivantes? Répondez vous-même aux questions suivantes ou posez-les à un(e) camarade de classe.

1. Quelle est la date aujourd'hui?
2. Quelle est la date de la fête nationale américaine?
3. Quelle est la date de la fête nationale française?
4. Quelle est la date de l'attaque de Pearl Harbor?
5. Quelle est la date de Noël?
6. Quelle est la date du premier jour de l'année?
7. Quelle est la date de la fête du travail aux Etats-Unis?
8. Quelle est la date de la fête du travail en Russie?
9. En quelle année Christophe Colomb a-t-il découvert l'Amérique?
10. En quelle année est-ce qu'on a fondé votre université?

11. En quelle année est-ce que les Pères Pèlerins sont arrivés à Plymouth?
12. En quelle année est-ce que l'homme a atterri sur la lune?

B. *Interview. La semaine prochaine.* Posez les questions suivantes à un(e) camarade de classe. Il (elle) devrait répondre en employant le futur.

1. Est-ce que tu vas assister à tes cours la semaine prochaine?
2. Quels jours vas-tu être en classe?
3. Combien d'heures de cours vas-tu avoir?
4. A quelle heure est-ce que tu vas partir de ce batiment lundi de la semaine prochaine?
5. Est-ce que tu vas passer des examens? Quel jour? A quelle heure?
6. Est-ce que tu vas savoir les résultats de ton examen à la prochaine réunion de la classe?
7. Pendant le week-end, est-ce que tu vas étudier à la bibliothèque?
8. Est-ce que ta famille va venir te voir pendant le week-end?
9. Est-ce que tu vas voir ton ami(e)?
10. Est-ce que tu vas pouvoir regarder un film?

C. Complétez les phrases suivantes en employant l'impératif, le présent, le futur ou le futur antérieur.

1. J'irai en France cet été si...
2. Je le ferai aussitôt que...
3. D'habitude, si on va en Europe,...
4. Après que le garagiste aura fini de faire la vidange,...
5. Je le ferai si...
6. Nous prendrons l'autoroute lorsque...
7. Dès que je recevrai l'itinéraire,...
8. Aussitôt qu'il arrivera,...
9. Dès que mon ami(e) sera revenu(e) d'Europe,...
10. Si vous prenez les billets aujourd'hui,...
11. Quand vous arriverez à New-York...
12. Je voyagerai après que...

D. Complétez les phrases suivantes en employant le futur.

1. Demain,...
2. Vendredi,...
3. Pendant le week-end,...
4. La semaine prochaine,...
5. Pendant les vacances d'été,...
6. Au mois de septembre,...
7. Pendant les vacances de Noël,...
8. Dans cinq ans,...

E. Complétez les phrases suivantes par le présent, le futur, l'imparfait, le plus-que-parfait, le conditionnel présent ou le conditionnel passé.

1. Aussitôt qu'il y (*avoir*) de la neige, j'irai à la montagne pour faire du ski.
2. S'il (*pleuvoir*) demain, je resterai chez moi.
3. S'il n'avait pas plu hier, je (*aller*) à la plage.
4. Je partirai plus tôt que prévu au cas où il y (*avoir*) de la pluie.
5. Si on allait en Sibérie, on (*être*) loin de la Côte.
6. S'il avait beaucoup neigé, l'avion (*ne pas pouvoir*) atterrir.
7. Après avoir vu que les routes étaient en si mauvais état, j'ai compris que je (*devoir*) partir plus tôt pour arriver à l'heure.
8. Si nous descendons vers le sud, nous (*trouver*) sûrement le beau temps.
9. S'ils (*faire*) un voyage dans les Alpes, ils auraient vu de la neige même en été.
10. S'il (*avoir*) les moyens, il ferait des excursions.

F. Qu'est-ce que vous feriez dans les situations suivantes?

Exemple: Si vous étiez riche?
             Si j'étais riche, j'achèterais une Rolls-Royce.

1. Si vous n'étiez pas étudiant(e)?
2. Si vous voyiez un accident?
3. Si vous étiez millionnaire?
4. Si vous deveniez président de la France?
5. S'il faisait très froid?
6. Si vous étiez président de votre université?
7. Si vous aviez une voiture neuve qui ne marchait pas bien?
8. Si vous vouliez savoir la date de la découverte du radium?
9. Si vous étiez très malade?
10. Si le professeur vous devait de l'argent?
11. Si vous perdiez la clé de votre voiture?
12. Si vous alliez en France?
13. S'il pleuvait?
14. S'il neigeait?

G. Répondez aux questions suivantes.

1. Que feriez-vous l'été prochain si vous aviez le choix?
2. Que ferez-vous cet hiver si vous avez l'argent nécessaire?
3. Combien de fois irez-vous à la plage cet été si vous avez du temps libre?
4. A quelle heure vous lèveriez-vous si vous aviez le choix?
5. Où irez-vous ce printemps si vous avez une semaine de congé?
6. A quelle heure votre premier cours aurait-il lieu si vous aviez le choix?

7. Dans quel état voudriez-vous vivre après avoir terminé vos études?
8. Qu'est-ce que vous ferez ce week-end?
9. Que feriez-vous samedi si je vous donnais cent dollars?
10. Qu'est-ce que vous auriez fait l'été dernier si vous aviez eu l'argent et le temps nécessaire?

H. *Situations orales*

1. A l'agence de voyage. Vous êtes déjà à Paris et vous voulez continuer votre voyage en Europe par le train. Allez à l'agence de voyage et demandez les renseignements nécessaires. Un autre étudiant jouera le rôle de l'agent de voyage.
2. Vous êtes en train de faire le tour du monde. Vous avez déjà visité les curiosités de la ville de Paris et vous êtes prêt(e) à partir. En arrivant à l'aérodrome Charles-de-Gaulle-Roissy, vous trouvez qu'on a annulé votre vol à destination de New-York. Adressez-vous au comptoir d'Air France pour essayer de prendre un autre billet pour New-York. Un autre étudiant jouera le rôle de l'employé d'Air France.
3. Vous composerez trois questions réalistes en employant le principe de la concordance des temps (**si** + imparfait ? conditionnel; **si** + plus-que-parfait ? conditionnel passé, etc.). Vous les poserez ensuite à vos camarades qui y répondront.

I. *Situations écrites*

1. Vous êtes agent de voyage et vous avez préparé l'itinéraire suivant. Expliquez à votre client ce voyage que vous proposez en vous servant du futur.

Date	Destination	Départ	Arrivée	Moyen de Transport
30/5/84	New York – Paris	20h35	7h10	Air France 471
	Visites: Notre-Dame, le Louvre, la Tour Eiffel, le Sacré-Cœur, le Quartier Latin, Montmartre			
6/6/84	Paris – Chartres	9h	9h45	le train
	Visites: la cathédrale de Chartres			
6/6/84	Chartres – Paris	18h	18h48	le train
7/6/84	Paris – Versailles	8h30	9h25	autocar
	Visites: le château de Versailles, les jardins, le Hameau, Les Trianons			
7/6/84	Paris – ?	15h	—	location de voitures
	Trois semaines libres pour voyager où vous voudrez			
1/7/84	Nice	—	10h	Retour des voitures
	Visites: la Côte d'Azur, les ruines romaines			
4/7/84	Nice – New York	11h40	15h25	Air France vol 290

2. Imaginez et puis décrivez votre existence idéale dans dix ou quinze ans.

3. Si vous pouviez refaire votre vie, qu'est-ce que vous y changeriez?
4. Si, au moment d'entrer à l'université, vous aviez su ce que vous savez maintenant, y seriez-vous quand même venu(e)? Pourquoi?

Appendix A,1: The Passive Voice

1. Formation of the Passive Voice

In the passive voice, the word receiving the action of the verb becomes the subject of the sentence. The passive voice is formed by conjugating the verb **être** in the appropriate person and tense, followed by the past participle of the action verb. This past participle becomes an adjective in the passive construction.

Active Voice	Passive Voice
Ma mère achète les provisions.	**Les provisions sont achetées par** ma mère.
Tout le groupe a fait l'excursion.	**L'excursion a été faite par** tout le groupe.
Le metteur en scène tournera le film.	**Le film sera tourné par** le metteur en scène.
Beaucoup de touristes visteraient ces pays.	**Ces pays seraient visités par** beaucoup de touristes.
My mother buys the groceries.	The groceries are bought by my mother.
The whole group made the excursion.	The excursion was made by the whole group.
The director will make the film.	The film will be made by the director.
Many tourists would visit those countries.	Those countries would be visited by many tourists.

Since the past participle of the action verb is used as an adjective, it must agree in gender and number with the subject of the sentence.

Note that if the agent performing the action is expressed in the sentence, it is preceded by the preposition **par** (by).

The distinction between **être** used in the imperfect and the **passé composé** in forming the passive voice is the same as in the normal usage of the two past tenses (description / completed action).

Les routes **étaient inondées.**
Tout le vin **a été vendu.**

2. Avoiding the Passive Voice

French usage tends to avoid the passive voice, especially when the agent performing the action is not expressed in the sentence.

If the subject of the passive sentence is not a person, you may replace the true passive construction either by using **on** as the subject of the active verb or by making the active verb reflexive.

On vend des légumes au marché.	Vegetables are sold in the market.
Les légumes se vendent au marché.	
On ouvrira les portes à 20 heures.	The doors will be open at eight P.M.
Les portes s'ourviront à 20 heures.	

If the subject of the passive sentence is a person, you must use the **on** + active verb construction to replace the passive voice.

On a invité mon ami à la soirée.	My friend was invited to the party.
On choisira les meilleurs candidats.	The best candidates will be chosen.

Remember that **on** always takes a third-person singular verb even though the corresponding passive construction may have a plural subject and verb.

In English, the indirect object of a verb may be the subject of a sentence in the passive voice.

> Marcel was sent the money by his parents.
> Hélène was promised a promotion.

However, in French, the object of the preposition **à** can never become the subject of a passive sentence. If the agent of the action is expressed, you may use the passive voice with the direct object of the verb as the subject.

> **L'argent a été envoyé à Marcel par ses parents.**

If the agent is not expressed, you may substitute **on** + active verb for the true passive construction.

> **On a promis une promotion à Hélène.**

The following verbs are often followed by **à**.

dire	**On lui a dit de partir.**	He was told to leave.
demander	**On leur demande de chanter.**	They are asked to sing.
donner	**Ce cadeau nous a été donné par nos amis.**	We were given this present by our friends.
envoyer	**On m'a envoyé des fleurs.**	I was sent some flowers.

montrer	Le film lui sera montré par le metteur en scène.	She will be shown the film by the director.
promettre	On a promis une promotion à Hélène.	Hélène was promised a promotion.
offrir	On a offert un poste en Europe à Robert.	Robert was offered a job in Europe.

⚠ RAPPEL   ⚠ RAPPEL   ⚠ RAPPEL

You must be aware of when to use the passive voice rather than the active voice. English usage will clearly indicate when the passive voice is required. The unique construction involving a form of the verb *to be* followed by a past participle cannot be confused with the translations of any other verb forms in French. Compare the following examples based on some of the more commonly used tenses.

	Active Voice	Passive Voice
Present	**Ils ontrent le film** à 8 heures.	**Le film est montré** à 8 heures.
	They show the film at 8.	The film is shown at 8.
Passé composé	**Elle a joué le rôle.**	**Le rôle a été bien joué.**
	She played the role.	The role was played well.
Imperfect	**Nous invitions nos amis.**	**Nos amis étaient invités.**
	We were inviting our friends.	Our friends were invited.
Pluperfect	**J'avais vendu la voiture.**	**La voiture avait été vendue.**
	I had sold the car.	The car had been sold.
Future	**Il corrigera l'examen** demain.	**L'examen sera corrigé** demain.
	He will correct the test tomorrow.	The test will be corrected tomorrow.

Exercices d'application

A. Ecrivez les phrases suivantes en utilisant la voix passive. L'agent sera exprimé dans les phrases.

1. Ce nouvel auteur a écrit ce livre.
2. Les étudiants subiront beaucoup d'examens.

3. Les marchands avaient déjà vendu tous les produits.
4. L'agent de voyage propose cette excursion magnifique.
5. Mes parents m'ont offert ce voyage.

B. Ecrivez les phrases suivantes à la voix active. Utilisez le pronom **on** comme sujet de vos phrases.

1. Les touristes sont bien accueillis en Haïti.
2. De nouveaux supermarchés seront construits.
3. L'émission a été montrée à cinq heures.
4. Les paquets vous seront envoyés par avion.
5. Les copains étaient invités à une soirée.

C. Ecrivez les phrases suivantes à la voix active. Utilisez un verbe pronominal (reflexive verb) dans vos phrases.

1. Les pâtisseries sont vendues dans une boulangerie.
2. Le français est parlé au Canada.
3. Le train est employé plus souvent en France qu'aux Etats-Unis.
4. Le cinéma sera ouvert à huit heures.
5. Cela n'est pas fait ici.

Appendix A.2: Indirect Discourse

If one relates exactly what another person has said, putting his or her words in quotation marks and not changing any of the original wording, this is called *direct discourse*.

Roger a dit: «Je viendrai ce soir».

If one does not directly quote another person's words but simply relates his or her statement indirectly in a clause, this is called *indirect discourse*.

Roger a dit qu'il viendrait ce soir.

To manipulate indirect discourse in French, you must be aware of certain principles governing the proper sequence of tenses between the introductory statement and the indirect quotation. If the introductory verb is in the present or future, there will be no change in the tenses of the verbs that recount what the person has said.

Marie dit: Je viendrai.	Elle dit qu'elle viendra.
Marie dira: Je suis venue.	Elle dira qu'elle est venue.
Marie dit: Je viendrais.	Elle dit qu'elle viendrait.
Marie dira: Je venais.	Elle dira qu'elle venait.

However, if the introductory verb is in a past tense, there will be certain changes in the tenses of the verbs in the subordinate clause. These tense sequences are summarized in the chart below. Note that the tense sequences used in indirect discourse in French correspond in all cases to the tense sequences normally used in indirect discourse in English.

Tense of Original Statement	Introductory Verb in Past Tense	Tense of Subordinate Verb
Present		**Imperfect**
J'**arrive** à 2 heures.	Il a dit qu'	il **arrivait** à 2 heures.
Future		**Conditional**
On **aura** un examen demain.	Mon ami avait déjà dit qu'	on **aurait** un examen demain.
Future Perfect		**Past Conditional**
Elle **sera** déjà **partie** avant le déjeuner.	J'expliquais qu'	elle **serait** déjà **partie** avant le déjeuner.
Passé Composé		**Pluperfect**
Nous **avons écrit** nos devoirs.	Le prof a demandé si	nous **avions écrit** nos devoirs.

The imperfect, pluperfect, conditional, and past conditional tenses remain unchanged in indirect discourse.

Il **allait faire** les provisions.	Il a dit qu'il **allait faire** les provisions.
Nous **avions** déjà **écrit** nos devoirs.	Nous expliquions que nous **avions** déjà **écrit** nos devoirs.
Ils **viendraient** si possible.	Elle avait déjà expliqué qu'ils **viendraient** si possible.
J'**aurais** peut-être **trouvé** le numéro.	Il a répondu qu'il **aurait** peut-être **trouvé** le numéro.

If there is more than one verb in the subordinate clause, each verb must be considered separately according to the sequence of tenses outlined above.

Je **suis arrivée** à 3 heures et j'**allais** partir après le dîner.

Elle a dit qu'elle **était arrivée** à 3 heures et qu'elle **allait** partir après le dîner.

Exercices d'application

A. Complétez les phrases suivantes en employant le temps convenable du verbe original.

1. Le prof annonce: Il y aura un examen mercredi. Il a annoncé qu'il y _____ un examen mercredi.
2. La speakerine déclare: Il fera beau demain. Elle déclare qu'il _____ beau demain.
3. Les étudiants suggèrent: Nous aurions dû étudier davantage. Ils ont suggéré qu'ils _____ étudier davantage.
4. Nous disons: Nous avons froid dans cette chambre. Nous lui avons dit que nous _____ dans cette chambre.
5. Mes copains annoncent: On ira ensemble. Ils annoncent qu'on _____ ensemble.
6. Nos parents répondent: Vous avez eu des problèmes mais vous réussirez bientôt. Ils ont répondu que nous _____ des problèmes mais que nous _____ bientôt.
7. Ma sœur déclare: Je viendrai si j'ai les moyens. Elle a déclaré qu'elle _____ si elle _____ les moyens.
8. Je vous assure: Ils arriveront avant nous. Je vous assure qu'ils _____ avant nous.
9. J'ai écrit à mon professeur: Vous recevrez mon devoir quand je retournerai à l'école. Je lui ai écrit qu'il _____ mon devoir quand je _____ à l'école.
10. Nous demandons: Vous voulez descendre au café? Nous avons demandé s'ils _____ descendre au café.

B. Répondez à chaque question en employant le discours indirect.

1. —Il fait du vent.
   —Pardon? Qu'est-ce que vous avez dit?
   —J'ai dit que...
2. —Il neigera cet après-midi.
   —Qu'est-ce que vous annoncez?
   —J'annonce que...
3. —Nous aurions voulu quitter Paris plus tôt.
   —Qu'est-ce que vous avez déclaré?
   —J'ai déclaré que...
4. —Il y a eu un accident sur l'autoroute ce matin.
   —Qu'est-ce qu'il a annoncé?
   —Il a annoncé que...

5. —L'inflation augmentera l'année prochaine.
  —Qu'est-ce qu'on a prédit?
  —On a prédit que…
6. —Nous avions déjà acheté nos billets.
  —Qu'est-ce que vous me dites?
  —Je vous dis que…
7. —Je pourrai vous accompagner.
  —Qu'est-ce qu'elle vous a assuré?
  —Elle m'a assuré qu'…
8. —Cette voiture marche bien.
  —Qu'est-ce qu'il a garanti?
  —Il a garanti que…
9. —Je n'ai pas touché à ses affaires.
  —Qu'est-ce que ton petit frère a juré?
  —Il a juré qu'…
10. —C'est ma place.
  —Pardon? Qu'est-ce que vous dites?
  —Je dis que…

C. Roger et Pierre, qui étudient à l'Université de Bordeaux, partent demain pour passer les vacances de Noël chez Roger en Normandie. Racontez leur conversation au discours indirect.

PIERRE: As-tu entendu les informations à la radio?

ROGER: Oui, et les nouvelles ne sont pas bonnes.

PIERRE: Eh bien, qu'est-ce qu'on annonce?

ROGER: Le temps sera encore mauvais, et les autoroutes seront bondées.

PIERRE: J'espère qu'on n'aura pas de neige en plus.

ROGER: On signale qu'il va tout simplement pleuvoir. Peut-être que nous ferions mieux de prendre les routes secondaires.

PIERRE: Je me demande si elles seront glissantes.

ROGER: Non, non, il ne fait pas assez froid pour cela. Nous allons faire un bon voyage. Tu vas voir.

PIERRE: Je l'espère.

Appendix A.3: Literary Tenses

There are four literary verb tenses in French. Their use is usually limited to a written context; they are almost never heard in conversation.

It is unlikely that you will be called upon to produce these tenses, but you should be able to recognize them. They appear in classical and much of the contemporary literature that you will read, especially in the **je** and **il** forms. Passive recognition of these tenses is not difficult since the verb endings are usually easy to identify.

The **passé simple** and the **passé antérieur** belong to the indicative mood; the two other tenses are the imperfect subjunctive and the pluperfect subjunctive.

1. The *Passé Simple*

As its name indicates, this is a simple past tense, involving no auxiliary verb. It will be easiest for you to recognize it if you become familiar with the endings of the three regular conjugations and certain irregular forms.

A. Regular Forms To form the **passé simple** of regular **-er** verbs, take the stem of the infinitive and add the appropriate endings: **-ai, -as, -a, -âmes, -âtes, -èrent.**

parler

je parl**ai**	nous parl**âmes**
tu parl**as**	vous parl**âtes**
il / elle / on parl**a**	ils / elles parl**èrent**

To form the **passé simple** of regular **-ir** and **-re** verbs, take the stem of the infinitive and add the appropriate endings: **-is, -is, -it, -îmes, -îtes, -irent.**

réfléchir

je réfléch**is**	nous réfléch**îmes**
tu réfléch**is**	vous réfléch**îtes**
il / elle / on réfléch**it**	ils / elles réfléch**irent**

rendre

je rend**is**	nous rend**îmes**
tu rend**is**	vous rend**îtes**
il / elle / on rend**it**	ils / elles rend**irent**

B. Irregular Forms Most verbs that have an irregularly formed **passé simple** have an irregular stem to which you add one of the following groups of endings.

-is	-irent	-us	-ûmes
-is	-îtes	-us	-ûtes
-it	-irent	-ut	-urent

Below is a partial list of the most common verbs in each of the above categories.

-is	-us
faire je fis	boire* je bus
mettre* je mis	croire* je crus
prendre* je pris	devoir je dus
rire* je ris	plaire* il plut
voir je vis	pleuvoir* il plut
écrire j'écrivis	pouvoir* je pus
conduire je conduisis	savoir* je sus
craindre je craignis	falloir* il fallut
peindre je peignis	valoir je valus
vaincre je vainquis	vouloir* je voulus
	vivre* je vécus
	connaître* je connus
	mourir il mourut

Avoir and **être,** which are frequently seen in the **passé simple,** have completely irregular forms.

avoir

j'**eus**	nous **eûmes**
tu **eus**	vous **eûtes**
il / elle / on **eut**	ils / elles **eurent**

être

je **fus**	nous **fûmes**
tu **fus**	vous **fûtes**
il / elle / on **fut**	ils / elles **furent**

Two additional common verbs with irregular forms in the **passé simple** are **venir** and **tenir.**

venir

je **vins**	nous **vînmes**
tu **vins**	vous **vîntes**
il / elle / on **vint**	ils / elles **vinrent**

tenir

je **tins**	nous **tînmes**
tu **tins**	vous **tîntes**
il / elle / on **tint**	ils / elles **tinrent**

C. **Use of the *Passé Simple*** The **passé simple** is often thought of as the literary equivalent of the **passé composé.** To an extent this is true. Both tenses are used to refer to specific past actions that are limited in time.

Victor Hugo **est né** en 1802. **(passé composé)**
Victor Hugo **naquit** en 1802. **(passé simple)**

*Note that the past participles of these verbs may be helpful in remembering the irregular **passé simple** stems.

The fundamental difference between these two tenses is that the **passé simple** can never be used in referring to a time frame that has not yet come to an end. There is no such limitation placed on the **passé composé.**

Look at this sentence: **J'ai écrit deux lettres aujourd'hui.** This thought can only be expressed by the **passé composé,** since **aujourd'hui** is a time frame that is not yet terminated. **Robert Burns a écrit des lettres célèbres à sa femme** could also be expressed in the **passé simple: Robert Burns écrivit des lettres célèbres à sa femme.** The time frame has come to an end.

Descriptions in the past that are normally expressed by the imperfect indicative are still expressed in the imperfect, even in a literary context.

2. The *Passé Antérieur*

A. **Formation** The **passé antérieur** is a compound tense that is formed with the **passé simple** of the auxiliary verb **avoir** or **être** and a past participle.

parler	j'**eus parlé,** etc.
sortir	je **fus sorti(e),** etc.
se lever	je **me fus levé(e),** etc.

B. **Use of the *Passé Antérieur*** The **passé antérieur** is used to refer to a past action that occurred prior to another past action. It is most frequently found in a subordinate clause following a conjunction such as **quand, lorsque, après que, dès que, aussitôt que.** The conjunction indicates that the action in question immediately preceded another action in the past. The latter action will generally be expressed in the **passé simple** or the imperfect.

Hier soir, après qu'il **eut fini** de manger, il **sortit.**
Le soir, après qu'il **eut fini** de manger, il **sortait.**

3. The Imperfect Subjunctive

A. **Formation** The imperfect subjunctive is most often encountered in the third-person singular. The imperfect subjunctive is formed by taking the **tu** form of the **passé simple,** doubling its final consonant, and adding the endings of the present subjunctive. The third-person singular **(il / elle / on)** does not follow the regular formation. To form it, drop the consonant, place a circumflex accent (ˆ) over the final vowel, and add a *t.*

aller (tu allas → allass-)

que j'all**asse**	que nous all**assions**
que tu all**asses**	que vous all**assiez**
qu'il / elle / on all**ât**	qu'ils / elles all**assent**

B. **Use of the Imperfect Subjunctive** Like the other tenses of the subjunctive, the imperfect subjunctive is most often found in a subordinate clause governed by a verb in the main clause that requires the use of the subjunctive. The verb of the main clause is either in a past tense or in the conditional. In order for the imperfect subjunctive to be used in the subordinate clause, the action expressed in this clause must occur at the same time as the action of the main verb or later on.

Je **voulais qu'**elle me **répondît.**
Elle **voudrait qu'**on l'**écoutât.**

4. The Pluperfect Subjunctive

A. **Formation** The pluperfect subjunctive is formed with the imperfect subjunctive of the auxiliary verb **avoir** or **être** and a past participle. Like the imperfect subjunctive, this tense is mostly used in the third-person singular.

que j'eusse parlé, qu'il eût parlé, etc.
que je fusse sorti(e), qu'il fût sorti, etc.
que je me fusse lavé(e), qu'elle se fût lavée, etc.

B. **Use of the Pluperfect Subjunctive** The pluperfect subjunctive, like the imperfect subjunctive, is usually found in a subordinate clause. It is used when the main verb is either in a past tense or in the conditional and the action expressed in the subordinate clause has occurred prior to the action of the main clause.

Il **déplora qu'**elle **fût** déjà **partie.**

In reading, you may occasionally encounter a verb form identical to the pluperfect subjunctive that does not follow the usage outlined above. In such cases, you will be dealing with an alternate literary form of the past conditional, and you should interpret it as such.

J'**eusse voulu qu'**elle m'**accompagnât.**
(J'aurais voulu qu'elle m'accompagne.)

In lighter prose and conversation, the imperfect subjunctive is replaced by the present subjunctive, and the pluperfect subjunctive is replaced by the past subjunctive.

The following excerpt is taken from a twentieth-century French novel by Raymond Radiguet. Here, the author makes liberal use of the **passé simple** and the imperfect subjunctive. Locate and identify these tenses in the passage.

Jusqu'à douze ans, je ne me vois aucune amourette, sauf pour une petite fille, nommée Carmen, à qui je fis tenir, par un gamin plus jeune que moi, une lettre dans laquelle je lui exprimais mon amour. Je m'autorisais de cet amour pour solliciter un rendez-vous. Ma lettre lui avait été remise le matin avant qu'elle se rendît en classe. J'avais distingué la seule fillette qui me ressemblât, parce qu'elle était propre, et allait à l'école accompagnée d'une petite sœur, comme moi de mon petit frère. Afin que ces deux témoins se tussent, j'imaginai de les marier, en quelque sorte. A ma lettre, j'en joignis donc une de la part de mon frère, qui ne savait pas écrire, pour Mlle Fauvette. J'expliquai à mon frère mon entremise, et notre chance de tomber juste sur deux sœurs de nos âges et douées de noms de baptême aussi exceptionnels. J'eus la tristesse de voir que je ne m'étais pas mépris sur le bon genre de Carmen, lorsque après avoir déjeuné, avec mes parents qui me gâtaient et ne me grondaient jamais, je rentrai en classe.

(Raymond Radiguet, *Le Diable au corps:* Grasset, 1962, pp. 8-9.)

Appendix B,1: *Verb Charts*

Appendix B, 1 includes complete sample conjugations of regular verbs (**-er, -ir,** and **-re)** and the irregular verbs listed below.

1. Regular Verbs

-er **verbs**	*-ir* **verbs**	*-re* **verbs**
donner	**finir**	**attendre**

INDICATIF

Présent

je donne	je finis	j'attends
tu donnes	tu finis	tu attends
il donne	il finit	il attend

nous donnons	nous finissons	nous attendons
vous donnez	vous finissez	vous attendez
ils donnent	ils finissent	ils attendent

Passé composé

j'ai donné	j'ai fini	j'ai attendu

Imparfait

je donnais	je finissais	j'attendais
tu donnais	tu finissais	tu attendais
il donnait	il finissait	il attendait
nous donnions	nous finissions	nous attendions
vous donniez	vous finissiez	vous attendiez
ils donnaient	ils finissaient	ils attendaient

Plus-que-parfait

j'avais donné	j'avais fini	j'avais attendu

Futur

je donnerai	je finirai	j'attendrai
tu donneras	tu finiras	tu attendras
il donnera	il finira	il attendra
nous donnerons	nous finirons	nous attendrons
vous donnerez	vous finirez	vous attendrez
ils donneront	ils finiront	ils attendront

Futur antérieur

j'aurai donné	j'aurai fini	j'aurai attendu

Passé simple *(littéraire)*

je donnai	je finis	j'attendis
tu donnas	tu finis	tu attendis
il donna	il finit	il attendit
nous donnâmes	nous finîmes	nous attendîmes
vous donnâtes	vous finîtes	vous attendîtes
ils donnèrent	ils finirent	ils attendirent

Passé antérieur *(littéraire)*

j'eus rendu	j'eus fini	j'eus attendu

CONDITIONNEL

Présent

je donnerais	je finirais	j'attendrais
tu donnerais	tu finirais	tu attendrais
il donnerait	il finirait	il attendrait
nous donnerions	nous finirions	nous attendrions
vous donneriez	vous finiriez	vous attendriez
ils donneraient	ils finiraient	ils attendraient

Passé

j'aurais donné	j'aurais fini	j'aurais attendu

IMPERATIF

donne	finis	attends
donnons	finissons	attendons
donnez	finissez	attendez

PARTICIPE PRESENT

donnant	finissant	attendant

SUBJONCTIF

Présent

que je donne	que je finisse	que j'attende
que tu donnes	que tu finisses	que tu attendes
qu'il donne	qu'il finisse	qu'il attende
que nous donnions	que nous finissions	que nous attendions
que vous donniez	que vous finissiez	que vous attendiez
qu'ils donnent	qu'ils finissent	qu'ils attendent

Passé

que j'aie donné	que j'aie fini	que j'aie attendu

Imparfait (littéraire)

que je donnasse	que je finisse	que j'attendisse
que tu donnasses	que tu finisses	que tu attendisses
qu'il donnât	qu'il finît	qu'il attendît

que nous donnassions	que nous finissions	que nous attendissions
que vous donnassiez	que vous finissiez	que vous attendissiez
qu'ils donnassent	qu'ils finissent	qu'ils attendissent

Plus-que-parfait *(littéraire)*

| que j'eusse donné | que j'eusse fini | que j'eusse attendu |

2. Irregular Verbs

A. *avoir* and *être*

	avoir	être

INDICATIF

Présent

j'ai	je suis
tu as	tu es
il a	il est
nous avons	nous sommes
vous avez	vous êtes
ils ont	ils sont

Passé composé

j'ai eu	j'ai été

Imparfait

j'avais	j'étais
tu avais	tu étais
il avait	il était
nous avions	nous étions
vous aviez	nous étiez
ils avaient	ils étaient

Plus-que-parfait

j'avais eu	j'avais été

Futur

j'aurai	je serai

Futur antérieur

j'aurai eu	j'aurai été

Passé simple *(littéraire)*

j'eus	je fus
tu eus	tu fus
il eut	il fut
nous eûmes	nous fûmes
vous eûtes	vous fûtes
ils eurent	ils furent

Passé antérieur *(littéraire)*

j'eus eu	j'eus été

CONDITIONNEL

Présent

j'aurais	je serais
tu aurais	tu serais
il aurait	il serait
nous aurions	nous serions
vous auriez	vous seriez
ils auraient	ils seraient

Passé

j'aurais eu	j'aurais été

IMPERATIF

aie	sois
ayons	soyons
ayez	soyez

PARTICIPE PRESENT

ayant	étant

SUBJONCTIF

Présent

que j'aie	que je sois
que tu aies	que tu sois
qu'il ait	qu'il soit
que nous ayons	que nous soyons
que vous ayez	que vous soyez
qu'ils aient	qu'ils soient

Passé

que j'aie eu	que j'ai été

Imparfait

que j'eusse	que je fusse
que tu eusses	que tu fusses
qu'il eût	qu'il fût
que nous eussions	que nous fussions
que vous eussiez	que vous fussiez
qu'ils eussent	qu'ils fussent

Plus-que-parfait *(littéraire)*

que j'eusse eu	que j'eusse été

B. Verbs in *-er*

aller

INDICATIF

Présent	**Passé composé**	**Passé simple** *(littéraire)*
je vais	je suis allé(e)	j'allai
tu vas	tu es allé(e)	tu allas
il va	il est allé	il alla
nous allons	nous sommes allé(e)s	nous allâmes
vous allez	vous êtes allé(e)(s)	vous allâtes
ils vont	ils sont allés	ils allèrent

Imparfait	**Plus-que-parfait**
j'allais	j'étais allé(e)

Futur	**Futur antérieur**
j'irai	je serai allé(e)

CONDITIONNEL

Présent	**Passé**
j'irais	je serais allé(e)

IMPERATIF

va
allons
allez

PARTICIPE PRESENT

allant

SUBJONCTIF

Présent	**Imparfait** *(littéraire)*
que j'aille	que j'allasse
que tu ailles	que tu allasses
qu'il aille	qu'il allât

que nous allions
que vous alliez
qu'ils aillent

que nous allassions
que vous allassiez
qu'ils allassent

envoyer

INDICATIF

Présent

j'envoie
tu envois
il envoie
nous envoyons
vous envoyez
ils envoient

Passé composé

j'ai envoyé

Passé simple (*littéraire*)

j'envoyai
tu envoyas
il envoya
nous envoyâmes
vous envoyâtes
ils envoyèrent

Imparfait

j'envoyais

Plus-que-parfait

j'avais envoyé

Futur

j'enverrai

Futur antérieur

j'aurai envoyé

CONDITIONNEL

Présent   **Passé**

j'enverrais   j'aurais envoyé

IMPERATIF

envoie
envoyons
envoyez

PARTICIPE PRESENT

envoyant

SUBJONCTIF

Présent

que j'envoie
que tu envoies
qu'il envoie
que nous envoyions
que vous envoyez
qu'ils envoient

Imparfait (*littéraire*)

que j'envoyasse
que tu envoyasses
qu'il envoyât
que nous envoyassions
que vous envoyassiez
qu'ils envoyassent

Renvoyer is conjugated like **envoyer.**

C. Verbs in -ir

dormir

INDICATIF

Présent	Passé composé	Passé simple *(littéraire)*
je dors	j'ai dormi	je dormis
tu dors		tu dormis
il dort		il dormit
nous dormons		nous dormîmes
vous dormez		vous dormîtes
ils dorment		ils dormirent

Imparfait	Plus-que-parfait
je dormais	j'avais dormi

Futur	Futur antérieur
je dormirai	j'aurai dormi

CONDITIONNEL

Présent   **Passé**

je dormirais   j'aurais dormi

IMPERATIF

dors
dormons
dormez

PARTICIPE PRESENT

dormant

SUBJONCTIF

Présent	Imparfait *(littéraire)*
que je dorme	que je dormisse
que tu dormes	que tu dormisses
qu'il dorme	qu'il dormît
que nous dormions	que nous dormissions
que vous dormiez	que vous dormissiez
qu'ils dorment	qu'ils dormissent

Other verbs conjugated like dormir include: **endormir, s'endormir, partir, servir, sentir,** and **sortir.**

Présent

partir	servir	sentir	sortir
je pars	je sers	je sens	je sors
tu pars	tu sers	tu sens	tu sors
il part	il sert	il sent	il sort

nous partons	nous servons	nous sentons	nous sortons
vous partez	vous servez	vous sentez	vous sortez
ils partent	ils servent	ils sentent	ils sortent

Passé composé

| je suis parti(e) | j'ai servi | j'ai senti | je suis sorti(e) |

conquérir

INDICATIF

Présent

je conquiers
tu conquiers
il conquiert
nous conquérons
vous conquérez
ils conquièrent

Passé composé

j'ai conquis

Passé simple *(littéraire)*

je conquis
tu conquis
il conquit
nous conquîmes
vous conquîtes
ils conquirent

Imparfait

je conquérais

Plus-que-parfait

j'avais conquis

Futur

je conquerrai

Futur antérieur

j'aurai conquis

CONDITIONNEL

Présent   **Passé**

je conquerrais   j'aurais conquis

IMPERATIF

conquiers
conquérons
conquérez

PARTICIPE PRESENT

conquérant

SUBJONCTIF

Présent

que je conquière
que tu conquières
qu'il conquière
que nous conquérions
que vous conquériez
qu'ils conquièrent

Imparfait *(littéraire)*

que je conquisse
que tu conquisses
qu'il conquît
que nous conquissions
que vous conquissiez
qu'ils conquissent

Acquérir is conjugated like **conquérir**.

courir

INDICATIF

Présent	Passé composé	Passé simple *(littéraire)*
je cours	j'ai couru	je courus
tu cours		tu courus
il court		il courut
nous courons		nous courûmes
vous courez		vous courûtes
ils courent		ils coururent

Imparfait	Plus-que-parfait
je courais	j'avais couru

Futur	Futur antérieur
je courrai	j'aurai couru

CONDITIONNEL

Présent **Passé**

je courrais   j'aurais couru

IMPERATIF

cours
courons
courez

PARTICIPE PRESENT

courant

SUBJONCTIF

Présent	Imparfait *(littéraire)*
que je coure	que je courusse
que tu coures	que tu courusses
qu'il coure	qu'il courût
que nous courions	que nous courussions
que vous couriez	que vous courussiez
qu'ils courent	qu'ils courussent

fuir

INDICATIF

Présent	Passé composé	Passé simple *(littéraire)*
je fuis	j'ai fui	je fuis
tu fuis		tu fuis
il fuit		il fuit

nous fuyons
vous fuyez
ils fuient

nous fuîmes
vous fuîtes
ils fuirent

Imparfait

je fuyais

Plus-que-parfait

j'avais fui

Futur

je fuirai

Futur antérieur

j'aurai fui

CONDITIONNEL

IMPERATIF

PARTICIPE PRESENT

Présent   **Passé**

je fuirais   j'aurais fui

fuis
fuyons
fuyez

fuyant

SUBJONCTIF

Présent

que je fuie
que tu fuies
qu'il fuie
que nous fuyions
que vous fuyiez
qu'ils fuient

Imparfait *(littéraire)*

que je fuisse
que tu fuisses
qu'il fuît
que nous fuissions
que vous fuissiez
qu'ils fuissent

S'enfuir is conjugated like **fuir.**

mourir

INDICATIF

Présent

je meurs
tu meurs
il meurt
nous mourons
vous mourez
ils meurent

Passé composé

je suis mort(e)

Passé simple *(littéraire)*

je mourus
tu mourus
il mourût
nous mourûmes
vous mourûtes
ils moururent

Imparfait

je mourais

Plus-que-parfait

j'étais mort(e)

Futur

je mourrai

Futur antérieur

je serai mort(e)

CONDITIONNEL

Présent　　**Passé**

je mourrais　je serais mort(e)

SUBJONCTIF

Présent

que je meure
que tu meures
qu'il meure
que nous mourions
que vous mouriez
qu'ils meurent

Imparfait *(littéraire)*

que je mourusse
que tu mourusses
qu'il mourût
que nous mourussions
que vous mourussiez
qu'ils mourussent

IMPERATIF

meurs
mourons
mourez

PARTICIPE PRESENT

mourant

ouvrir

INDICATIF

Présent

j'ouvre
tu ouvres
il ouvre
nous ouvrons
vous ouvrez
ils ouvrent

Passé composé

j'ai ouvert

Passé simple *(littéraire)*

j'ouvris
tu ovris
il ouvrit
nous ouvrîmes
vous ouvrîtes
ils ouvrirent

Imparfait

j'ouvrais

Plus-que-parfait

j'avais ouvert

Futur

j'ouvrirai

Futur antérieur

j'aurai ouvert

CONDITIONNEL

Présent　　**Passé**

j'ouvrirais　j'aurais ouvert

SUBJONCTIF

Présent

que j'ouvre
que tu ouvres
qu'il ouvre

Imparfait *(littéraire)*

que j'ouvrisse
que tu ouvrisses
qu'il ouvrît

IMPERATIF

ouvre
ouvrons
ouvrez

PARTICIPE PRESENT

ouvrant

que nous ouvrions
que vous ouvriez
qu'ils ouvrent

que nous ouvrissions
que vous ouvrissiez
qu'ils ouvrissent

Other verbs conjugated like **ouvrir** include: **couvrir, découvrir, offrir,** and **souffrir.**

venir

INDICATIF

Présent

je viens
tu viens
il vient
nous venons
vous venez
ils viennent

Passé composé

je suis venu(e)

Passé simple *(littéraire)*

je vins
tu vins
il vint
nous vînmes
vous vîntes
ils vinrent

Imparfait

je venais

Plus-que-parfait

j'étais venu(e)

Futur

je viendrai

Futur antérieur

je serai venu(e)

CONDITIONNEL

Présent   **Passé**

je viendrais   je serais venu(e)

SUBJONCTIF

IMPERATIF

viens
venons
venez

PARTICIPE PRESENT

venant

Présent

que je vienne
que tu viennes
qu'il vienne
que nous venions
que vous veniez
qu'ils viennent

Imparfait *(littéraire)*

que je vinsse
que tu vinsses
qu'il vînt
que nous vinssions
que vous vinssiez
qu'ils vinssent

Other verbs conjugated like **venir** include: **devenir, revenir, tenir, maintenir, soutenir, obtenir,** and **retenir.**

D. Verbs in *-re*

boire

INDICATIF

Présent

je bois
tu bois
il boit
nous buvons
vous buvez
ils boivent

Passé composé

j'ai bu

Passé simple *(littéraire)*

je bus
tu bus
il but
nous bûmes
vous bûtes
ils burent

Imparfait

je buvais

Plus-que-parfait

j'avais bu

Futur

je boirai

Futur antérieur

j'aurai bu

CONDITIONNEL

Présent　　**Passé**

je boirais　　j'aurais bu

IMPERATIF

bois
buvons
buvez

PARTICIPE PRESENT

buvant

SUBJONCTIF

Présent

que je boive
que tu boives
qu'il boive
que nous buvions
que vous buviez
qu'ils boivent

Imparfait *(littéraire)*

que je busse
que tu busses
qu'il bût
que nous bussions
que vous bussiez
qu'ils bussent

conduire

INDICATIF

Présent

je conduis
tu conduis
il conduit

Passé composé

j'ai conduit

Passé simple *(littéraire)*

je conduisis
tu conduisis
il conduisit

nous conduisons
vous conduisez
ils conduisent

nous conduisîmes
vous conduisîtes
ils conduisirent

Imparfait

je conduisais

Plus-que-parfait

j'avais conduit

Futur

je conduirai

Futur antérieur

j'aurai conduit

CONDITIONNEL

IMPERATIF

PARTICIPE PRESENT

Présent   **Passé**

je conduirais   j'aurais conduit

conduis
conduisons
conduisez

conduisant

SUBJONCTIF

Présent

que je conduise
que tu conduises
qu'il conduise
que nous conduisions
que vous conduisiez
qu'ils conduisent

Imparfait *(littéraire)*

que je conduisisse
que tu conduisisses
qu'il conduisît
que nous conduisissions
que vous conduisissiez
qu'ils conduisissent

Other verbs conjugated like **conduire** include: **construire, cuire, détruire, produire,** and **traduire.**

connaître

INDICATIF

Présent

je connais
tu connais
il connaît
nous connaissons
vous connaissez
ils connaissent

Passé composé

j'ai connu

Passé simple *(littéraire)*

je connus
tu connus
il connut
nous connûmes
vous connûtes
ils connurent

Imparfait

je connaissais

Plus-que-parfait

j'avais connu

Futur

je connaîtrai

Futur anterieur

j'aurai connu

CONDITIONNEL

Présent   **Passé**

je connaîtrais   j'aurais connu

IMPERATIF

connais
connaissons
connaissez

PARTICIPE PRESENT

connaissant

SUBJONCTIF

Présent

que je connaisse
que tu connaisses
qu'il connaisse
que nous connaissions
que vous connaissiez
qu'ils connaissent

Imparfait *(littéraire)*

que je connusse
que tu connusses
qu'il connût
que nous connussions
que vous connussiez
qu'ils connussent

Reconnaître and **paraître** are conjugated like **connaître**.

---

craindre

INDICATIF

Présent

je crains
tu crains
il craint
nous craignons
vous craignez
ils craignent

Passé composé

j'ai craint

Passé simple *(littéraire)*

je craignis
tu craignis
il craignit
nous craignîmes
vous craignîtes
ils craignirent

Imparfait

je craignais

Plus-que-parfait

j'avais craint

Futur

je craindrai

Futur antérieur

j'aurai craint

CONDITIONNEL

Présent   **Passé**

je craindrais   j'aurais craint

IMPERATIF

crains
craignons
craignez

PARTICIPE PRESENT

craignant

SUBJONCTIF

Présent

que je craigne
que tu craignes
qu'il craigne
que nous craignions
que vous craigniez
qu'ils craignent

Imparfait *(littéraire)*

que je craignisse
que tu craignisses
qu'il craignît
que nous criagnissions
que vous craignissiez
qu'ils craignissent

Peindre and **plaindre** are conjugated like **craindre**.

croire

INDICATIF

Présent

je crois
tu crois
il croit
nous croyons
vous croyez
ils croient

Passé composé

j'ai cru

Passé simple *(littéraire)*

je crus
tu crus
il crut
nous crûmes
vous crûtes
ils crurent

Imparfait

je croyais

Plus-que-parfait

j'avais cru

Futur

je croirai

Futur antérieur

j'aurai cru

CONDITIONNEL

Présent   Passé

je croirais   j'aurais cru

IMPERATIF

crois
croyons
croyez

PARTICIPE PRESENT

croyant

SUBJONCTIF

Présent

que je croie
que tu croies
qu'il croie
que nous croyions
que vous croyiez
qu'ils croient

Imparfait *(littéraire)*

que je crusse
que tu crusses
qu'il crût
que nous crussions
que vous crussiez
qu'ils crussent

dire

INDICATIF

Présent

je dis
tu dis
il dit
nous disons
vous dites
ils disent

Passé composé

j'ai dit

Passé simple *(littéraire)*

je dis
tu dis
il dit
nous dîmes
vous dîtes
ils dirent

Imparfait

je disais

Plus-que-parfait

j'avais dit

Futur

je dirai

Futur antérieur

j'aurai dit

CONDITIONNEL

Présent　　**Passé**

je dirais　　j'aurais dit

IMPERATIF

dis
disons
dites

PARTICIPE PRESENT

disant

SUBJONCTIF

Présent

que je dise
que tu dises
qu'il dise
que nous disions
que vous disiez
qu'ils disent

Imparfait *(littéraire)*

que je disse
que tu disses
qu'il dît
que nous dissions
que vous dissiez
qu'ils dissent

écrire

INDICATIF

Présent

j'écris
tu écris
il écrit
nous écrivons
vous écrivez
ils écrivent

Passé composé

j'ai écrit

Passé simple *(littéraire)*

j'écrivis
tu écrivis
il écrivit
nous écrivîmes
vous écrivîtes
ils écrivirent

Imparfait

j'écrivais

Futur

j'écrirai

Plus-que-parfait

j'avais écrit

Futur antérieur

j'aurai écrit

CONDITIONNEL

Présent   **Passé**

j'écrirais   j'aurais écrit

IMPERATIF

écris
écrivons
écrivez

PARTICIPE PRESENT

écrivant

SUBJONCTIF

Présent

que j'écrive
que tu écrives
qu'il écrive
que nous écrivions
que vous écriviez
qu'ils écrivent

Imparfait (*littéraire*)

que j'écrivisse
que tu écrivisses
qu'il écrivît
que nous écrivissions
que vous écrivissiez
qu'ils écrivissent

Décrire is conjugated like **écrire**.

faire

INDICATIF

Présent

je fais
tu fais
il fait
nous faisons
vous faites
ils font

Passé composé

j'ai fait

Passé simple (*littéraire*)

je fis
tu fis
il fit
nous fîmes
vous fîtes
ils firent

Imparfait

je faisais

Futur

je ferai

Plus-que-parfait

j'avais fait

Futur antérieur

j'aurai fait

CONDITIONNEL

Présent   Passé

je ferais   j'aurais fait

SUBJONCTIF

Présent

que je fasse
que tu fasses
qu'il fasse
que nous fassions
que vous fassiez
qu'ils fassent

IMPERATIF

fais
faisons
faites

Imparfait *(littéraire)*

que je fisse
que tu fisses
qu'il fît
que nous fissions
que vous fissiez
qu'ils fissent

PARTICIPE PRESENT

faisant

lire

INDICATIF

Présent

je lis
tu lis
il lit
nous lisons
vous lisez
ils lisent

Imparfait

je lisais

Futur

je lirai

Passé composé

j'ai lu

Plus-que-parfait

j'avais lu

Futur antérieur

j'aurai lu

Passé simple *(littéraire)*

je lus
tu lus
il lut
nous lûmes
vous lûtes
ils lurent

CONDITIONNEL

Présent   Passé

je lirais   j'aurais lu

SUBJONCTIF

Présent

que je lise
que tu lises
qu'il lise

IMPERATIF

lis
lisons
lisez

Imparfait *(littéraire)*

que je lusse
que tu lusses
qu'il lût

PARTICIPE PRESENT

lisant

que nous lisions
que vous lisiez
qu'ils lisent

que nous lussions
que vous lussiez
qu'ils lussent

mettre

INDICATIF

Présent

je mets
tu mets
il met
nous mettons
vous mettez
ils mettent

Passé composé

j'ai mis

Passé simple *(littéraire)*

je mis
tu mis
il mit
nous mîmes
vous mîtes
ils mirent

Imparfait

je mettais

Plus-que-Parfait

j'avais mis

Futur

je mettrai

Futur antérieur

j'aurai mis

CONDITIONNEL

Présent   **Passé**

je mettrais   j'aurais mis

IMPERATIF

mets
mettons
mettez

PARTICIPE PRESENT

mettant

SUBJONCTIF

Présent

que je mette
que tu mettes
qu'il mette
que nous mettions
que vous mettiez
qu'ils mettent

Imparfait *(littéraire)*

que je misse
que tu misses
qu'il mît
que nous missions
que vous missiez
qu'ils missent

Permettre and **promettre** are conjugated like **mettre**.

naître

INDICATIF

Présent

je nais
tu nais
il naît
nous naissons
vous naissez
ils naissent

Passé composé

je suis né(e)

Passé simple *(littéraire)*

je naquis
tu naquis
il naquit
nous naquîmes
vous naquîtes
ils naquirent

Imparfait

je naissais

Plus-que-parfait

j'étais né(e)

Futur

je naîtrai

Futur antérieur

je serai né(e)

CONDITIONNEL

Présent   **Passé**

je naîtrais   je serais né(e)

IMPERATIF

nais
naissons
naissez

PARTICIPE PRESENT

naissant

SUBJONCTIF

Présent

que je naisse
que tu naisses
qu'il naisse
que nous naissions
que vous naissiez
qu'ils naissent

Imparfait *(littéraire)*

que je naquisse
que tu naquisses
qu'il naquît
que nous naquissions
que vous naquissiez
qu'ils naquissent

plaire

INDICATIF

Présent

je plais
tu plais
il plaît
nous plaisons
vous plaisez
ils plaisent

Passé composé

j'ai plu

Passé simple *(littéraire)*

je plus
tu plus
il plut
nous plûmes
vous plûtes
ils plurent

Imparfait

je plaisais

Futur

je plairai

Plus-que-parfait

j'avais plus

Futur antérieur

j'aurai plu

CONDITIONNEL

Présent   **Passé**

je plairais   j'aurais plu

IMPERATIF

plais
plaisons
plaisez

PARTICIPE PRESENT

plaisant

SUBJONCTIF

Présent

que je plaise
que tu plaises
qu'il plaise
que nous plaisions
que vous plaisiez
qu'ils plaisent

Imparfait *(littéraire)*

que je plusse
que tu plusses
qu'il plût
que nous plussions
que vous plussiez
qu'ils plussent

prendre

INDICATIF

Présent

je prends
tu prends
il prend
nous prenons
vous prenez
ils prennent

Passé composé

j'ai pris

Passé simple *(littéraire)*

je pris
tu pris
il prit
nous prîmes
vous prîtes
ils prirent

Imparfait

je prenais

Futur

je prendrai

Plus-que-parfait

j'avais pris

Futur antérieur

j'aurai pris

CONDITIONNEL

Présent   **Passé**

je prendrais   j'aurais pris

IMPERATIF

prends
prenons
prenez

PARTICIPE PRESENT

prenant

SUBJONCTIF

Présent

que je prenne
que tu prennes
qu'il prenne
que nous prenions
que vous preniez
qu'ils prennent

Imparfait *(littéraire)*

que je prisse
que tu prisses
qu'il prît
que nous prissions
que vous prissiez
qu'ils prissent

Other verbs conjugated like **prendre** include: **apprendre, comprendre,** and **surprendre.**

rire

INDICATIF

Présent

je ris
tu ris
il rit
nous rions
vous riez
ils rient

Passé composé

j'ai ri

Passé simple *(littéraire)*

je ris
tu ris
il rit
nous rîmes
vous rîtes
ils rirent

Imparfait

je riais

Plus-que-parfait

j'avais ri

Futur

je rirai

Futur antérieur

j'aurai ri

CONDITIONNEL

Présent   **Passé**

je rirais   j'aurais ri

IMPERATIF

ris
rions
riez

PARTICIPE PRESENT

riant

SUBJONCTIF

Présent

que je rie
que tu ries
qu'il rie
que nous riions

Imparfait *(littéraire)*

que je risse
que tu risses
qu'il rît
que nous rissions

que vous riiez
qu'ils rient

que vous rissiez
qu'ils rissent

Sourire is conjugated like **rire.**

suivre

INDICATIF

Présent

je suis
tu suis
il suit
nous suivons
vous suivez
ils suivent

Passé composé

j'ai suivi

Passé simple *(littéraire)*

je suivis
tu suivis
il suivit
nous suivîmes
vous suivîtes
ils suivirent

Imparfait

je suivais

Plus-que-parfait

j'avais suivi

Futur

je suivrai

Futur antérieur

j'aurai suivi

CONDITIONNEL

Présent   **Passé**

je suivrais   j'aurais suivi

IMPERATIF

suis
· suivons
suivez

PARTICIPE PRESENT

suivant

SUBJONCTIF

Présent

que je suive
que tu suives
qu'il suive
que nous suivions
que vous suiviez
qu'ils suivent

Imparfait *(littéraire)*

que je suivisse
que tu suivisses
qu'il suivît
que nous suivissions
que vous suivissiez
qu'ils suivissent

vivre

INDICATIF

Présent

je vis
tu vis
il vit
nous vivons
vous vivez
ils vivent

Passé composé

j'ai vécu

Passé simple *(littéraire)*

je vécus
tu vécus
il vécut
nous vécûmes
vous vécûtes
ils vécurent

Imparfait

je vivais

Plus-que-parfait

j'avais vécu

Futur

je vivrai

Futur antérieur

j'aurai vécu

CONDITIONNEL

Présent   **Passé**

je vivrais   j'aurais vécu

IMPERATIF

vis
vivons
vivez

PARTICIPE PRESENT

vivant

SUBJONCTIF

Présent

que je vive
que tu vives
qu'il vive
que nous vivions
que vous viviez
qu'ils vivent

Imparfait *(littéraire)*

que je vécusse
que tu vécusses
qu'il vécût
que nous vécussions
que vous vécussiez
qu'ils vécussent

E. Verbs in -*oir*

asseoir

INDICATIF

Présent

j'assieds
tu assieds
il assied

Passé composé

j'ai assis

Passé simple *(littéraire)*

j'assis
tu assis
il assit

nous asseyons
vous asseyez
ils asseyent

nous assîmes
vous assîtes
ils assirent

Imparfait

j'asseyais

Plus-que-parfait

j'avais assis

Futur

j'assiérai

Futur antérieur

j'aurai assis

CONDITIONNEL

IMPERATIF

PARTICIPE PRESENT

Présent   **Passé**

j'assiérais   j'aurais assis

assieds
asseyons
asseyez

asseyant

SUBJONCTIF

Présent

que j'asseye
que tu asseyes
qu'il asseye
que nous asseyions
que vous asseyiez
qu'ils asseyent

Imparfait *(littéraire)*

que j'assisse
que tu assisses
qu'il assît
que nous assissions
que vous assissiez
qu'ils assissent

S'asseoir is conjugated like **asseoir**.

devoir

INDICATIF

Présent

je dois
tu dois
il doit
nous devons
vous devez
ils doivent

Passé composé

j'ai dû

Passé simple *(littéraire)*

je dus
tu dus
il dut
nous dûmes
vous dûtes
ils durent

Imparfait

je devais

Plus-que-parfait

j'avais dû

Futur

je devrai

Futur antérieur

j'aurai dû

CONDITIONNEL

Présent   **Passé**

je devrais   j'aurais dû

SUBJONCTIF

Présent

que je doive
que tu doives
qu'il doive
que nous devions
que vous deviez
qu'ils doivent

IMPERATIF

dois
devons
devez

Imparfait *(littéraire)*

que je dusse
que tu dusses
qu'il dût
que nous dussions
que vous dussiez
qu'ils dussent

PARTICIPE PRESENT

devant

falloir

INDICATIF

Présent

il faut

Imparfait

il fallait

Futur

il faudra

Passé composé

il a fallu

Plus-que-parfait

il avait fallu

Futur antérieur

il aura fallu

Passé simple *(littéraire)*

il fallut

CONDITIONNEL

Présent   **Passé**

il faudrait   il aurait fallu

SUBJONCTIF

Présent

qu'il faille

Imparfait *(littéraire)*

qu'il fallût

pleuvoir

INDICATIF

Présent

il pleut

Passé composé

il a plu

Passé simple *(littéraire)*

il plut

Imparfait

il pleuvait

Plus-que-parfait

il avait plu

Futur

il pleuvra

Futur antérieur

il aura plu

CONDITIONNEL

Présent   **Passé**

il pleuvrait   il aurait plu

SUBJONCTIF

Présent

qu'il pleuve

Imparfait *(littéraire)*

qu'il plût

PARTICIPE PRESENT

pleuvant

pouvoir

INDICATIF

Présent

je peux
tu peux
il peut
nous pouvons
vous pouvez
ils peuvent

Passé composé

j'ai pu

Passé simple *(littéraire)*

je pus
tu pus
il put
nous pûmes
vous pûtes
ils purent

Imparfait

je pouvais

Plus-que-parfait

j'avais pu

Futur

je pourrai

Futur antérieur

j'aurai pu

CONDITIONNEL

Présent

je pourrais

Passé

j'aurais pu

PARTICIPE PRESENT

pouvant

SUBJONCTIF

Présent

que je puisse
que tu puisses
qu'il puisse
que nous puissions
que vous puissiez
qu'ils puissent

Imparfait *(littéraire)*

que je pusse
que tu pusses
qu'il pût
que nous pussions
que vous pussiez
qu'ils pussent

recevoir

INDICATIF

Présent

je reçois
tu reçois
il reçoit
nous recevons
vous recevez
ils reçoivent

Passé composé

j'ai reçu

Passé simple *(littéraire)*

je reçus
tu reçus
il reçut
nous reçûmes
vous reçûtes
ils reçurent

Imparfait

je recevais

Plus-que-parfait

j'avais reçu

Futur

je recevrai

Futur antérieur

j'aurai reçu

CONDITIONNEL

Présent

je recevrais

Passé

j'aurais reçu

IMPERATIF

reçois
recevons
recevez

PARTICIPE PRESENT

recevant

SUBJONCTIF

Présent

que je reçoive
que tu reçoives
qu'il reçoive
que nous recevions
que vous receviez
qu'ils reçoivent

Imparfait *(littéraire)*

que je reçusse
que tu reçusses
qu'il reçût
que nous reçussions
que vous reçussiez
qu'ils reçussent

savoir

INDICATIF

Présent	
je sais	
tu sais	
il sait	
nous savons	
vous savez	
ils savent	

Passé composé

j'ai su

Passé simple (*littéraire*)

je sus
tu sus
il sut
nous sûmes
vous sûtes
ils surent

Imparfait

je savais

Plus-que-parfait

j'avais su

Futur

je saurai

Futur antérieur

j'aurai su

CONDITIONNEL

Présent   **Passé**

je saurais   j'aurais su

IMPERATIF

sache
sachons
sachez

PARTICIPE PRESENT

sachant

SUBJONCTIF

Présent

que je sache
que tu saches
qu'il sache
que nous sachions
que vous sachiez
qu'ils sachent

Imparfait (*littéraire*)

que je susse
que tu susses
qu'il sût
que nous sussions
que vous sussiez
qu'ils sussent

valoir

INDICATIF

Présent

je vaux
tu vaux
il vaut
nous valons
vous valez
ils valent

Passé composé

j'ai valu

Passé simple (*littéraire*)

je valus
tu valus
il valut
nous valûmes
vous valûtes
ils valurent

Imparfait

je valais

Plus-que-parfait

j'avais valu

Futur

je vaudrai

Futur antérieur

j'aurai valu

CONDITIONNEL

PARTICIPE PRESENT

valant

Présent   **Passé**

je vaudrais   j'aurais valu

SUBJONCTIF

Présent

que je vaille
que tu vailles
qu'il vaille
que nous valions
que vous valiez
qu'ils vaillent

Imparfait *(littéraire)*

que je valusse
que tu valusses
qu'il valût
que nous valussions
que vous valussiez
qu'ils valussent

voir

INDICATIF

Présent

je vois
tu vois
il voit
nous voyons
vous voyez
ils voient

Passé composé

j'ai vu

Passé simple *(littéraire)*

je vis
tu vis
il vit
nous vîmes
vous vîtes
ils virent

Imparfait

je voyais

Plus-que-parfait

j'avais vu

Futur

je verrai

Futur antérieur

j'aurai vu

CONDITIONNEL

Présent   **Passé**

je verrais   j'aurais vu

IMPERATIF

vois
voyons
voyez

PARTICIPE PRESENT

voyant

SUBJONCTIF

Présent

que je voie
que tu voies
qu'il voie
que nous voyions
que vous voyiez
qu'ils voient

Imparfait (*littéraire*)

que je visse
que tu visses
qu'il vît
que nous vissions
que vous vissiez
qu'ils vissent

vouloir

INDICATIF

Présent

je veux
tu veux
il veut
nous voulons
vous voulez
ils veulent

Passé composé

j'ai voulu

Passé simple (*littéraire*)

je voulus
tu voulus
il voulut
nous voulûmes
vous voulûtes
ils voulurent

Imparfait

je voulais

Plus-que-parfait

j'avais voulu

Futur

je voudrai

Futur antérieur

j'aurai voulu

CONDITIONNEL

Présent   **Passé**

je voudrais   j'aurais voulu

IMPERATIF

veuille
veuillons
veuillez

PARTICIPE PRESENT

voulant

SUBJONCTIF

Présent

que je veuille
que tu veuilles
qu'il veuille
que nous voulions
que vous vouliez
qu'ils veuillent

Imparfait (*littéraire*)

que je voulusse
que tu voulusses
qu'il voulût
que nous voulussions
que vous voulussiez
qu'ils voulussent

Appendix B, 2: Stem-Changing Verbs

acheter

Présent

j'achète
tu achètes
il achète
nous achetons
vous achetez
ils achètent

Subjonctif présent

j'achète
tu achètes
il achète
nous achetions
vous achetiez
ils achètent

Futur

j'achèterai
tu achèteras
il achètera
nous achèterons
vous achèterez
ils achèteront

appeler

Présent

j'appelle
tu appelles
il appelle
nous appelons
vous appelez
ils appelent

Subjonctif présent

j'appelle
tu appelles
il appelle
nous appelions
vous appeliez
ils appellent

Futur

j'appellerai
tu appelleras
il appellera
nous appellerons
vous appellerez
ils appelleront

commencer (verbs ending in -cer)

Présent

je commence
tu commences
il commence
nous commençons
vous commencez
ils commencent

Imparfait

je commençais
tu commençais
il commençait
nous commencions
vous commenciez
ils commençaient

Passé simple (*littéraire*)

je commençai
tu commenças
il commença
nous commençâmes
vous commençâtes
ils commencèrent

espérer (préférer, répéter, protéger, etc.)

Présent	Subjonctif présent	Futur
j'espère	je espère	je espérai
tu espères	tu espères	tu espéras
il espère	il espère	il espéra
nous espérons	nous espérions	nous espérons
vous espérez	vous espériez	vous espérez
ils espèrent	ils espèrent	ils espéront

essayer (verbs ending in *-ayer, -oyer, -uyer*)

Présent	Subjonctif présent	Futur
j'essaie	j'essaie	j'essaierai
tu essaies	tu essaies	tu essaieras
il essaie	il essaie	il essaiera
nous essayons	nous essayions	nous essaierons
vous essayez	vous essayiez	vous essaierez
ils essaient	ils essaient	ils essaieront

jeter

Présent	Subjonctif présent	Futur
je jette	je jette	je jetterai
tu jettes	tu jettes	tu jetteras
il jette	il jette	il jettera
nous jetons	nous jetions	nous jetterons
vous jetez	vous jetiez	vous jetterez
ils jettent	ils jettent	ils jetteront

lever (mener, emmener, geler, etc.)

Présent	Subjonctif présent	Futur
je lève	je lève	je lèverai
tu lèves	tu lèves	tu lèveras
il lève	il lève	il lèvera
nous levons	nous levions	nous lèverons
vous levez	vous leviez	vous lèverez
ils lèvent	ils lèvent	ils lèveront

manger (verbs ending in -*ger*)

Présent

je mange
tu manges
il mange
nous mangeons
vous mangez
ils mangent

Subjonctif présent

je mange
tu manges
il mange
nous mangions
vous mangiez
ils mangent

Imparfait

je mangeais
tu mangeais
il mangeait
nous mangions
vous mangiez
ils mangeaient

Passé simple *(littéraire)*

je mangeai
tu mangeas
il mangea
nous mangeâmes
vous mangeâtes
ils mangèrent

French-English Vocabulary

Included in the French-English Vocabulary are all terms that are not cognates or that would not be immediately recognizable to a student at the intermediate level. The gender of all nouns is indicated by the notation *m* or *f*, and the feminine endings of adjectives are indicated in parenthesis when appropriate. For adjectives whose feminines require a change in ending or consist of a separate form, the entire feminine form is noted. Expressions consisting of more than one word are listed under their principal part of speech. For all expressions that are considered to be slang or popular, the notation *slang* is indicated in parentheses following such entries. Names of verb tenses and expressions that are impersonal are also indicated.

abandonner to give up
abondant(e) abundant
abonnement *m* subscription
abonner: s'___ à to subscribe to
abord: d'___ at first
abricot *m* apricot
absolu(e) absolute
absolument absolutely
accompagner to go with
accord *m* agreement **d'___** okay **être d'___** to agree **se mettre d'___** to agree with
accorder to grant
accueillir to welcome
achat *m* purchase **faire des ___s** to shop
acheter to buy
acquérir to acquire
acquis(e) acquired
acrobaties *f pl* acrobatics
acteur *m* actor
actif/active active
actrice *f* actress
actualités *f pl* newsreel, news
actuellement presently

addition *f* bill, check
admettre to admit
adresser: s'___ à to speak to
adversaire *m* adversary, opponent
aérien(ne) air, aerial
aéroport *m* airport
affaires *f pl* business, belongings **régler des ___** to take care of business
affiche *f* playbill **à l'___** current attraction
afficher to post
affirmativement affirmatively
affirmer to affirm
afin (de, que) in order to; in order that
africain(e) African
âgé(e) old
agence *f* agency **___ de voyage** travel agency
agir: s'___ de to be a question of
agréable agreeable, pleasant
aide *f* help

aider to aid, to help
ailleurs elsewhere **d'___** furthermore
aimable likeable
aimer to like
air *m* manner, appearance **avoir l'___** to seem
aise *f* ease, convenience **à leur ___** at their leisure
ajouter to add
album *m* album **___ de découpures,** scrapbook
alcool *m* alcohol
Algérie *f* Algeria
aliment *m* food
allée *f* aisle
allemand *m* German language
aller to go **s'en ___** to go away
aller et retour *m* round-trip ticket
aller simple *m* one-way ticket
allumer to turn on
allusion *f* allusion, hint **faire ___ à** to allude to
alors then, in that case

Alpes *f pl* Alps ____
  Maritimes region in
  southeastern France
amateur *m* fan ____ **de**
  cinéma movie buff
ambitieux/ambitieuse
  ambitious
amener to bring along
américain(e) American
Américain(e) *m, f*
  American
Amérique du Sud *f* South
  America
ami(e) *m, f* friend
amical(e) friendly
amitié *f* friendship
amphithéâtre *m* lecture
  hall
amusant(e) amusing,
  entertaining
amuser to amuse, to
  entertain **s'**____ to have
  a good time
an *m* year **avoir ...**
  ____**s** to be ... years old
ancien(ne) old, former
anglais *m* English
  language
Angleterre *f* England
anglophone *m, f* English-
  speaking person
année *f* year
  ____ **scolaire** school year
anniversaire *m* birthday
annonce *f* announcement,
  advertisement
annoncer to announce
annuler to cancel
Antenne 2 *f* French TV
  network
antonyme *m* antonym
août *m* August
apercevoir, s'____ to notice
apparaître to appear
appartement *m* apartment
appartenir à to belong to

appeler to call **s'**____ to
  be named
appliquer: s'____ to apply
  oneself
apporter to bring
apprécier to appreciate, to
  value
apprendre to learn
  ____ **par cœur** to
  memorize
approcher, s____ to
  approach
appuyer to press ____ **sur**
  le bouton to push the
  button
après after ____ **que** after
après-midi *m* afternoon
arbre *m* tree
argent *m* money ____ **de**
  poche spending money
armée *f* army
arrêt *m* stop
arrêter, s'____ to stop
arrière *m* back, rear
arrivée *f* arrival
arriver to arrive, to
  happen
as *m* ace
Asie *f* Asia
asseoir to seat **s'**____ to
  sit down
assez quite, rather
  ____ **de** enough
assimiler to assimilate
assis(e) seated **être**
  ____ to be seated
assister à to attend
assurer to assure, to
  guarantee
astronomique astronomical
atelier *m* workshop
  ____ **de réparation**
  repair shop
attacher to fasten
attaque *f* attack

attendre to wait for **s'**____
  à to expect
attentif/attentive attentive
attention watch out! **faire**
  ____ **à** to pay attention
  to
atterrir to land
aucun(e) any; not a single
au-dessus de above
aujourd' hui today
aussi also ____ **bien que**
  as well as
aussitôt que as soon as
autant (de) as many
auteur *m* author
authentique authentic
automne *m* autumn
autonomie *f* autonomy,
  self-government
autorité *f* authority
autoroute *f* superhighway
autour about
  ____ **de** around
autre other
autrement otherwise
auxiliaire auxiliary
avance *f* advance
  d'____ in advance
avancer, s'____ to advance,
  to move forward
avant (de, que) before
avant *m* front
avantage *m* advantage
avec with
avenir *m* future **à**
  l'____ in the future
aventure *f* adventure
aventureux/aventureuse
  adventurous
aventurier *m* adventurer
aviateur *m* aviator
avion *m* airplane ____ **à**
  réaction jet **en** ____ by
  plane **par** ____ by plane
avis *m* opinion
avocat *m* lawyer

avoir to have ____ **à** to need to, to have to **en** ____ **assez** to be fed up

avril *m* April

Aztèques *m pl* Aztecs

bac *m* baccalaureate (*slang*)

baccalauréat *m* diploma obtained through competitive exam at the end of secondary studies

bachelier *m* recipient of a baccalaureate

bachot *m* baccalaureate (*slang*)

bachoter to prepare for the *bac*

baguette *f* long, thin loaf of bread

baigner: se ____ to swim

bain *m* bath

bal *m* ball, dance

banal(e) dull

bar *m* snack bar

bas(se) low

baser to base

bateau *m* boat **en** ____ by boat

bâtiment *m* building

bâtir to build

batterie *f* battery

bavard(e) outgoing, talkative

beau/belle beautiful **faire** ____ to be nice weather

beaucoup much, many ____ **de** a lot of

beau-frère *m* brother-in-law, stepbrother

beauté *f* beauty

bébé *m* baby

belge Belgian

Belge *m, f* Belgian

Belgique *f* Belgium

belle-mère *f* mother-in-law, stepmother

bénéficier to benefit

besoin *m* need, want **avoir** ____ **de** to need (to)

bêtise *f* foolishness, error, stupidity

beurre *m* butter

bibliothèque *f* library

bien well ____ **des** many ____ **que** although **faire du** ____ to be beneficial

bientôt soon, shortly

bière *f* beer

bijou *m* jewel

billet *m* ticket ____ **de banque** paper currency

bizarre strange

blanc(he) white

blesser to hurt **se** ____ to get hurt

bleu *m* blue cheese

bœuf *m* beef ____ **haché** ground beef

boire to drink

boisson *f* drink, beverage

boîte *f* can; school (*slang*) **en** ____ canned

bon(ne) kind, good **il est** ____ it is good

bonbon *m* piece of candy

bondé(e) crowded

bonheur *m* happiness

bonhomme *m* good-natured man

bonté *f* kindness

bord: à ____ on board

bouche *f* mouth, entrance ____ **de métro** subway entrance

boucher *m* butcher

boucherie *f* butcher shop

bouger to stir, to budge

bouleversement *m* upheaval

boulanger/boulangère *m, f* baker

boulangerie-pâtisserie *f* bakery and pastry shop

boulot *m* work (*slang*)

boum *f* party (*slang*)

bouquin *m* book (*slang*)

Bourgogne *f* Burgundy-region of France

bouteille *f* bottle

bouton *m* button **appuyer sur le** ____ to push the button

boxe *f* boxing **match de** ____ boxing match

branché(e) plugged in **être** ____ to be plugged in

bras *m* arm

brave courageous, nice

bref/brève short, in short

brillamment brilliantly

brosser, se ____ to brush

bruit *m* sound

brûler to burn

Bruxelles Brussels

bûcher to cram (*slang*)

bureau *m* office ____ **de renseignements** information window

ça that ____ **ne fait rien** it doesn't matter ____ **y est** that's it, it's done

cadavre *m* corpse

cadeau *m* gift, present

café *m* café, coffee ____ **au lait** coffee with milk ____ **instantané** instant coffee

cáféteria *f* cafeteria

caisse *f* cash register

caissière *f* ticket seller, cashier

calculer to add up, to calculate

calmement calmly

calmer to calm, to quiet **se** ____ to calm down

camarade *m, f* friend, chum ___ **de chambre** roommate ___ **de classe** classmate

camion *m* truck

campagne *f* countryside

canadien(ne) Canadian

candidat *m* candidate

capitale *f* capital

capturer to capture

car because

Caraïbes *m* Caribbean

carnet *m* book of tickets, booklet

carrefour *m* intersection

carrière *f* career

carte *f* card, map ___ **(postale)** postcard ___ **d'étudiant** student card

cas *m* case **au ___ où** in case

cathédrale *f* cathedral

cause: à ___ de because of

ceci this, this thing

cienture *f* seat belt

cela that, that thing

célèbre celebrated, famous

censure *f* censorship

centaine *f* about a hundred

cependant meanwhile, however

cercle *m* circle

cérémonie *f* ceremony

cerise *f* cherry

certain(e) definite, particular **être ___** to be certain **il est ___** it is certain

certainement certainly

cesser to stop

chacun(e) each one

chaîne *f* channel

chambre *f* room

chance *f* chance, luck **avoir de la ___** to be lucky

chanson *f* song

chanter to sing

chanteur *m* singer

chaque each

charcuterie *f* delicatessen, pork-butcher shop

chariot *m* shopping cart

charmant(e) charming

chasser, se ___ to chase

chat *m* cat

château *m* castle

chaud(e) hot **avoir ___** to be hot **faire ___** to be hot weather

chauffeur *m* driver

chef-d'œuvre *m* masterpiece

chemin de fer *m* railroad

chèque *m* check **toucher un ___** to cash a check

cher/chère expensive, dear

chercher to look for, to seek

chéri *m* darling, dearest

cheval *m* horse

cheveux *m pl* hair

chez at, to, in, with, among, in the works of

chien/chienne *m, f* dog

chiffre *m* number

Chinois *m* Chinese

choc *m* shock

choisir to choose

choix *m* choice

chose *f* thing

chouette nice, "neat" (*slang*)

ci-dessous below

ciel *m* sky

ciné-club *m* movie club

cinéphile *f* movie buff

cité *f* city ___ **universitaire** residence hall complex

citoyen *m* citizen

clair(e) clear **il est¹ ___** it is clear

classe *f* class ___ **touriste** second class **en ___** in class **en ___ économique** economy class

classer to classify

classique classical

classique *m* classic

clé *f* key **fermer à ___** to lock

climat *m* climate

cocher *m* coachman

coiffer: se ___ to brush or comb one's hair

coin *m* corner

collectif/collective collective

collège *m* first four years of secondary school

colon *m* colonist

colonie *f* colony ___ **de vacances** summer camp

colonne *f* column

combattre to fight

combien how much ___ **de** how many

commander to order

comme as, like, such as ___ **d'habitude** as usual ___ **il faut** as it should be

commencement *m* beginning

commencer to begin

comment how

commentaire *m* comment

commerçant *m* shopkeeper

commettre to commit

commissaire *m* commissioner

commissariat *m* police station

commode convenient, comfortable

commun(e) common, ordinary **en** ____ in common

communiquer to communicate

compagnie *f* company

compagnon/compagne *m, f* companion

compartiment *m* compartment

complément *m* object

complet/complète complete, full

compléter to complete

compliqué(e) complicated

comprendre to understand, to include

compris(e) included

compter to count ____ **sur** to count on

comptoir *m* counter

conditionnel *m* conditional (*verb tense*) ____ **présent** present conditional (*verb tense*) ____ **passé** past conditional-verb tense

conduire to drive

conférence *f* lecture

confondre to confuse

congé *m* leave, holiday **avoir** ____ to have a day off **jour de** ____ *m* day off

congelé(e) frozen **aliments** ____**s** *m pl* frozen foods

connaissance *f* acquaintance **faire la** ____ **de** to meet

connaître to know, to understand, to be acquainted with, to experience

conquérir to conquer

conquête *f* conquest

consacrer: se ____ **à** to devote oneself to

conseil *m* piece of advice ____**s** advice

conseiller *m* adviser

conseiller to advise

conservateur/conservatrice conservative

conserver to preserve

considérer to consider

consommer to use

constamment constantly

constater to observe

constituer to constitute

construire to construct

consulter to look up something **se** ____ to confer

contenir to contain

content(e) happy

contraire *m* opposite **au** ____ on the contrary

contre against

contre *m* con

contribuer to contribute

contrôle *m* test, testing ____ **continu des connaissances** periodic testing

convenable suitable, appropriate

convenir à to be suitable to (*impersonal*)

copain, copine *m, f* friend, buddy, pal

copie *f* exam copy

correcteur *m* corrector

correspondance *f* transfer

correspondre to correspond, to agree

corriger to correct

côte *f* coast **Côte d'Azur** Riviera

côté *m* side **à** ____ **de** by, near **de mon** ____ for my part **de tous les** ____**s** from all sides **du** ____ **de** in the direction of

coton *m* cotton, **robe de (en)** ____ cotton dress

côtoyer: se ____ to be next to each other

coucher to put to bed **se** ____ to go to bed

couchette *f* bunk

couleur *f* color

couloir *m* corridor

coureur *m* runner

courir to run ____ **des risques** to take chances

cours *m* course **au** ____ **de** during ____ **magistral** lecture by senior professor **suivre un** ____ to take a course

course *f* race

courses *f pl* errands **faire des** ____ to run errands, to go shopping

court(e) short

couteau *m* knife

coûter to cost

couvrir to cover

craindre to fear

crainte *f* fear **avoir** ____ **de** to be afraid of **de** **de** ____ **(de, que)** for fear (of, that)

créateur/créatrice creative

créature *f* creature

créer to create

crémerie *f* dairy

critique *f* criticism

critiquer to criticize

croire to believe

cuire to cook

cuisine *f* cooking, food **faire la** ____ to cook

curiosité *f* point of interest

dame *f* lady

dangereux/dangereuse dangerous

danseur *m* dancer

débat *m* debate

debout standing

débrouiller to straighten out **se** ____ to get by, to manage

début *m* beginning **au** ____ **de** at the beginning of

décembre *m* December

décider to decide

décision *f* decision **prendre une** ____ to make a decision

décoller to take off

décor *m* set, scenery

découverte *f* discovery

découvrir to discover

décrire to describe

déçu(e) disappointed

dedans in

défendre to forbid

définitif definitive

dehors outside **en** ____ **de** outside of

déjà already

déjeuner *m* noon meal

déjeuner to eat lunch

délicat(e) delicate, nice

délicieux/délicieuse delicious

demain tomorrow **à** ____ see you tomorrow

demander to ask (for) **se** ____ to ask oneself, to wonder

déménager to move

démodé(e) old-fashioned

demoiselle *f* young woman

démontrer to demonstrate

dent *f* tooth

dentelle *f* lace

dépannage *m* repairing **atelier de** ____ repair shop

départ *m* departure

département *m* department, political division of France

dépasser to exceed

dépêcher to send quickly **se** ____ to hurry

dépendre to depend

dépense *f* expenditure

dépenser to spend

déplacement *m* movement

déplacer: se ____ to get around

dépliant *m* folder, brochure

depuis since, for

dernier/dernière preceding, final

dernièrement lately

derrière behind

désagréable disagreeable, unpleasant

désastre *m* disaster

descendre to get off, to go down ____ **à une destination** to travel to ____ **quelque chose** to take down something

désert *m* desert

désir *m* desire

désirer to want, to desire

désolé(e) sorry

désordre *m* disorder, confusion

dès que as soon as

dessin *f* drawing, sketch ____ **animé** cartoon

destination *f* destination **à** ____ at the destination **à** ____ **de** departing for **descendre à une** ____ to travel to

destiné(e) *f* intended for

destinée *f* destiny

détendre: se ____ to relax

déterminer to determine, to decide

détruire to destroy

Deux-Chevaux *f* small Citroën model

devant in front of

développé(e) developed **peu** ____ underdeveloped

développement *m* development

devenir to become

déviation *f* detour

deviner to guess

devoir *m* task, assignment ____**s** homework

devoir to have to, to owe

dévoué(e) devoted

dictionnaire *m* dictionary

différent(e) different, various

difficulté *f* difficulty **sans** ____ without difficulty

diffuser to broadcast

dimanche *m* Sunday

dîner *m* dinner

dîner to eat dinner

diplomate *m* diplomat

diplôme *m* diploma, academic degree

dire to tell, to say, to speak

direct: en ____ nonstop; live

directeur *m* director, principal

discipliné(e) disciplined

discret/discrète discreet

discuter to discuss

disparaître to disappear

disponible available

disque *m* record

distinctement distinctly, clearly

distinguer to distinguish

distraction *f* amusement

distraire to amuse

distributeur *m* ticket dispenser

divertir: se ___ to amuse oneself
divertissement *m* amusement
diviser to divide
documentaire *m* documentary
dommage *m* damage, loss **c'est ___** it's a pity
donc then, therefore
donner to give **___ un film** to show a film **se ___** to give to each other
dont of which, of whom, whose
dormir to sleep
dossier *m* file, record
doublé(e) dubbed
douceur *f* sweetness, pleasantness **___ de vivre** pleasant life-style
doute *m* doubt
douter to doubt
douteux/douteuse doubtful **il est ___** it is doubtful
dramatique dramatic
droit(e) right
droite *f* right **à ___** to the right
drôle funny **___ de** strange
dur(e) hard
durée *f* duration
durer to last

eau *f* water **___ minérale** mineral water
échange *m* exchange
échouer to fail
éclater to break out, to begin
école *f* school
économie *f* saving **faire des ___s** to save up
économique economical

écouter to listen to
écran *m* screen **le petit ___** TV
écrémé(e) skimmed
écrire to write **s'___** to write to each other
égal(e) equal **être ___ à** not to matter, to be all the same
également equally
église *f* church
égoïste egotistic, selfish
élargir to broaden
électrique electrical
électronique *m* electronics
élégamment elegantly
élevé(e) high
élève *m, f* student
élitiste elitist
embarras *m* embarrassment **___ du choix** large selection
émerveiller to amaze
émission *f* TV or radio program
emmener to take along (people)
empêcher to prevent
emploi *m* employment, job, use **___ du temps** schedule **___ temporaire** temporary job
employé *m* employee
employer to use
emporter to take along (things)
encore still **pas ___** not yet **___ que** although
en-dehors outside **___ de** outside of
endormir: s'___ to go to sleep
endroit *m* place
énergique energetic
enfance *f* childhood
enfant *m, f* child, infant
enfer *m* hell

enfin at last, finally
enfuir: s'___ to escape
ennemi *m* enemy
ennuyer to bore, to bother **s'___** to be bored
ennuyeux/ennuyeuse boring
énorme enormous
énormément enormously
enquête *f* inquiry, investigation
enregistrer to register **___ les valises** to check the baggage
enseignement *m* education **___ général** general education **___ supérieur** higher education
enseigner to inform, to teach
ensemble together
ensemble *m* whole, mass
ensuite then
entendre to hear **___ parler de** to hear about **s'___** to get along
entendu(e) understood **bien ___** of course
entier *m* whole
entièrement entirely
entracte *m* intermission
entre between
entrée *f* entrance
entrer to enter
enveloppe *f* envelope
envie *f* desire, longing **avoir ___ de** to feel like
environ approximately
environs *m pl* surrounding area
envoyer to send
épais(e) thick
épicerie *f* grocery store
épicier *m* grocer
époque *f* era **à cette ___** at that time
époux/épouse *m, f* spouse

épreuve *f* test, exam
équipe *f* team
erreur *f* error
escale *f* stopover
escalier *m* stairs
escargot *m* snail
Espagne *f* Spain
espagnol *m* Spanish language
espèce *f* type
espérer to hope for
esprit *m* spirit, mind, wit
essayer to try
essence *f* gasoline
essentiel(le) essential **il est ___** it is essential
essentiel *m* the most important thing
essuyer to wipe, to dry
établir to work out, to establish
étage *m* floor (of a building)
état *m* state **être en mauvais ___** to be in bad shape
Etats-Unis *m pl* United States
été *m* summer
éteindre to extinguish
étendre: s'___ to extend
étiquette *f* label
étonnant(e) startling **il est ___** it is startling
étonné(e) amazed
étonner: s'___ to be amazed
étrange strange
étranger/étrangère foreign, strange
étranger *m* stranger **à l'___** abroad
être to be **___ à** to belong to **___ en train de** to be in the process of
étroit(e) narrow, strong

étroitement closely
études *f pl* studies **___ secondaires** high school studies **faire des ___** to go to school **programme d'___** course of study
étudiant(e) *m, f* student **maison d'___s** residence hall
étudier to study
événement *m* event
évidemment evidently
évoluer to evolve
examen *m* examination
examinateur *m* examiner
examiner to examine
exécution *f* execution
exemple *m* example **par ___** for instance
exiger to require
exister to exist
explication *f* explanation **___ de texte** literary analysis
expliquer to explain
explorateur *m* explorer
exprimer to explain, to express
extrêmement extremely

fabriquer to manufacture, to make
fâché(e) angry **être ___** to be angry
fâcher: se ___ to become angry
facile easy, quick
facilement easily
façon *f* manner **de ___ analytique** in an analytical manner
facultatif/facultative optional
faible weak
faim: avoir ___ to be hungry

faire to do, to make **___ son possible** to do one's best **se ___** to be done, to be made **s'en ___** to worry
fait *m* fact
falloir to be necessary (*impersonal*)
fameux/fameuse famous, infamous
familial(e) pertaining to family
famille *f* family **en ___** in the family
farine *f* flour
fatigant(e) tiring
fatigué(e) tired
faut *See* **falloir.**
faute *f* error
fauteuil *m* armchair
faux/fausse false
favori/favorite favorite
femme *f* wife, woman
fenêtre *f* window
fermer to close **___ à clé** to lock
féroce ferocious
fête *f* festival, party **___ du travail** Labor Day
fêter to celebrate
feu *m* fire **___ rouge** stoplight
feuilleton *m* serial, soap opera
février *m* February
fier/fière proud
filet *m* mesh grocery bag
fille *f* girl **petite ___** little girl
film *m* film **___ d'épouvante** horror movie **___ d'horreur** horror movie **grand ___** main feature **___ policier** detective film

fils *m* son
fin(e) fine
fin *f* end **à la** ___ at the end **de** ___ final **en** ___ **de** at the end of
finalement finally
finir to finish
fixe fixed
flocon *m* flake
fleur *f* flower
fois *f* time **une** ___ once
fonctionner to work, to operate
fonder to found
football *m* soccer
forfaitaire all-inclusive
formalité *f* form
formation *f* formation, education
forme *f* form, shape
former, se ___ to form, to compose, to educate
formidable fantastic
formule *f* construction
fort(e) strong
fou/folle crazy
foule *f* crowd
fournir to furnish
foyer *m* home
frais/fraîche fresh, cool **faire** ___ to be cool weather
frais *m* expenses ___ **d'inscription** registration fees, tuition
fraise *f* strawberry
franc/franche frank
franc *m* franc, unit of French money
français(e) French
Français(e) *m, f* French person
francophone *m* French-speaking person
francophonie *f* French-speaking world
frapper to hit, to strike

frein *m* brake
fréquemment frequently
fréquenter to see often
frère *m* brother
frigo *m* refrigerator (*slang*)
frites *f pl* french fries
froid(e) cold **avoir** ___ to be cold **faire** ___ to be cold weather
fromage *m* cheese
FR 3 France Regions 3 (TV network)
frustré(e) frustrated
fuir to flee
fumer to smoke
furieux/furieuse furious
furtivement furtively
futur *m* future

gagner to earn
garagiste *m, f* mechanic, garage operator
garantir to guarantee
garçon *m* boy
garder to keep, to maintain
gardien *m* guardian
gare *f* train station **en** ___ **de** at the station of
gars *m* guy, boy (*slang*)
gâteau *m* cake
gauche *f* left **à** ___ to the left
gauche left
gendarme *m* policeman
gêne *f* difficulty
généreux/généreuse generous
génie *m* genius
genre *m* type, gender
gens *m pl* people
gentil(le) nice, gentle
gentilhomme *m* gentleman
géographie *f* geography
glace *f* ice cream ___ **à la vanilla** vanilla ice cream
glissant(e) slick, slippery

gloire *f* glory
gorille *m* gorilla
gosse *m, f* kid (*slang*)
goutte *f* drop
gouvernement *m* government
graissage *m* greasing, lubrication **faire le** ___ to lubricate a vehicle
grand(e) big, tall, great, main
grandeur *f* grandeur, size
grandir to grow up
grand-mère *f* grandmother
grand-père *m* grandfather
gratuit(e) free
grenouille *f* frog
grève *f* strike **en** ___ on strike
gris(e) gray
gros(se) big, large
groupe *m* group **en** ___ in a group
gruyère *m* swiss cheese
guère hardly
guerre *f* war **faire la** ___ to fight a war **Première** ___ **mondiale** First World War
guichet *m* ticket window
guide *m* guide ___ **Michelin** Michelin travel guide

habiller to dress **s'** ___ to get dressed
habitant *m* inhabitant
habiter to live (in)
habitude *f* habit **d'** ___ usually **comme d'** ___ as usual
habituellement habitually
habituer: s' ___ **à** to get used to
haricot *m* string bean ___ **s verts** green beans
hausse *f* rise

haut(e) high, loud
haut-parleur *m* loudspeaker
Le Havre port city in France
héritier *m* heir
héros *m* hero
hésiter to hesitate
heure *f* hour **à l'___** on time **à quelle ___** at what time **à tout à l'___** see you later **de bonne ___** early **demi-___** half hour **___s de pointe** rush hour
heureusement happily, fortunately
heureux/heureuse happy
Hexagone *f* term for France
hier yesterday
histoire *f* story, history
historique historic
hiver *m* winter **en ___** in the winter
homard *m* lobster
homme *m* man
honnête honest
honorer to honor
honte *f* shame **avoir ___ de** to be ashamed of
horaire *m* timetable, schedule
hostilité *f* hostility
hôtelier *m* hotel owner
hôtesse *f* flight attendant
huile *f* oil **___ végétale** vegetable oil
humour *m* humor
hypermarché *m* shopping mall

ici here **d'___** from now until
idée *f* idea
identifier to identify

idiotisme *m* idiom
île *f* island
il y a there is, there are, ago
imaginaire imaginary
imaginer to imagine **s'___** to imagine
immobiliser to immobilize
imparfait *m* imperfect (*verb tense*)
impératif/impérative imperative
inconvénient *m* inconvenience
indéfini(e) indefinite
indépendance *f* independence
indicateur *m* train schedule
indicatif: code ___ de zone *m* telephone area code
indicatif *m* indicative (*mood of a verb*)
indigène native
indiquer to indicate, to point out
individu *m* individual
individualiste individualistic
infiniment infinitely, exceedingly
informer to inform, to acquaint **s'___** to inquire, to investigate
inquiet/inquiète anxious, restless, worried
inquiéter: s'___ to worry
inscriptions *f pl* registration
inscrire: s'___ to enroll, to register
inscrit(e) enrolled
installer: s'___ to establish oneself
instant *m* instant, moment **un ___** just a minute

instituteur *m* elementary school teacher
instruction *f* education
instrument *m* instrument **___ de musique** musical instrument
insupportable unbearable
intempéries *f pl* bad weather
intensément intensely
interdit(e) forbidden, prohibited
intéressant(e) interesting; financially advantageous
intéresser: s'___ à to be interested in
intérêt *m* interest
interprétation *f* acting
interrogatif/interrogative interrogative
interrompre to interrupt
intrépide intrepid, bold
intrigue *f* plot
introduire to insert
invité(e) *m, f* guest
inviter to invite
italien(ne) Italian
itinéraire *m* itinerary

jamais never
jambe *f* leg
jambon *m* ham
janvier *m* January
japonais(e) Japanese
jeter to throw
jeu *m* game
jeudi *m* Thursday
jeune young **___ fille** *f* girl
jeunesse *f* youth
joie *f* joy
joli(e) pretty
jouer to pay **___ au bridge** to play bridge **___ un rôle** to play a part

jour *m* day **___ de l'an** New Year's Day **tous les ___s** everyday

journal *m* newspaper

journée *f* day

juillet *m* July

juin *m* June

jurer to swear

jusqu'à to **___ ce que** until

jusque until **___ là** that far

justement justly, precisely

justifier to justify

kilo *m* kilo **au ___** by the kilo

kilométrage *m* distance in kilometers

là there

là-bas there, over there

laboratoire *m* laboratory **matériel de ___** laboratory supplies

La Fontaine 17th century author

laid(e) ugly

laine *f* wool

laisser to leave

lait *m* milk

lancer to fling, to throw

language *m* language

langue *f* language **___ de travail** working language **___ maternelle** native language, mother tongue

laver, se ___ to wash

lèche-vitrine: faire du ___ to go window shopping

leçon *f* lesson

lecture *f* reading

légende *f* legend

léger/légère light

légume *m* vegetable

lendemain *m* the following day

lent(e) slow

lentement slowly

lequel/laquelle which one

lever to raise **se ___** to get up

librairie *f* bookstore

libre free

lien *m* link

lieu *m* place, spot **au ___ de** instead of **avoir ___** to take place

linguistique linguistic

lire to read

lit *m* bed **au ___** in bed

litre *m* liter

livre *m* book

location *f* rental

loger to lodge, to live

logique logical

logiquement logically

loi *f* law

loin far

loisir *m* leisure

Londres London

longtemps a long while

lorsque when

louer to rent

loup/louve *m, f* wolf

lundi *m* Monday

lune *f* moon

luxe *m* luxury **de ___** luxury

lycée *m* last three years of secondary school

lycéen/lycéenne *m, f* lycée student

Lyon-Bron Lyons airport

machiniste *m* driver

magasin *m* store **grand ___** department store

Maghreb *m* Arab term for North African countries

mai *m* May

main *f* hand

maintenant now

maintenir, se ___ to keep up

maison *f* house **à la ___** at home **___ d'étudiants** residence hall **Maison des Jeunes et de la Culture** *f* youth center

maîtresse *f* elementary school teacher

majestueux/majestueuse majestic

mal badly **___ élevé** *m* ill-mannered child

mal *m* pain, ache **avoir ___ à** to have an ache **faire ___ à** to hurt **___ du mal** to harm

malade sick

malheureusement unfortunately

malheureux/malheureuse unfortunate, unhappy

malhonnête dishonest

maman *f* mama

manger to eat **___ sur le pouce** to eat on the run

manière *f* manner **bonnes ___s** good breeding

manifestation *f* demonstration

manifester to demonstrate **se ___** to appear

manquer to neglect

marchand *m* shopkeeper

marchandise *f* merchandise

marché *m* market **faire le ___** to buy groceries **___ du travail** labor market

marcher to work, to function, to walk

mardi *m* Tuesday **Mardi gras** Mardi Gras

mari *m* husband

mariage *m* marriage, wedding

marié(e) married

marier: se ___ to get married

marin *m* sailor

Maroc *m* Morocco

marque *f* brand

mars *m* March

masse *f* mass

massif/massive massive ___ **Central** Massif Central (plateau in Central France)

maternel(le) native

mathématiques *f pl* mathematics

maths *f pl* math

matière *f* subject matter ___ **obligatoire** required subject

matin *m* morning

matinée *f* morning

mauvais(e) bad **faire ___** to be bad weather

méchant(e) wicked, mean

mécontent(e) displeased, dissatisfied

médecin *m* doctor

meilleur(e) better

mêler to mix **se ___ à** to have a hand in **se ___ de ses affaires** to mind one's business

même -self, same

menacer to threaten

mener to take, to lead

menteur/menteuse lying

mentionner to mention

mer *f* sea ___ **des Antilles** Caribbean Sea

mercredi *m* Wednesday

mère *f* mother

mériter to deserve

métier *m* line of work

métrage *m* footage **court ___** short feature **long ___** full-length feature

mètre *m* meter

métropole *f* geographical France

métropolitain(e) metropolitan

metteur en scène *m* director

mettre to put ___ **au point** to finalize **se ___** to put or place oneself **se ___ à** to begin to **se ___ d'accord** to be in agreement

meurtre *m* murder

midi *m* noon

mieux better **faire de son ___** to do one's best

milieu *m* middle **au ___ de** in the middle of

ministère *m* department, ministry ___ **de l'Education** French national department of education

ministre *m* minister, clergyman

minuit *m* midnight

mise au point *f* tune-up

misère *f* misery, poverty

mistral *m* Mistral—a strong, cold wind in Mediterranean area

modique modest

moindre least

moins (de) less, fewer **à ___ (de, que)** unless **au ___** at least

mois *m* month

moitié *f* half

moment *m* moment, instant **au ___ de** at the moment of **à un ___ donné** at a given moment

monde *m* world **Nouveau ___** New World **Tiers ___** Third World

monnaie *f* change

monsieur *m* gentleman

mont *m* mountain

montagne *f* mountain **en ___** in the mountains

monter to go up, to climb, to board ___ **en** to get into, to board

montre *f* watch ___ **en or** gold watch

montrer to show **se ___** to reveal itself

moquer: se ___ de to make fun of

morceau *m* piece

mot *m* word ___**s croisés** crossword puzzle

motocyclette *f* motorcycle

mourir to die

moyen *m* means, way **avoir les ___s** to have the means ___ **de transport** means of transportation

moyenne *f* average

mur *m* wall

musée *m* museum

nager to swim

naissance *f* birth

naître to be born

nationalité *f* citizenship, nationality

nature unflavored, plain

navet *m* "bomb," unsuccessful movie (*slang*)

naviguer to sail

né(e) born

nécessaire necessary

négliger to neglect

neige *f* snow

neiger to snow (*impersonal*)

ne ... que only

nerveux/nerveuse nervous

net(te) clear

neuf/neuve brand-new

nez *m* nose

Nil *m* Nile

ni ... ni neither ... nor

niveau *m* level

Noël *m* Christmas

noir(e) black **en ___ et blanc** in black and white

nom *m* name

nombreux/nombreuse numerous, large

non-réservé(e) not reserved

Normand *m* Normand

note *f* grade **relevé de ___s** *m* academic transcript

nourrir to feed, to nourish

nourriture *f* nourishment, food

nouveau/nouvelle new

Nouvelle-Orléans *f* New Orleans

nouvelles *f pl* news

novembre *m* November

noyau *m* pit

nuage *m* cloud

nuit *f* night

obéir to obey

objet *m* object

obligatoire compulsory **matière ___** required subject

obligé(e) obliged

oblitérer to punch a ticket

obscurcir to obscure, to darken

obtenir to obtain

occasion *f* event **avoir l'___ de** to have the opportunity to

occuper: s'___ de to take care of, to look after

octobre *m* October

odeur *f* odor

œil *m* (*pl* **yeux**) eye

œuf *m* egg

œuvre *m* works

offrir to offer **s'___** to treat oneself

oignon *m* onion

optimiste optimistic

or *m* gold

ordinateur *m* computer

ordonner to order

orgueilleux/orgueilleuse proud

orienter to direct

où where

oublier to forget

ouest *m* west

outre-Atlantique across the Atlantic

outre-mer *m* overseas

ouvertement openly

ouvreuse *f* usherette

ouvrier *m* worker

ouvrir to open

pain *m* bread

palais *m* palace

pâlir to become pale

palmier *m* palm tree

panne *f* breakdown **en ___** out of order, in need of repair

par by, through

paradis *m* paradise **___ terrestre** paradise on earth

paraître to appear, to seem

parapluie *m* umbrella

parce que because

pardon excuse me

pareil(le) similar

parenthèses *f pl* parentheses **entre ___** in parentheses

paresseux/paresseuse lazy

parfait(e) perfect

parfois sometimes

parfumé(e) flavored

parisien(ne) Parisian

parking *m* parking lot

parler to speak **se ___** to speak to each other

parmi among

parole *f* word, spoken word

partager to share

particulier/particulière particular **en ___** in particular

partie *f* part **faire ___ de** to be part of

partiel(le) partial

partir to leave

partout everywhere

passager *m* passenger

passé *m* past **___ composé** passé composé (*verb tense*)

passer to spend (time), to show, to be playing **___ à** to go into **___ à table** to go to the table **___ un examen** to take an exam **___ un film** to show a film **se ___** to happen, to take place **se ___ de** to do without

passionné(e) excited **être ___ de** to be enthusiastic about

patiemment patiently

patinoire *f* skating rink

pâtisserie *f* pastry, pastry shop

patrie *f* homeland

patron(ne) *m, f* boss

pauvre poor, unfortunate

payer to pay for

pays *m* country

paysage *m* landscape, scenery

peau *f* skin

pêche *f* fishing **aller à la** _____ to go fishing

pêche *f* peach

pédale *f* pedal

peindre to paint

peigner: se _____ to comb one's hair

peine *f* trouble **ce n'est pas la** _____ it is not worth it

peintre *m* painter

pendant (que) during, while

penser to think _____ **à** to think about (have in mind) _____ **de** to think about (have an opinion)

perdre to lose **se** _____ to get lost

père *m* father _____**s** **Pèlerins** Pilgrim Fathers

périphérie *f* lands outside the mother country

permettre to permit

permis(e) allowed

permis *m* permit, license _____ **de conduire** driver's license

perruche *f* parakeet

personnage *m* character

personne anyone, no one

petit(e) little, small _____ **à** _____ little by little _____ **déjeuner** *m* breakfast _____ **enfant** *m* grandchild _____ **pois** *m pl* peas

petit *m* little boy _____**s** children

peu little _____ **de** few **un** _____ **de** a little

peuple *m* people, nation

peur *f* fear **avoir** _____ **de** to be afraid of **de** _____ **(de, que)** for fear (of, that)

peut: il se _____ it's possible

peut-être perhaps, maybe

phénomène *m* phenomenon

phrase *f* sentence

pièce *f* piece _____ **de théâtre** play

pied *m* foot

piège *m* trap

piscine *f* swimming pool

piste *f* runway

place *f* seat, place, square

plage *f* beach

plaindre: se _____ to complain, to grumble

plaire to please **se** _____ to enjoy oneself

plaisant(e) pleasant, amusing

plaisir *m* pleasure **faire** _____ **à** to give pleasure to

plan *m* map

plancher *m* floor

plein(e) full

plein *m* full part **faire le** _____ to fill the tank

pleurer to cry

pleuvoir to rain *(impersonal)*

pluie *f* rain

plupart *f* most **la** _____ **des** the majority of

pluriel *m* plural

plus more **en** _____ **de** in addition to _____ ... _____ the more ... the more **un peu** _____ a little more

plusieurs several

plus-que-parfait *m* pluperfect verb tense

plutôt rather

pluvieux/pluvieuse rainy

pneu *m* tire

poche *f* pocket **argent de** _____ *m* spending money

point *m* point **mise au** _____ *m* tune-up _____ **de vue** point of view

poire *f* pear

poisson *m* fish

Poitou *m* region of France

poivron *m* green pepper

poli(e) polite

politique political

politique *f* politics

polycopié *m* reproduced lecture notes

pomme de terre *f* potato

pompiste *m* gas station attendant

porte *f* door, gate

portefeuille *m* wallet

porter to carry, to bear

portillon *m* automatic gate

portugais *m* Portuguese language

poser to put _____ **une question** to ask a question

posséder to own, to possess

possessif/possessive possessive

possibilité *f* possibility

poste *f* post office **mettre à la** _____ to mail

poste *m* post, position, set _____ **de radio** radio receiver _____ **de télévision** television set

poulet *m* chicken

pour for _____ **(que)** in order to (that)

pour *m* pro

pourboire *m* tip

pour cent percent
pourquoi why
poursuivre, se ___ to pursue
pourtant however
pourvu provided **___ que** provided that
pouvoir to be able **il se peut** it is possible
pratique experienced **travaux ___s** drill or discussion section
précédent(e) preceding
précéder to precede
précis(e) precise
préciser to state precisely, to specify
précision f detail
prédire to predict
préférer to prefer
premier/première first
première f premiere, opening night
prendre to take **___ au sérieux** to take seriously **___ quelque chose** to get something to eat or drink **___ rendez-vous** to make an appointment **___ un pot** to have a beer **___ une décision** to make a decision
préoccupé(e) worried
près close **de ___** closely **___ de** near
présence f presence, attendance
présent(e) present **à ___** now
présenter to present, to introduce **se ___** to present oneself, to appear **se ___ à** to be a candidate for
presque almost

presser: se ___ to hurry
pression f pressure
prêt(e) ready
prévoir to foresee, to anticipate, to plan
principe m principle
printemps m spring
prix m price, rate, prize **___ forfaitaire** advance-payment rate **___ réduit** reduced price
problème m problem
prochain(e) next, following (the next)
Proche-Orient m Middle East
produire to produce
produit m product **___s alimentaires** groceries
profiter de to take advantage of
programme m program **___ d' études** course of study **___ de variétés** variety show
progrès m progress **faire des ___** to make progress
projet m plan, project **formuler des ___s** to make plans **___s de voyage** travel plans
projeter to project, to plan
promener, se ___ to walk **se ___ en voiture** to take a drive
promettre to promise
pronom m pronoun
prononcer to pronounce
propos: à ___ by the way **à ___ de** concerning
proposer to propose, to set up
propre clean, own
propriétaire m, f landlord

provenance f point of origin **en ___ de** arriving from
Provence f region of France
provisions f pl groceries **faire les ___** to grocery shop
provoquer to provoke
publicité f advertisement, commercials
puis then
puisque since
punir to punish

quai m platform
quand when
quart m quarter
quartier m neighborhood
que that, which
Québécois(e) m, f person from Quebec
quel(le) what, which
quelque some **___s** a few
quelque chose something **avoir ___** to have something wrong
quelquefois sometimes
quelque part somewhere
quelques-uns some
quelqu'un someone
qu'est-ce que what
qu'est-ce que c'est? what is it?
qu'est-ce qui what
question f question **en ___** in question **être ___ de** to be a question of
queue f line **faire la ___** to stand in line
qui who, whom
quitter to leave
quoi which, what **___ que** whatever
quoique although

quotidien/quotidienne
everyday

rabais *m* bargain
raconter to tell, to relate
rafraîchissement *m*
refreshment
raison *f* reason
avoir ____ to be right
raisonnable reasonable,
moderate
ralentir to slow down
rame *f* subway train
randonnée *f* hike
rapide rapid
rapide *m* express train
rappeler: se ____ to
remember
rapport *m* relationship
rapporter to bring back
raser, se ____ to shave
rater to miss, to flunk
(*slang*)
rattraper: se ____ to make
up
raviser, se ____ to change
one's mind
rayon *m* department,
counter
réalisateur *m* producer
réaliste realistic
récemment recently
récepteur *m* television set
____ **en couleurs** color
set
recevoir to receive
recherche *f* research
récit *m* story **faire le** ____
to tell the story
réclame *f* advertisement
réclamer to claim
recommencer to begin
again
reconnaître to recognize,
to acknowledge

reçu(e) received, admitted,
successful **être** ____ to
pass
réduction *f* discount
réduit(e) reduced
réel(le) real
refaire to do again
réfléchi(e) reflexive
réfléchir to think about
refléter to reflect
réforme *f* reform
refuser to refuse
regarder to look at
régler to regulate, to
adjust, to fix, to settle
(an account) ____ **des**
affaires to take care of
business
regretter to regret, to be
sorry
régulièrement regularly
reine *f* queen
rejeter to reject
relation *f* relationship
____ **amicale** friendship
remarque *f* remark
remarquer to notice
remercier to thank
remettre: se ____ to get
back to
remonter to go back to
remplacer to replace
remplir to fill in, to fill
out
rencontrer, se ____ to meet
(by chance)
rencontrer to meet by
chance
rendez-vous *m*
appointment, engagement
avoir un ____ to have a
date **prendre** ____ to
make an appointment **se**
donner ____ to arrange to
meet
rendre to return, to give
back ____ **un service** to

do a favor **se** ____ **à** to go
to **se** ____ **compte de** to
realize
renseignement *m*
information **bureau**
de ____ **s** information
window
renseigner to inform
se ____ to obtain
information
rentrée *f* opening of
school
rentrer to return home
renvoyer to send back
réparer to repair
reparler to speak again
repas *m* meal
répéter to repeat
réplique *f* reply
répondre to answer
réponse *f* answer, reply
reportage *m* account
reposer: se ____ to rest
requin *m* shark
résidence *f* residence,
dwelling
résoudre to solve
ressembler to resemble
ressusciter to resuscitate,
to revive
rester to remain, to stay
____ **à** to be left
Resto-U *m* university
dining hall (*slang*)
résultat *m* result
retard: être en ____ to be
late
retenir to retain
retour *m* return **de** ____ **à**
back at, having returned
to **être de** ____ to be back
retourner to go back to
réunion *f* meeting,
reconciliation

réunir to bring together again

réussir to succeed ___ **à** to pass

réussite f success

rêve m dream

réveiller, se ___ to wake up

revenir to come again, to come back

rêver to dream

revoir to see again

révolutionnaire revolutionary

revue f magazine ___ **de cinéma** movie magazine

rez-de-chausée m ground floor

rien nothing

rigoler to laugh, to have a good time

rire to laugh

risque m risk **courir des** ___ **s** to take chances

risquer, se ___ to risk, to venture

riz m rice

robe f dress ___ **de (en) coton** cotton dress

roi m king ___ **du pétrole** oil baron

rôle m part

rose pink

rôti(e) roasted

rouge red

rougir to blush

rouler to run, to roll along ___ **en voiture** to drive

route f road

rue f street

ruine f ruin

russe Russian

sable m sand

sac m sack ___ **en plastique** plastic sack

___ **en papier** paper sack

sage wise, good

saigner to bleed

sain et sauf safe and sound

saisir to seize

saison f season

saisonnier/saisonnière seasonal

sale dirty, sordid

salle f room ___ **de bains** bathroom ___ **de cinéma** movie house ___ **de classe** classroom ___ **de théâtre** theater

saluer to greet

samedi m Saturday

sans (que) without

sauver: se ___ to run off

savoir to know, to know how

science f science ___ **humaine** social science

scolaire school **année** ___ school year

séance f show, showing, performance

sécher to cut a class

secondaire secondary

seconde first year of *lycée*

secrétaire f secretary

séduire to attract

séjour m stay, visit

sel m salt

selon according to

semaine f week

sembler to seem, to appear

Sénégal m Senegal

sens m meaning

sentir to feel

séparer to separate

septembre m September

série f series, succession

sérieux/sérieuse responsible, serious

sérieux m seriousness

service m service **à votre** ___ at your service **être de** ___ to be of service (help) **être en** ___ to be in use

servir to serve **se** ___ to serve oneself **se** ___ **de** to use

seul(e) alone

sévère strict

si if

siècle m century

sieste f nap

signaler to signal, to indicate

signe: faire ___ to signal

singulier m singular

ski m ski **faire du** ___ to go skiing

socio-économique socioeconomic

sœur f sister

soi oneself

soif f thirst **avoir** ___ to be thirsty

soir m evening

soirée f evening, party

soldat m soldier

soleil m sun **faire du** ___ to be sunny

somme f sum

sommeil m sleep **avoir** ___ to be sleepy

sondage m poll

sonner to sound, to strike

sorte f sort, kind **de** ___ **(de, que)** so (as, that)

sortir to go out, to take out

soudain(e) sudden *adverb* suddenly

souffrir to suffer

souhaiter to desire, to wish

soulier m shoe, slipper

sourd-muet *m* deaf-mute
sourire to smile
sous *m pl* money
sous-sol *m* basement
sous-titre *m* subtitle
souvenir *m* memory
souvenir: se ___ de to remember
souvent often
speakerine *f* announcer
spécialisation *f* major field
spécialisé(e) specialized
spectacle *m* show
sportif/sportive athletic
stimuler to stimulate
subir to undergo
subjectivité *f* subjectivity
subjonctif *m* subjunctive (*mood of a verb*)
successif/successive successive
sucre *m* sugar
sud *m* south **au ___ de** south of
sud-ouest *m* southwest
suffire de to suffice, to be sufficient
suggérer to suggest
suite *f* series, succession
suivant(e) following
suivre to follow **___ un cours** to take a course
sujet *m* subject **au ___ de** about
supérieur(e) superior **enseignement ___** *m* higher education
supermarché *m* supermarket
supplément *m* supplementary fee
supplémentaire further
supprimer to cancel
sur for, on, out of **___ place** on the spot
sûr(e) sure **bien ___** of course

surprenant(e) surprising
surprendre to surprise
surpris(e) surprised
surtout chiefly
sympathique pleasant

tableau *m* surface
taire: se ___ to be quiet
tant (de) so much, so many
taper to type
tard late **plus ___** later
tarif *m* tariff, rate **___ étudiant** student rate
tasse *f* cup
taxi *m* taxi **en ___** by taxi
tel(le) such **___ ou ___** this or that
télé *f* television **à la ___** on TV **___ par câbles** cable television **___ 7 jours** *m* television program guide
téléphone *m* telephone **au ___** on the telephone
téléphoner to phone
téléspectateur *m* viewer
télévision *f* television **à la ___** on television **poste de ___** *m* television set
TF 1 Télévision Française 1 (*TV network*)
tempête *f* storm **___ de neige** snowstorm
temple *m* protestant church
temps *m* time, weather, tense **de ___ en ___** from time to time **en même ___ (que)** at the same time (as) **il est ___** it is time **___ libre** free time **___ verbal** tense
tenez here
tenir to hold **___ à** to insist

tennis *m* tennis **faire du ___** to play tennis
terminale *f* last year of *lycée*
terrain *m* grounds **___ du collège** school grounds
terrasse *f* terrace **à la ___** on the terrace
terre *f* earth
terrifier to terrify
territoire *m* territory
tête *f* head
thé *m* tea
théâtre *m* theater **pièce de ___** play
thon *m* tuna
timide shy
tiret *m* blank
titre *m* title
tomber to fall
tonnerre *m* thunder
topo *m* classroom presentation (*slang*)
tort *m* wrong, injustice **avoir ___** to be wrong
tôt early **plus ___** earlier
toucher to touch **___ un chèque** to cash a check **se ___** to be contiguous
toujours always, still
tourisme *m* touring, tourism
tourner to turn **___ un film** to shoot (make) a movie
tous all **___ les jours** every day
tout(e) all **en ___** in all **___ à coup** suddenly **___ de même** all the same **___ de suite** immediately **___(e) le, la . . .** all the . . ., the whole . . . **___ le monde** everyone
traduire to translate

train *m* train **monter en** ___ to board a train **par le** ___ by train
traité *m* treaty ___ **de paix** peace treaty
traître *m* villain
trajet *m* journey, voyage, trip
tranquille quiet, peaceful
tranquillement peacefully, quietly
transformer to change **se** ___ to turn into
travail *m* work **langue de** ___ working language **marché du** ___ job market
travailler to work
travailleur/travailleuse industrious, hardworking
travaux *m pl* work, labor ___ **dirigés** drill or discussion section
travers: à ___ through
traverser to cross
trimestre *m* quarter
triste sad **il est** ___ it is sad
tristesse *f* sadness
tromper to deceive **se** ___ to be wrong
trompeur/trompeuse deceitful
trop (de) too much, too many **de** ___ too many, excessive
trou *m* hole
trouble *m* disturbance
trouver to find **se** ___ to be found, to find oneself
truie *f* sow
type *m* guy, fellow

uniquement solely
unité *f* unit ___ **de valeur** credit

universitaire university **cité** ___ residence hall complex
utile useful
utiliser to use

vacances *f pl* vacation **en** ___ on vacation **grandes** ___ summer vacation **vol-**___ vacation travel by air
valable valid
valeur *f* value, worth ___**s** values **unité de** ___ credit
valider to validate
valise *f* suitcase
vallée *f* valley
valoir to be worth ___ **la peine** to be worth the trouble ___ **mieux** to be better (*impersonal*)
vaniteux/vaniteuse vain
varier to vary
variété *f* variety
vedette *f* star (male or female)
veille *f* preceding evening, eve
vélo *m* bicycle
vélomoteur *m* motorbike
vendeur/vendeuse *m, f* salesperson
vendre to sell
vendredi *m* Friday
venir to come ___ **de** to have just
vent *m* wind **faire du** ___ to be windy
vérifier to check
véritable real
vérité *f* truth
verre *m* glass ___ **à vin** wineglass
vers toward, to

verser to pay in, to deposit ___ **des arrhes** to send (leave) a deposit
version: en ___ **originale** in the original language
veuf *m* widower
veuillez please be so kind
veuve *f* widow
viande *f* meat
vidange *f* emptying, draining off **faire la** ___ to change the oil
vide empty
vie *f* life **style de** ___ lifestyle
vieux/vieille old
vieux *m* old person **mon** ___ old buddy
ville *f* town **en** ___ downtown
vin *m* wine
vite fast, quick, quickly **pas si** ___ not so fast
vitesse *f* speed
vivant(e) lively, living
vivre to live **la douceur de** ___ pleasant life-style
voici here is, here are
voie *f* track
voilà there is, there are
voir to see
voiture *f* car, railway car **en** ___ by car
voix *f* voice
vol *m* flight ___**-vacances** *f pl* vacation travel by air at reduced rate
volant *m* steering wheel **au** ___ at the wheel
voler to steal
volley *m* volleyball
volontaire *m* volunteer
volontiers willingly
vol-vacances *m* vacation travel by air at reduced rate

Vosges *f pl* Vosges
Mountains in northeast
France
vouloir to want
voyage *m* trip, travel
___ **à forfait** vacation
package deal **projets**
de ___ travel plans **faire**
un ___ to take a trip
___ **de retour** return trip
voyager to travel
voyageur *m* traveler,
passenger
vrai(e) true **il est** ___ it is
true

vraiment really

western *m* cowboy movie

yaourt *m* yogurt

zut! darn it!

Index

Idioms
  avoir, 49
  être, 49
  with imperfect, 113
  with present tense, 51
Il est / c'est, 23
Il y a / voilà, 25
Indefinite
  antecedents, 172
  article, 15
Indirect discourse, 264
Infinitive
  after *aller*, 23
  after prepositions, 186
  past, 187
Interrogative
  adjectives, 138
  adverbs, 132
  compound tenses, 97
  pronouns, 134, 141
  simple tenses, 46
Imperative
  avoir, 11
  être, 11
  reflexive verbs, 39
  regular *-er-* verbs, 10
  regular *-ir* verbs, 37
  regular *-re* verbs, 38
  with object pronouns, 218
Imperfect
  choice of past tenses, 118
  conditional sequence, 253
  formation, 110
  idiomatic expressions, 113
  subjunctive, 153, 270
  use of, 111
Impersonal expressions
  with subjunctive, 167
-IR verbs
  irregular, 60
  regular, 36
Irregular
  -ir verbs, 60
  -oir- verbs, 44
  -oire verbs, 45
  past participles, 91
  -re verbs, 61

subjunctive forms, 154
verb charts, 273

Lequel
  as interrogative pronoun, 141
  as relative pronoun, 201
Literary tenses, 268

Negation
  compound tenses, 95
  simple tenses, 78
Numbers
  cardinal, 242
  ordinal, 243

Object pronouns
  choice of, 214
  en, 215
  placement, 217, 218
  position, 217
  y, 215
-OIR verbs, 44
-OIRE verbs 45
Ordinal numbers, 243
Où **as relative pronoun,** 201

Partitive, 18
Passé antérieur, 270
Passé composé
  agreement of past participles, 91, 94
  avoir verbs, 90
  choice of past tenses, 118
  être verbs, 93
  formation, 90
  irregular past participles, 91
  reflexive verbs, 93
  use of, 100
  verb charts, 273
Passé simple, 268
Passive voice, 261
Past conditional
  formation, 251
  pluperfect sequence, 252, 256
  use of, 252, 256
Past Participle
  agreement, 91, 93, 94
  avoir verbs, 91